La pianista de Varsovia

Una mujer atrapada entre la pasión
por la música, el amor
y sus ideales

Título original:
Songbird

Diseño de cubierta:
ROMI SANMARTÍ

Imágenes de cubierta:
Fotografía pianista: © AGENCIA
Retrato: Detalle de la portada original de ATRIA BOOKS

© 2004 by WALTER ZACHARIUS
© De la traducción: JOFRE HOMEDES BEUTNAGEL
© 2005, MAEVA EDICIONES
Licencia editorial para Bookspan por
cortesía de Maeva Ediciones

Bookspan
501 Franklin Avenue
Garden City, N.Y. 11530

ISBN: 84-96231-51-8

Walter Zacharius

La pianista de Varsovia

Una mujer atrapada entre la pasión
por la música, el amor
y sus ideales

Traducción:
JOFRE HOMEDES BEUTNAGEL

MAEVA

AGRADECIMIENTOS

Mi más profunda gratitud a todas las personas que me han ayudado e inspirado en la escritura de esta novela.

GRACIAS ESPECIALES A:

Jonathan Teicher, Mary Stanton y Richard Marek. Sin vosotros, dudo que existiera este libro. Yo aún estaría perdido en la selva.

Owen Laster, de la agencia William Morris, que tuvo el valor de aceptarme como cliente y me dio la confianza necesaria para perseverar.

Michaela Hamilton, responsable editorial de Kensington Publishing, que me impartió un curso acelerado sobre lo que hay que hacer y lo que no hay que hacer al escribir. Gracias a ella, he descubierto que ser escritor es mucho más difícil que ser editor.

Dorothy Tarallo, mi ayudante durante muchos años, que mecanografió tantas veces el manuscrito que se sabe la historia de memoria.

Erena Topchieva, mi profesora de piano de los últimos diez años (la única que he tenido). Aparte de enseñarme a tocar el piano, me ha contagiado su amor a la música. Fue ella quien me ayudó a elegir la música del libro, además de animarme a escribirlo.

Emily Bestler, vicepresidenta y directora editorial de Atria Books, división de Simon & Schuster, y mi editora. Me hizo replantearme muchas partes de la novela. Siempre he opinado que detrás de una historia excelente siempre hay un editor excelente. Emily personifica todo lo que es importante en el negocio editorial.

Todo mi equipo de Kensington Publishing. Vuestros consejos y palabras de aliento me han sido de gran ayuda.

DEDICATORIAS

A Roberta Grossman, mi antigua socia, que hace dieciséis años me desafió a escribir esta novela. Trágicamente, murió antes de ver el libro terminado. Sin su inspiración jamás me habría planteado el reto de escribir *La pianista de Varsovia*.

A Steven Zacharius, mi hijo, y socio en los últimos doce años, que sigue construyendo el sueño editorial que puse en marcha.

A Judy Zacharius, mi intrépida hija, que está cumpliendo muchos de sus sueños. Un día quizá también escriba un libro. Espero leerlo.

A Cori Zacharius y Adam Zacharius, mis nietos; por que nunca vivan los horrores de este libro.

A Alice Zacharius, la persona más importante de mi vida. Sin su ayuda y su apoyo, nunca habría llegado tan lejos...

PRÓLOGO

1975

En el crepúsculo, el bosquecillo de cipreses de la frontera libanesa parece un pequeño ejército listo para atacar; y no es una comparación descabellada, ya que el *kibbutz* contiguo a mi diminuta granja ha sufrido bombardeos con cierta regularidad. En caso de invasión, no sería fácil distinguirme de los kibbutzim, aunque yo, a diferencia de ellos, carezca de armas para defenderme.

Ya ha pasado más de un año desde las primeras bombas. Los ataques pueden ser semanales, o repetirse tres o cuatro veces por semana (es la manera que tienen de matar el tiempo las tropas árabes), pero la mayoría de los días me siento segura. La arboleda que separa la tierra fértil de mi finca de los eriales marrones del lado libanés es un asilo, mi refugio contra tanto horror.

Es una noche tranquila, pero estoy como borracha. Mañana recibiré la visita de un antiguo amor. La perspectiva es tan emocionante, y al mismo tiempo tan aterradora, que no consigo estarme quieta. Me paseo delante de la casa mirando los árboles verdes, aspirando la fragancia del aire, oyendo el canto de los pájaros y recordando la piel y el sabor de ese hombre, aunque lleve casi treinta años sin probar ni lo uno ni lo otro.

No puedo esperar. El mero hecho de pensar en él, aunque no esté conmigo, hace que mi cuerpo reviva. Es tan intensa la memoria de los sentidos, que me obliga a respirar hondo para calmar mi corazón. Sólo entonces, más serena, puedo entrar en casa y coger la carta que anuncia su llegada.

Querida Mia:

La semana pasada te vi en un noticiario de la Pathé sobre las tensiones fronterizas. Aparecías trabajando en el campo (¿eres granjera?), y estabas tan guapa como siempre, de una belleza arrasadora. Me di cuenta enseguida de que tenía que verte. Comprendí cuánto te echo de menos, y algunas gestiones detectivescas me permitieron encontrar tu dirección.

No me lo puedes impedir. Cuando recibas esta carta estaré volando hacia Israel, de camino a tu casa, donde llegaré el 27. De hecho no tienes mi dirección. Ya no vivo en el mismo sitio que la última vez que nos vimos en América.

¿Cómo será el reencuentro? Puedes echarme a patadas, o quedarte muda. También puedes recibirme con un abrazo, y dejar que nos pongamos al día sobre todos estos años de separación. Lo más importante, en cualquier caso, es que podremos recordar.

Tu Vinnie.

Recordarle. ¡Cómo no! Lo malo es que acordándome de él me acuerdo de todo lo demás, y eso me asusta y me da pánico. Su carta ha arrancado la costra de un tirón, y ahora estoy aquí, sangrando por los dos.

Si hago el esfuerzo de acordarme de todo antes de que llegue, quizá su visita sea un consuelo y pueda empezar a amar de nuevo.

O quizá no.

LIBRO I

1

Encerrada contra mi voluntad. Atrapada. Prisionera. Así recuerdo el verano de 1939, mucho antes, por supuesto, de haber visto
una cárcel de verdad y haber sido prisionera de verdad.

Ese verano nos fuimos de vacaciones a Krzemieniec, la «Atenas
polaca», una colonia de artistas pequeña, fea y provinciana donde
llevábamos diez años veraneando y que hasta entonces siempre me
había encantado. Pero las hormonas adolescentes empezaban a
hacer de las suyas, subiéndome a un tiovivo de exaltación y desesperación, e induciendo una rabia constante hacia mis padres, los
culpables de que tuviera que quedarme en semejante ratonera
mientras mis compañeras de clase veraneaban en hoteles chic de la
Riviera o en castillos del valle del Loira. La población estacional de la
colonia siempre había incluido una minoría judía de cierta entidad.
El año al que me refiero no fue una excepción. Las familias polacas
como la mía se mezclaban con veraneantes de Alemania o Francia.

El café Tarnopol, antiguo escenario de las tertulias del poeta
Slowacki, había empezado a parecerme anticuado, polvoriento y
aburrido, como nuestro hotel. La burguesía que alquilaba año tras
año las mismas habitaciones llenaba el café con su mediocridad,
pero ya no hablaban de Slowacki, Pushkin o Baudelaire; ese año,
las conversaciones versaban sobre «judío esto» y «judío lo otro»,
hasta volverme loca.

Tampoco podía concentrarme en la música. Los años anteriores
había tocado el *Fantaisie Impromptu* o el *Nocturno*, op. 72, de Chopin,
pero ese año los no judíos sólo querían oír a Wagner, el compositor favorito de Hitler, y los judíos no se atrevían a llevarles la contraria.
Adolf Hitler era el responsable de que la música aria hubiera pasado
a representar la alta cultura por antonomasia, y también de que mis
padres, obsesionados por nuestra seguridad, hubieran preferido vol-

ver a Krzemieniec desde nuestra casa de Lodz en vez de irnos a Suiza, viaje anhelado que mi padre al fin podía permitirse. Era todo tan cruel... Renuncié a tocar en público y me negué a cantar. Vagaba por el hotel como alma en pena, buscando inútilmente un compañero de miserias. Mi hermano Jozef estaba en Cracovia, preparando su tesis doctoral, y el resto de los huéspedes tenían la edad de mis padres. En cuanto a las chicas del pueblo, me evitaban y me decían cosas.

Mi madre me regañaba por dramatizarlo todo tanto y ser tan impaciente.

–Cuando llueve –le dijo un día a mi padre–, Mia se moja aunque estemos bajo techo.

El triste verano de 1939 se eternizaba. Un día, después de perder toda la tarde en practicar mis escalas en el piano del hotel, huí a mi habitación y me tumbé en la cama. Al desplomarme entre sus cuatro postes me sorprendí en el espejo de cuerpo entero y me levanté alarmada para examinar a la misteriosa criatura que parecía haber secuestrado mi cuerpo: una joven de pómulos marcados, piel oscura, pelo azabache y ojos verdes con ribetes ámbar.

–Tienes ojos judíos –le dije a la desconocida–. Tienes labios judíos, gruesos y sensuales, un cuello judío y carnoso, y grandes pechos judíos.

En cambio mi estatura, y lo alto de mi talle, eran una herencia materna. Tenía un pelo largo y rizado, pero también manos con dedos largos y finos de pianista, piernas delgadas y bien torneadas, y pies pequeños. Quizá, me dije, sólo sea medio judía. Debería estar contenta. Podía disimular mi condición.

Pensé que Jozef tampoco parecía judío. Su cuerpo alto y musculoso y su pelo rubio (¿de dónde lo sacaba?) le daban el aspecto de un príncipe nórdico. Cuando íbamos juntos por las calles de Lodz, con mi pelo recogido bajo un pañuelo de seda, parecía su novia gitana. ¡Cuánto le añoraba!

Contemplé mi perfil, imaginando el contraste de mi piel con uno de esos brazales judíos tan asquerosos con la estrella de David. Justo antes de final de curso, una compañera de clase me había traído uno de Berlín. Según mi padre, si hubiera ido al conservatorio de Salzburgo en vez de al *lycée* de París, habría tenido que llevarlo.

De repente tuve un arrebato y me arranqué los broches de marfil del pelo, soltando las dos trenzas que mamá había enrollado minuciosa y dolorosamente en mi cabeza. Los largos tirabuzones se derramaron por mis hombros. Casi tenía diecisiete años, pero mamá se emperraba en tratarme como una niña. Me hacía llevar vestidos rectos de algodón como una Heidi cualquiera, y me tenía prohibido el pintalabios.

Oí golpes secos en la puerta.

–¿Schatzie?

¡Mi padre! Corrí a echar el pestillo.

–¿Estás aquí?

–Sí, papá –suspiré, apoyada contra la puerta.

–Ven a tomar el té a la glorieta, que tengo una sorpresa.

Las sorpresas de mi padre solían ser decepcionantes.

–No estoy preparada.

–Tienes cinco minutos –dijo él, pero quizá se arrepintió de mostrarse demasiado duro, porque añadió–: ¿Te pasa algo?

¡Que si me pasaba algo! Se me empañaron los ojos. ¿Cómo explicárselo? ¿Cómo decirle que nada era como tenía que ser, ni el sitio, ni la ropa, ni un verano entre judíos sin Jozef? Hasta Bach me parecía aburrido. Schönberg, el café Tarnopol, los propios mamá y papá... ¡Todo aburrido! ¡Aburrido! *¡Aburrido!*

–Ahora bajo –dije.

Empecé a recogerme otra vez el pelo, permitiéndome la rebeldía de algunos mechones sueltos en las orejas y el cuello.

La sorpresa de papá estaba sentada en la glorieta al lado de mamá: un hombre delgado de unos cincuenta años, con un terno completamente fuera de lugar en un lugar de veraneo, y un largo bigote que se retorcía con los dedos.

–¡Ah, ya estás aquí! –exclamó mi madre, con una mirada de rabia a mi desastre de peinado–. Tu padre y yo te estábamos esperando para...

–No pasa nada –susurró mi padre en yidish–. Mia, te presento al profesor Jules Stern –dijo en francés–. Da clases de filosofía en la Sorbona y es un gran aficionado a la ópera. Profesor Stern, le presento a mi pequeño ruiseñor.

¡Ruiseñor! Mi alegría por el enfado de mi madre se borró de golpe, dejándome entre la humillación y la rabia.

–*Enchanté* –dijo el profesor Stern, levantándose para besar mi mano y pegándome un repaso–. ¿Cómo debo llamarla?

–Marisa, monsieur. Mia –logré articular.

Enseñó los dientes por debajo del bigote. Al sentir la intensidad de su mirada, aparté la mano de sus dedos sudorosos y corrí a sentarme al lado de mi madre.

Papá se interpuso en mi camino y, con un gesto juguetón, me cogió por la cintura para sentarme en sus piernas, como si fuera una niña.

–El doctor Levy ya me ha hablado de sus éxitos, Mia. –El profesor sonrió–. ¡Cantante y pianista a la vez! Si quisiera interpretarme algo...

–¡Pues claro que sí! –exclamó papá, despidiéndome con un cachete cariñoso en las nalgas–. Mi hija es un prodigio. ¡Imagínese! ¡Ha interpretado *Erwartung* de Schönberg en París!

No quise ni mirarles. ¿Dónde estábamos, en un mercado de esclavos? ¿Me estaban subastando?

–Fue una decisión difícil, como se imaginará –añadió mi padre–, pero tal como se han puesto las cosas para la pobre Austria... –Dejó la frase a medias.

Mi madre sirvió té e hizo circular una bandeja con tarta Sacher en porciones.

–Nuestro hijo Jozef también es un talento –intervino–. Ha sacado muy buenas notas de alemán en la Universidad de Cracovia.

Stern no le hizo caso. Me miraba fijamente.

–¿Conoce la obra de Stravinski? –preguntó–. En París no se habla de otra cosa. Espero sinceramente, Benjamin, que este otoño pueda venir con su familia a ver *Oedipus Rex* en la Opéra.

Papá suspiró.

–Lo siento, pero dudo que pueda salir de Varsovia. Tendré mucho trabajo en mi clínica. En cambio Mia ya habrá vuelto a París. Le queda un año en el *lycée*.

El profesor prácticamente babeó.

–En ese caso será un placer acompañarla, *mademoiselle*. Con permiso de sus padres, por supuesto. –Mordió un trozo de tarta.

Mi cabeza saltó como si la hubiera abofeteado una mano invisible. Stravinski me parecía muy inferior a Schönberg. Ni siquiera habría ido sola, pero con semejante individuo...

Mi padre me miraba con expectación.

–No faltaría más, *monsieur*. Será un honor –me oí mascullar.

Un trozo de pastel se me cayó del plato y aterrizó en la servilleta de color lila que me cubría las rodillas. Roja de vergüenza, cogí la servilleta por las esquinas, la dejé en la mesa, aparté la silla hacia atrás, bajé volando por los escalones de la glorieta y huí por el camino de grava hacia el refugio de la casa del guarda, al pie de la colina. Las lágrimas fraguadas durante todo el verano habían empezado a derramarse.

Me moría de vergüenza por mis padres. ¿Eran imaginaciones mías, o los demás huéspedes les saludaban con condescendencia? ¿Qué eran para los parisinos y los berlineses? ¿«Patanes de Varsovia»? ¿Una excusa para contar chistes repelentes de judíos?

Papá y mamá querían mandarme a las mejores escuelas porque daban mucha importancia a la educación. Yo había empezado a estudiar piano en Lodz a los seis años, y llevaba mucho tiempo soñando con ser concertista. También me gustaba cantar, y el *lycée* de París parecía el mejor lugar para mis estudios. Mi padre quería que mi hermano y yo nos beneficiásemos de su éxito como médico.

Dos años antes, en septiembre, había insistido en llevarme al *lycée* pasando por Austria y Suiza, y aprovechando el viaje a París para conocer la Francia rural.

En Viena, mamá –que no sabía alemán– había pasado malos ratos por culpa de su yidish. Las criadas y los botones del hotel la ignoraban o fingían no entenderla. En Suiza recuperó un poco de compostura, pero en el plácido corazón del valle del Loira los posaderos se reían de su francés, y a espaldas de nosotros, hablando con el resto de los huéspedes, nos llamaban *les juifs*.

Al llegar a París, papá nos registró en el hotel Steinfeld, uno de los favoritos de los judíos, y mamá se sintió más cómoda. Yo insistí en ir lo antes posible al Lycée LaCourbe-Jasson, donde, después de interminables presentaciones e instrucciones, la directora me indicó el camino de mi habitación, en un edificio situado al otro lado del patio.

Huí de ellos: de mi madre, que por alguna razón parecía estigmatizada, y de mi padre, incapaz de protegerla. Con mi pesada maleta en la mano, corrí sin mirar atrás y subí por la escalera de mi nuevo hogar. Al llegar a la puerta de mi habitación, en el primer piso, hice una pausa para tomar aliento y despegarme mi camisola sudada de algodón. El montante estaba iluminado. Se oían risas de chicas. Supuse que era mi compañera de habitación celebrando una fiesta por su primer día. Llamé a la puerta.

Se asomó una cara redonda.

–¿Quién es?

–Marisa Levy.

–¿Has dicho Levy?

–Sí.

–Pasa, Marisa.

La puerta se abrió de par en par, sometiéndome a seis pares de ojos inquisitivos.

Mi aparición fue acogida con grandes carcajadas, que aumentaron cuando alguien pronunció las palabras «nueva judía». Pensé en mi madre en el hotel vienés, y comprendí que estaba viviendo lo mismo que ella. Lo que siempre viviría.

Durante las primeras semanas, mis compañeras de clase se reían de mi francés de manual, mis trenzas y mis uniformes escolares de confección casera. Yo me refugié en la música. Las teclas del piano eran mis mejores amigas. Su sonido era un bálsamo para mi alma. Tocaba para mis profesores, con quienes me encantaba hablar, mientras que con el resto de las chicas me volvía muda. Me propuse formar un vestuario, dominar el francés e ir sola a cabarets o salas de conciertos.

En esa época llegó un clarinetista, Benny Goodman, para tocar con su grupo en París, y tuve ocasión de comprar una entrada a través del *lycée*. ¡Qué música! Nueva para mí, melódica, rítmica, con una sensualidad que se metía en el cuerpo. Las notas salían volando de los instrumentos como aves salvajes y revoloteaban en torno a mi cabeza. Algunos espectadores se levantaron de improviso y empezaron a bailar. Yo me moría de ganas de imitarlos, pero cuando se acercó un chico y me lo propuso rehusé con un gesto de la cabeza, y seguí sentada. Cuando sea mayor, me dije. Entonces bailaré.

Sin darse por vencido, se sentó a mi lado y se presentó: era Jean-Phillipe Cadoux, había llegado de Lille dos años antes, vivía en el noveno *arrondissement* y trabajaba en correos para pagarse los estudios de arquitectura en la École des Beaux Arts. En cuanto descubrí que su desfachatez escondía una timidez innata, pudimos conversar con naturalidad y nos hicimos amigos. De momento la relación no fue más lejos, pero Jean-Phillipe me permitió desahogar mi soledad y alienación, y supe que cuando fuera la hora, en el momento justo, intimaríamos más. Al final de curso nos despedimos con la promesa de volver a vernos. En cuanto regresé a París, se puso en contacto conmigo y reanudamos nuestra amistad.

Volví a Lodz más sofisticada y esnob que todas mis compañeras de clase juntas, para un verano de tristezas y desasosiegos. El bueno de mi padre me irritaba con su ampulosidad. A mi madre, tan llena de buenas intenciones, la despreciaba por ser una ratita eternamente asustada. Me burlaba de la poca elegancia y *savoir faire* de los dos, pero también me daban pena.

Sin embargo, en aquel momento del verano de 1939, delante de la verja del hotel de Krzemieniec, lo habría dado todo por volver a ser la niña de papá. Cuando miré y vi que llegaba por el camino de grava, di un grito de alegría y corrí a hundir la cara en uno de sus anchos hombros.

–¡Eh! ¿Qué pasa, Mia? –preguntó él, acariciándome el pelo.

–Es por el hombre ese, el profesor Stern –dije–. Me...

Desde un camión negro que se acercaba al hotel empezó a sonar un altavoz. Papá me hizo callar con un gesto de la mano.

–El presidente Mościcki –dijo.

«¡Ciudadanos! Anoche, nuestro eterno enemigo, Alemania, inició hostilidades contra el Estado polaco. Hago constar ante Dios y la historia que nuestra noble Polonia jamás será vencida, y que nuestro gallardo ejército luchará hasta el último hombre antes de...»

Cogidos de la mano, corrimos cuesta arriba hacia el hotel. Los huéspedes se dispersaban en todas direcciones, empujándose. Los niños pequeños llamaban a gritos a sus madres. Mi crisis personal pasó a segundo plano. La vida se redujo al movimiento.

Cuando llegamos a la suite, después de mucho esfuerzo, mamá ya estaba haciendo las maletas.

–Me ha parecido lo mejor –le dijo a papá.

–Has hecho bien en no esperar.

El tono de ambos era entrecortado y temeroso. Papá se quedó en el centro del salón, mordiéndose una uña. Analizaba nuestro dilema como una ecuación química.

Corrí a mi habitación, pasando al lado de mamá, que me miró y por una vez no se fijó en que estuviera mal peinada.

–No pierdas mucho tiempo haciendo el equipaje –dijo–. Tenemos que estar preparados para salir enseguida.

Con movimientos veloces y mecánicos, trasladé los montones de ropa de los cajones a una maleta abierta. Todo se ajustaba por sí solo a una especie de ritmo. En toda la colonia, en todos los montes de Volinia, y quizá en toda Europa del Este, la vida iniciaba un frenético *crescendo.*

Volví con la maleta a la suite de mis padres. Papá había cogido el teléfono y tenía tapado el receptor.

—Estoy intentando hablar con Jozef, cariño. Sí, justo ahora. Me... Un momento. ¿Telefonista? Estoy llamando a Cracovia... No, Cracovia... Sí, señora, lo entiendo perfectamente... Sí, claro... Pero si me hiciera el favor de intentarlo...

Al cabo de un rato, suspiró y colgó.

Una hora después estábamos delante del hotel, junto a una montaña de equipaje y en medio de una larga fila de gente que se disputaba el primer coche, camión o carro que pasase. Cualquier medio de transporte capaz de llevarles a sus casas.

Cuando nos tocó turno, se acercó un carro de heno conducido por un campesino borracho.

—Oiga, por favor... —dijo papá con su elegante polaco de persona instruida—. Desearíamos contratarle para que nos lleve a mi mujer, a mi hija y a mí hasta Dubow, con todo el equipaje.

—¿Lo oyes? —susurró el campesino al oído de su caballo, con tono de conspiración—. A Dubow. —Dio unas palmadas cariñosas en el cuello del animal y escupió en el suelo—. ¿Cuánto dinero tienen?

Vi que papá contenía el impulso de pegar al campesino por su impertinencia.

—Bastante para un viaje en carro a Dubow.

El campesino arqueó una ceja inquisitivamente.

—¿Y luego?

—¿Luego? —Papá sacudió la cabeza como si se lo planteara por primera vez—. Ya lo decidiremos al llegar. Puede que cojamos el tren a Lemberg, o a Ostrog. Según cómo, el de Lodz.

—En ese caso, el precio son quinientos zlotys.

—¡Pero qué dice! En Lodz, por ese precio podríamos alquilar un Daimler de ida y vuelta a Krzemieniec.

—Usted mismo. Le he puesto un precio de ganga por tener una hija tan guapa. No sé, podría ir conmigo delante para darme calor... Si no, el precio son mil.

—¡Cómo se atreve! —bramó papá en yidish, y se abalanzó contra el campesino, que cogió el látigo con su mano libre y le azotó.

Mi padre cayó al suelo con sangre en la mejilla. Tenía la cara alarmantemente enrojecida.

–El corazón –susurró mamá, arrodillándose para abrirle el cuello de la camisa.

–¡Judío asqueroso! –rugió el campesino, dando un latigazo en el aire–. No eres digno ni de lamerle el culo a mi caballo. –Se giró hacia la fila–. ¡Siguiente!

Alrededor de papá se había formado un círculo de manos tendidas que querían ayudarle a levantarse. El campesino se fue soltando palabrotas, porque no había encontrado pasajeros.

–No somos todos así –dijo una mujer de la fila–. Usted y su familia subirán al próximo vehículo, sea cual sea.

Mi padre, aturdido, la miró con gratitud. Mi madre se echó a llorar. Yo pensé que mi corazón nunca se curaría.

–¡Gran Hotel Dubow! –anunció el conductor.

Papá bajó del carro de bueyes, se desempolvó el traje con gestos dignos y afectados y le dio un fajo de zlotys.

–Para un nuevo semental –le dijo al boquiabierto muchacho–. Para sustituir el que me has dicho que perdiste.

Luego nos ayudó a bajar, quitándonos briznas de barro y paja del pelo y los hombros. Alrededor de nosotros, una interminable sucesión de viajeros iba y volvía de la estación de trenes. Evidentemente no veían nada raro en que una familia de clase media desembarcase de la parte trasera de un carro de bueyes.

Mi padre se identificó en el mostrador de recepción y pidió habitaciones.

–¿Alguna noticia? –preguntó el jefe de botones, un hombre canoso cuyas palmadas estaban convocando a un nutrido grupo de mozos con uniformes rojos.

Papá negó con la cabeza.

–Lo siento, pero no sé nada. Tenía la esperanza de que por la radio…

El jefe de botones se encogió de hombros.

–En todas partes debe de pasar lo mismo. Ayer hubo combates en Poznań. Dijeron que los alemanes también habían atacado un punto más al sur de la frontera occidental.

Mamá palideció.

–¿Y Cracovia?

–A Cracovia, señora, nunca llegarán esos malditos alemanes. Parece que han sufrido una derrota en Katowice. Claro, no están a la altura del ejército polaco. Yo de usted no me preocuparía. Esto que llaman guerra podría acabarse antes de la hora de comer. Bueno, ¿en qué puedo ayudarles? ¿El señor doctor desea una suite, o habitaciones normales comunicadas? Normalmente tenemos demasiadas reservas para aceptar huéspedes repentinos, pero...

Miré la calle principal, que se estaba llenando de gente llegada de todas partes. Dubow se había convertido en una ciudad de juguetes de cuerda enloquecidos.

Papá cogió una suite. Mamá y yo nos sentamos en un sofá de crin para oír sus planes. Con el resto de Polonia a merced de graves convulsiones, papá consideraba preferible quedarnos en Dubow.

–El ejército polaco podría vencer en pocos días –dijo, pensando en voz alta–. Sería una manera de acabar para siempre con la amenaza nazi. Claro que de lo contrario no estaríamos a salvo aquí, en Dubow, o sea que quizá no resulte tan buena idea quedarnos. Para empezar, a diferencia de una colonia de artistas como Krzemieniec, Dubow no es una ciudad donde los judíos sean bien recibidos. –Su entrecejo se frunció–. Lo más probable es que el jefe de botones no vacilara ni un momento en delatarnos para sobrevivir.

Se paseó por la sala sopesando opciones.

–Ostrog no nos es favorable, pero queda justo al lado de la frontera soviética. Si ganan los nazis, podríamos huir a Kiev, o al sur, en dirección a Bucarest. Claro que el viaje hasta Ostrog no sería fácil...

Mamá le interrumpió.

–No pienso salir de Polonia hasta que Jozef se haya reunido con nosotros.

Papá cogió su mano y la miró a los ojos.

–Si la situación empeora, podríamos ir a Chelm o Lublin, donde tengo amistades. Sería más difícil que ir a Lemburg y coger un tren expreso a Lodz, pero hay que contar con que los alemanes bombardearán las principales vías férreas, es decir, que es un camino que implicaría casi con seguridad retrasos agotadores. Suponiendo que llegáramos. –Reanudó su paseo por la sala–. También podríamos ir de Lublin a la capital dando un rodeo, siempre que los nazis no hayan bombardeado las vías, lo cual no es tan probable... En Varsovia podríamos pasar a ver a tu hermana Esther, si es que no ha huido a Ostrog con David y los niños...

Los pensamientos de mi padre se iban complicando. Al final, mi madre y yo nos limitamos a mirarle con impotencia.

–Vayamos a comer –dijo al fin, como si ya supiera qué hacer–. Pero antes daos un baño. Así podréis pensar más claramente. Yo aprovecharé para intentar llamar a Jozef.

No lo consiguió. Fue mamá, desesperada, quien le convenció de ir a Lodz por Lublin y Varsovia. Si Jozef había salido de Cracovia, seguro que volvería a casa, donde le recibiríamos con abrazos y besos, y todo acabaría bien.

–*H*_{alt}.

Una marea humana me empujaba por la estación de Lodz, mientras buscaba a mis padres. Habíamos tardado varios días en ir de Dubow a Lublin pasando por Varsovia. Los combates seguían, pero sabíamos que la caída de Polonia era cuestión de tiempo y teníamos que pensar en el futuro. Durante el viaje en tren habíamos acordado que el mejor modo de evitar las sospechas de los vigilantes de la estación era bajar por separado, ya que estábamos haciendo contrabando de lo que nos había dado mi tía Esther por si las tiendas de Lodz se habían quedado sin provisiones. De repente, sin embargo, no estuve tan segura.

–¡Usted! –tronó la misma voz, paralizándome.

Iba cargada de paquetes de trigo, harina, avena y mijo, que engrosaban mis pechos y caderas y me hacían andar literalmente como un pato entre la gente.

Un soldado joven me cerró el paso.

–¿Nombre? –ladró.

Hablaba mal el alemán, con un acento que reconocí como polaco. Era un *Volksdeutscher*, un polaco alemán orgulloso de ser más ario que sus propios homólogos nazis. Tenía el pelo pajizo y rizado, con la gorra ladeada, y una mirada insolente. Le di la espalda.

Cogió el cuello de mi abrigo y tiró, obligándome a mirarle.

–¡Le he dicho que me diga su nombre!

–Suélteme –le ordené en polaco.

¿Cómo se atrevía a tomarse tantas libertades? Yo era una ciudadana libre, y él una simple parodia de soldado con acné. Dejé la maleta en el suelo y le miré desafiante.

–¡Zorra! –espetó él, abriéndome el abrigo con brutalidad–. ¡Ya te enseñaré a plantarme cara!

Me tumbó en el suelo y, a horcajadas sobre mí, me separó las piernas. Yo no estaba asustada, sino furiosa. Ya se había formado un corro de gente. Seguro que nos protegerían. Pero no, no se movían, y sus exclamaciones parecían llegar desde muy lejos. El guardia me palpó los muslos y los pechos. Yo grité y forcejeé.

—¿Qué ocurre, soldado? —se oyó una voz autoritaria.

El *Volksdeutscher* se levantó y se cuadró, quitándose el polvo de las mangas. Tenía la gorra torcida y un brillo de sudor en su cara enrojecida.

—Es una contrabandista gitana, teniente.

El oficial sacudió la cabeza. No era tonto. Si algo no faltaba en la estación eran abrigos rellenos, maletas con sobrepeso y carritos sin bebés. Una cosa era que el contrabando en tiempos de guerra fuera un delito de suma gravedad, y otra que se pudiera dejar morir de hambre a la gente.

—¿Es verdad? —me preguntó—. ¿Eres gitana?

Me levanté, compuse mi ropa y le miré a los ojos. Tenía más o menos mi estatura y era fornido de pecho, con cara de bulldog.

—No, señor.

—Miente —insistió el soldado—. Mírela: está llena de bultos. Es una contrabandista gitana, y...

—¡Cállese! —rugió el oficial, dándole una bofetada.

El soldado retrocedió. La gente murmuraba. Supe enseguida que el teniente se arrepentía de su impulso, y que el chivo expiatorio sería yo. Quise correr, pero estábamos rodeados. La muchedumbre me cerraba el paso.

—Esta chica niega ser gitana —dijo el teniente.

—Da igual. Lo que está claro es que lleva comida de contrabando debajo del vestido.

El oficial se había quedado sin margen de maniobra. La acusación era tan directa que ya no podía ignorarla.

—¿Es usted una contrabandista, joven?

—No, señor —dije con un hilo de voz.

—Entonces no le importará que la registren.

El *Volksdeutscher* se acercó a mí con una sonrisa burlona.

—Ya me ocupo yo —gruñó el oficial—. Levántese la falda.

Los hombres de la multitud se adelantaron. Las mujeres apartaron la mirada. Yo no me moví, pero me ardía la cara de humillación.

—O se la levanta usted, o se la levanto yo —dijo el oficial.

Miré a la gente que nos rodeaba con la esperanza de que mi padre o Jozef acudieran milagrosamente en mi rescate, pero claro, no estaban allí. Entonces la vergüenza pudo más que yo y rompí a llorar.

Al mirar al oficial, que estaba delante de mí, vi en sus ojos... ¿Qué vi? ¿Una especie de placer extraño? Cogió lentamente el borde de mi falda con su fusta y me la levantó por encima de las caderas. Después tocó la cara interna de mis muslos con su mano libre y dejó caer la falda.

—Todo en orden —dijo con voz ronca.

Y, dando media vuelta, separó la multitud como Moisés en el mar Rojo.

Al llegar a casa, me lo encontré todo patas arriba. La entrada de Sophienstrasse estaba completamente abierta, y había un carro de caballos con la parte trasera metida en el porche. Papá cruzó corriendo el césped, que el caballo estaba arrancando a mordiscos. Era evidente que había llegado poco antes que yo.

—¿Qué pasa? —preguntó al conductor—. ¡Retire enseguida este carro!

—Me han contratado para esto. ¿Quién se cree que es?

—¿Que quién soy? El dueño de esta finca. Dispone exactamente de dos minutos antes de...

—¡Suéltalo! —gritó alguien.

Papá entró corriendo en la casa y vio a Stasik, nuestro mayordomo, amenazando con clavarle un cuchillo en la cabeza a Maria, la criada.

—¡Ya ha llegado el doctor! —gritó—. ¡Suelta ahora mismo lo que tienes en la mano!

—¿Se puede saber qué pasa? —quiso saber mi padre—. ¿Qué hace un carro en mi jardín? ¿Qué está haciendo Maria?

—Robar la cubertería de plata de la señora Levy —se lamentó Stasik, tirando de la caja que Maria apretaba bajo el brazo—. ¡Te digo que lo sueltes!

—¡Déjame! —chilló ella, hincándole las uñas en la mano. De repente la caja se abrió y los cubiertos se desparramaron ruidosamente por el suelo del vestíbulo—. No te acerques.

Retrocedió al ver a mi padre, que, acercándose con cara de asesino, le cogió la muñeca y la arrastró hacia la parte trasera del carro, que había sido cargado apresuradamente con media docena de sillas y varios cuadros.

–¿Pretendías robarnos, Maria? Pero ¿por qué, mujer de Dios?

–¡Suélteme! –Maria le dio varias patadas en las espinillas–. Si no me suelta le denuncio a las autoridades. –Miró a mi madre–. Por violador.

–Pero ¿qué barbaridades dices? ¡Si la señora Levy y yo acabamos de llegar!

–Y ¿quién lo creería? –La voz de Maria rebosaba desprecio–. ¿Quién se creería a un asesino de Cristo? ¿A un apestoso y asqueroso judío?

Un fragor como el del oleaje invadió mis oídos. Me lancé sobre Maria como si pretendiera despellejarla.

–¡Bruja! –chillé–. ¡Bruja, bruja, bruja!

La tiré al suelo y le di patadas en todo el cuerpo.

Se salvó gracias a mi madre, que, con una fuerza que ni mi padre ni yo le conociamos, nos separó y me sujetó hasta que se me pasaron los temblores. Maria gemía a nuestros pies, hecha un ovillo. Costó muchísimo impedirme que le diera otra patada. Al final me di cuenta de que mi madre me estaba dando besos en la cabeza, y oí la voz tranquila de mi padre asegurándole a alguien que todo estaba controlado.

–No pasa nada, agente –dijo, sacando un fajo de zlotys y dándoselo a un policía–. Un simple desacuerdo con el servicio.

El policía tendió la mano.

–Si me necesita, hágamelo saber –dijo–. Éste es un barrio pacífico, y no me gustaría ver alterada su tranquilidad.

–Gracias.

Papá le acompañó hasta la verja y volvió a reunirse con sus pertenencias recuperadas, con Stasik, que temblaba, y con mamá, que me aferraba como si temiera otro arrebato. Pero ya se me había pasado la rabia.

Mi padre levantó a Maria, la depositó suavemente en la parte trasera del carro y pagó al conductor.

–Es para un médico –explicó–, no para usted. ¿Me entiende?

Dio una palmada en la grupa del caballo. Mamá y yo vimos alejarse el carro, demasiado aturdidas para hablar. Mi madre me soltó, pero sin dejar de darme besos en el pelo. Mi padre nos tomó a las dos entre sus brazos.

–No quiero que se vuelva a hablar de este episodio –dijo, llevándonos hacia los escalones de la entrada.

La fachada de nuestra casa de Sophienstrasse siempre me había parecido bonita, pero el crepúsculo le daba un aspecto imponente, y me resistí a cruzar el umbral por miedo a lo que encontraría. Era la casa donde había nacido y crecido, donde había sufrido los berrinches de mi padre, las bromas de mi hermano y las riñas de mi madre, y donde había recibido el amor de los tres. Entramos, con motas de polvo volando como moscas en torno a las cabezas. Olía a cerrado. Nuestra alegría por volver a estar juntos –¡lo que había que ver: contentos de haber podido llegar los tres a casa desde la estación!– dio paso a una profunda melancolía. Hasta Stasik, el primero en entrar, estaba de mal humor. No se alegraba de volver a vernos.

–¡El piano! –exclamé al entrar con mamá en el salón–. ¿Dónde está el piano? –Era donde había pasado mis horas más felices.

Mamá, que iba detrás de mí, se tambaleó como si mis palabras la hubieran golpeado físicamente.

–¿Y el Monet? –chilló.

–Los robó Maria –dijo Stasik–. Los candelabros de plata también. Ayer vino su familia y se lo llevó todo. Yo intenté disuadirla, señora Levy; le supliqué que lo dejara, pero no me hizo caso y no pude impedírselo. Dijo que si lo intentaba me denunciaría a las autoridades. –Bajó la cabeza–. Al menos he salvado la menorá de plata.

–Estoy segura de que hiciste todo lo posible –dijo mamá–. El doctor Levy y yo te estamos muy agradecidos.

–Llevo cincuenta y dos años al servicio de la familia del doctor. Empecé en los establos del señor Levy padre.

–Te lo agradecemos –dijo mamá, con el cansancio grabado en la cara.

Se giró hacia la escalera. El viejo Stasik, mientras tanto, se retorcía las manos.

–He visto crecer a Jozef y *mademoiselle* Mia. Conozco cada arañazo y cada nudo de esta baranda. He pulido tantas veces la aldaba de la puerta que…

Mamá se volvió para mirarle.

–Y te lo agradecemos –dijo con afecto–. Creo que con tantas dificultades te mereces unas buenas vacaciones. Si quieres ir a Zakopane, a visitar a tu hermano...

–¿Vacaciones? –Stasik se dejó caer en uno de los sillones situados al pie de la escalera y rompió a llorar–. Después de tantos años, esperaba algo más. Seguro que el padre del doctor Levy habría querido que un empleado de toda la vida...

–¿Qué pasa? –preguntó mi padre, asomándose por la escalera.

–Doctor Levy... esta casa... es la única vida que conozco. Mi mujer Bertha murió bajo este techo, y que ahora me despidan sin contemplaciones... no me parece justo.

–¿Quién ha hablado de despedirte? –Se veía que mama no acababa de entenderlo–. Te proponía unas vacaciones.

–Ya, pero ¿cómo quiere que lo interprete? –Stasik la miró como si estuviera loca–. ¿Es posible que madame y el doctor no hayan leído las noticias? ¿Ni las ordenanzas?

–Claro que no –dijo papá–. Acabamos de llegar.

El anciano sacudió la cabeza.

–El nuevo gobernador alemán de Wartheland dice que es ilegal que los judíos tengan *Volksdeutsche* o polacos a su servicio. Si me quedo, se lo quitarán todo. Ni siquiera tienen permitido pronunciar el nombre del Führer. Les pegarían un tiro.

Viendo lívido a mi padre, mi corazón sufrió un extraño vuelco, como si alguien tratara de alterar la regularidad de sus latidos. Mi madre profirió un gritito y subió corriendo a abrazar a su marido. De repente parecían más viejos que el propio Stasik. La trampa de la que creía haber escapado con nuestra partida de Krzemieniec parecía cerrarse sobre mí y dejarme sin respiración. En mi egoísmo, sólo pude pensar en París, en el *lycée*, Jean-Phillipe y mi música. En París podía tocar y cantar. En Lodz ya no quedaba música.

Los nazis conquistaron Polonia en octubre de 1939. Lodz se había convertido en una capital alemana. Cambiaron los letreros de las calles, con el resultado de que el bulevar Pomorska quedó convertido en la Fredericusstrasse, y la calle Kowalska en Sophienstrasse. Los oficiales alemanes se paseaban por la ciudad luciendo el brillo de sus gorras y uniformes negros, como si los ciudadanos fueran ellos, no nosotros. Aprendimos a hablar en voz baja, mirar el suelo y medir nuestros pasos. Éramos un pueblo derrotado, los judíos más que nadie.

Seguíamos sin noticias de Jozef. Al final papá consiguió hablar con la facultad de Cracovia, pero se había ido, y nadie sabía adónde. Por mi parte, nunca recibí el telegrama del *lycée* con las fechas de su reapertura. Al llamar por teléfono me dijeron que ya me avisarían, pero no lo hicieron. Sin la carta de aceptación de la escuela, sabía que no me dejarían salir de Polonia. Los judíos tenían órdenes de no moverse a menos que pudieran presentar pruebas de que el viaje era por razones de fuerza mayor. Yo era judía, y no tenía pruebas.

Stasik se quedó con nosotros, pero no como mayordomo, sino como huésped. Papá le dio dos mil zlotys para ropa y gastos. Iba vestido como nosotros, pero apenas salía de casa. Vivía con el miedo constante de que le descubrieran, le interrogaran y le obligaran a delatarnos. Por eso pasaba sus días en la habitación de invitados del primer piso, presencia silenciosa en una casa silenciosa.

Mi padre, que tenía prohibido volver al hospital, convirtió en consulta el cuarto de la colada, donde recibía visitas de pacientes judíos sin disponer de los medicamentos necesarios. Tampoco salía mucho de casa. Como mucho iba a la Kehillah, el consejo semanal de notables judíos que debatía los problemas de la comunidad, cada vez más secularizada y aislada.

Cada vez que volvía de una reunión, se tomaba una copa y nos informaba.

El gobierno de Berlín estaba animando a los judíos sanos a alistarse en el ejército alemán, pero el gobierno local arrestaba a judíos jóvenes en plena calle y los mandaba a campos de trabajo. Por lo visto eran las dos únicas alternativas.

Hasta nuevo aviso, quedaba prohibido el matrimonio entre judíos.

Algunos grupos de vándalos se dedicaban a asaltar tiendas y casas de judíos y saquearlas ante la pasividad de la policía.

En las principales industrias, incluida la investigación militar, industrial y biotécnica, estaba prohibido emplear a judíos. Los profesores judíos de instituto y universidad habían sido objeto de un despido sumario. Naturalmente, los judíos tampoco podían tener cargos en el gobierno. Esto último no se aplicaba únicamente a los judíos, sino a todos los polacos, con pocas excepciones. Su lugar había sido ocupado por *Volksdeutsche*, muchos de ellos sin la menor experiencia.

Papá nos lo explicaba todo con tono monocorde, mirada apagada y movimientos lentos y cansinos. Mamá y yo le escuchábamos con la misma apatía, pero sin captar todas las implicaciones de sus palabras. De día yo salía a comprar comida, hacía todo el ejercicio posible e iba a casa de una amiga a practicar en su piano, pero tocaba sin entusiasmo. De repente las obras de Bach y Beethoven me parecían vacías de significado, como si hubieran sido escritas para otra época, otro lugar y otras personas. Ya no era la chica que había vuelto a Lodz unos meses atrás con un buen vestido, un sombrero elegante, «lo último» en zapatos y todo su desprecio para quien no se hubiera formado en París, la Ciudad Luz. De hecho, casi no me acordaba de ella.

Pronto llegaría el invierno, con su oscuridad y frío, pero la casa de los Levy, en Sophienstrasse, se había quedado oscura y fría antes de tiempo.

3

Un día de octubre, papá se fue al consejo a las nueve de la mañana y a las tres aún no había vuelto. Mamá se torturaba con visiones de su marido tirado en la cuneta, el cuerpo acribillado o apaleado. En su agonía también se obsesionaba con Jozef, convencida de que había sido reclutado por el ejército alemán, y de que en esos momentos esperaba la muerte en algún campo de batalla. Su estado de ánimo acabó por contagiárseme. Mi madre estaba histérica, necesitada de consuelo, pero yo tenía que salir de casa. De lo contrario me volvería loca por su culpa.

–Voy a buscar carbón y algo para cenar –anuncié, sin estar muy segura de que me oyese.

A mi regreso, papá seguía ausente. Con un nudo en el estómago, vi a mamá llorando a mares y sentí una mezcla de compasión e irritación. Al final oyó pasos, corrió hasta la puerta y la abrió. Era papá, tiritando.

–Papá, me he pasado dos horas en el carbonero y no han querido darme combustible –le dije.

–¿Los hermanos Krevlin? –Me miró angustiado–. Imposible. Hemos hecho negocios con ellos desde que era pequeño. Mi abuelo iba cada *sabbath* a la sinagoga con el reverendo Krevlin.

–Ahora el encargado es un *Volksdeutscher** –le expliqué–, nombrado por el alto mando nazi.

Papá se frotó el cuello con gesto de cansancio y se dejó llevar al salón por mamá.

–Ah, la guerra contra los judíos...

–En la carnicería también he tenido que esperar, y al final el señor Goldberg sólo me ha dado un pollo, aunque tenía bistecs y chuletas.

---

* Persona de ascendencia alemana. (N. del T.)

Le he convencido de que nos vendiera unas patatas, a pesar de que está prohibido por los alemanes. También tenemos un poco de col, y...

–¿Dónde está Stasik? –me interrumpió papá–. No le veo. Que venga.

Mi madre carraspeó.

–Se ha enterado de la nueva ley que prohíbe sacar más de doscientos zlotys a los judíos sin permiso escrito de la Kehillah y...

–Y se ha ido a los Cárpatos, con su familia –terminé yo–. Ya sabía que la Kehillah...

–Ahora es el Judenrat –dijo papá con brusquedad–. La Kehillah ya no existe. Sólo quedamos yo, Applebaum y algunos más. Un tercio fue asesinado con la llegada de los arios al poder. Otro tercio huyó a Varsovia. Nuestros «nuevos amos» han nombrado decano de los judíos a Chaim Rumkowski.

–¿Rumkowski? –Mamá hizo una mueca–. ¡Pero si es un pobre hombre, lo más ignorante que hay! Seguro que la clase profesional se negará a...

–Si te refieres a mí con eso de la «clase profesional» –dijo papá–, que sepas que no nos negamos a nada. A partir de ahora, el que decide quién comercia con los alemanes y quién se va a los campos de trabajo es Chaim. Ahora mismo es lo único que puede decidirse. Nuestro orden del día ya no vale nada. Hasta es peligroso mencionarlo. Esta semana el barrio estará a salvo porque hemos pagado mucho a cambio de tranquilidad. Mañana por la mañana Rumkowski traerá una lista de trabajadores. Y cuando se le acaben los judíos pobres y sus enemigos personales, Nora, le tocará a la clase profesional. Hombres y mujeres. Tú, yo y Mia.

–¡Cállate! –grité–. ¡No sigas, por favor!

Sus palabras eran un virus, y yo estaba infectada por el miedo, pero ¿qué podíamos hacer? ¿Huir? ¿Adónde, si los arios no dudarían en delatarnos en cuanto nos descubriesen? Y, aunque no nos descubrieran, ¿cómo podíamos irnos sin Jozef? Estábamos todos atrapados. No era yo la única. En ese momento me odié por ser judía, y odié a los judíos, y a mi madre y mi padre por no haberse convertido cuando aún existía esa posibilidad. Me habían robado la vida, como Maria me había robado mi piano, y con él mi música. En ese momento cayó sobre mí una oscuridad irrespirable e impenetrable.

Mi padre me rodeó los hombros.

–Venga –dijo–, que es hora de cenar, y esto huele muy bien. Estoy con dos preciosidades, mi mujer y mi hija, y en cualquier momento vendrá Jozef. Seguro. Demos gracias a Dios por lo que tenemos hoy, y no nos preocupemos por lo que pueda faltarnos mañana. Tarde o temprano, Inglaterra y Francia harán que la raza superior se vuelva a Alemania, y antes de lo que crees estarás de nuevo en París, con tu querido Jean-Phillipe. –Su sonrisa me dio ánimos–. Te lo prometo. Estoy comprando diamantes como una especie de seguro. Servirán para pagar el viaje a París. De los tres.

Mamá fue a la cocina y trajo el pollo, las patatas y la col. Papá salió y volvió con una botella verde y polvorienta. Nos la enseñó con una reverencia.

–Brindemos –exclamó, mirando la etiqueta–: ¡por nuestro hermano monsieur Rothschild, en honor de los Levy que han sido, de los que son y de los que serán!

–¡Mia –dijo mamá con voz aguda de entusiasmo–, ve a buscar las copas de cristal!

Las encontré. Al volver vi la sala iluminada con velas, y que la mano de mamá se movía por la de papá como si leyera en braille.

Papá sirvió el vino y levantó su copa sobre una vela encendida.

–*L'chaim* –dijo.

–*L'chaim* –repetimos nosotras.

¿Eran imaginaciones mías, o mi madre y mi padre se habían sonreído al levantar las copas?

Se me escapó la risa, pero el paso del burdeos blanco y seco por mi lengua cortó el temblor nervioso. Bebí otro sorbo más largo, saboreando el vino y sus efectos. Después ataqué ávidamente nuestro humilde festín, con pausas frecuentes para beber vino y mirar por encima del borde de mi copa. Al otro lado de la mesa, mis padres parecían entenderse en silencio de una manera especial. Fue un momento emocionante que –todo hay que decirlo– viví con un poco de celos, anhelando a Jean-Phillipe y pensando en él con los ojos cerrados.

La vida, pensé; y me pareció de un valor tan infinito que se me saltaron las lágrimas. Mi cuerpo, mi mente, mi alma... Todo estaba vivo. Yo encarnaba la vida. Era la vida misma. Si Jean-Phillipe hubiera estado conmigo, me habría entregado sin reservas a él, fundiendo nuestros espíritus, y habríamos conocido un placer superior a la felicidad.

Llamaron a la puerta y alguien gritó:

—¡Doctor Levy! ¡Abra la puerta!

Mi padre empujó a mamá hacia la cocina y me hizo señas de que la siguiera. Le vimos ir hacia la puerta y abrirla.

—¿Qué demonios significa esto? —dijo con severidad—. ¿Por qué molesta a ciudadanos inocentes a estas horas de la...?

Se le apagó la voz. Vislumbré a un hombre apartándose. Luego una silueta alta y rubia cruzó el umbral a trompicones y se desplomó en los brazos de mi padre.

—¡Jozef! —chilló mi madre, corriendo hacia la puerta.

—Silencio —dijo el desconocido, mientras cogía a Jozef de los brazos de mi padre y se lo llevaba al salón, donde le acostó suavemente en el suelo.

Mi madre se inclinó gimiendo sobre él.

—Nora, no... —susurró papá, tapándole la boca con la mano.

—¿Quiere que los gatos se enteren de dónde está escondido su ratón? —preguntó el desconocido—. Me he jugado el pellejo llevándomelo del callejón. Un joven tan apuesto y que parece tan ario... Lástima que le hayan pedido la tarjeta de identificación. Pero no se preocupen, que no le pasa nada. Le han pegado bastante, pero no creo que tenga nada roto.

Mi padre se puso de rodillas, palpó suavemente la cara magullada de Jozef y luego brazos y piernas.

—No, no hay nada roto. Se restablecerá. —Miró al desconocido—. Bueno, dígame a quién debo...

—Prefiero no decir mi nombre. Si lo supieran, y alguien viniera a buscarme, podría perjudicarles. Por otro lado, no me debe nada. Doy gracias a Dios por haber reconocido a su hijo y haber sabido adónde llevarle. Una vez estuve sentado a su lado mientras usted se dirigía a la Kehillah.

Papá estrechó su mano con firmeza.

—De todos modos, algo hemos de darle. Mi familia y yo le estamos muy agradecidos. ¡Por favor! Un vaso de vino. No queda pollo, pero estoy seguro de que la señora Levy podría...

El salvador de Jozef hizo un gesto con la mano.

—Tengo que irme a casa. Mi mujer estará loca de preocupación. Ahora, que si tienen un poco de pan se lo agradecería mucho. Perdone que mendigue de esta manera, pero hace unos días que no comemos mucho, y...

–¿Mendigar? ¿Habiendo salvado a mi único hijo? Mia, por favor, envuelve un pan, y pon queso, si hay. Ah, y una botella de *schnaps*, para que este amigo brinde esta noche a su salud.

Corrí a la cocina a cumplir su petición. Volví con un paquete, que el desconocido escondió con cuidado bajo su grueso abrigo de lana.

–Que Dios les bendiga –dijo–, y que haga que su hijo se recupere pronto.

Estrechó gravemente la mano de papá. Luego quiso coger la mía, pero yo me lancé sobre él, le di un beso en la mejilla y le abracé con todas mis fuerzas. Él se soltó y retrocedió hacia la puerta con una reverencia.

La única que no se despidió fue mi madre, que estaba de rodillas junto a Jozef, acariciándole el pelo.

4

—«Desde este momento, el domicilio de la familia Levy queda trasladado a Adolf Hitlerstrasse, 21, dentro de la zona judía, en la parte conocida anteriormente como el Baluty. –Papá leía la carta del Judenrat con voz temblorosa, aunque sin emoción en el rostro.

»En cumplimiento de la normativa establecida por el Regierungspräsident Matthias Ubelhoes, aprobada por el Consejo de Judíos y sancionada por el Praesidium, se les reembolsará con un valor equivalente al de su casa y posesiones mediante un fondo especial del Tesoro Judío designado a tal efecto. Mientras no hayan ocupado su nuevo domicilio, el Tesoro Judío gestionará una cuenta de garantía por todas las sumas cobradas a su nombre, que serán convertidas en marcos alemanes de curso legal.

Según han demostrado los últimos acontecimientos, la tardanza en el cumplimiento de la ley, y el contrabando, son gravemente perjudiciales para la comunidad judía. Los tribunales judíos harán recaer todo el peso de la ley en las personas que no acaten las órdenes aquí expuestas, con una pena máxima de cinco años de prisión y trabajos forzados, una multa de diez mil zlotys o ambas cosas.

Cualquier pregunta debe ser dirigida al Ministerio Judío de la Vivienda, c/o Judenrat, Munsenstrasse, 20 (antiguamente calle Sworske).»

La carta no tenía firma, pero sí una inscripción en mayúscula: «C. RUMKOWSKI, DECANO DE LOS JUDÍOS».

–Traidor –dijo papá, mientras mi madre guardaba un silencio atónito y yo empezaba a catalogar mentalmente nuestras posesiones. Jozef se retiró a su habitación, sin otra muestra de rabia que un portazo.

El establecimiento de una zona judía era inevitable. Había pasado lo que tenía que pasar.

Pensé que quizá fuera mejor. Los actos violentos contra los judíos se habían incrementado. Las tropas de las SS habían establecido unas pautas muy claras de controles y extorsión, mientras proseguía el reclutamiento forzoso o el envío a los campos de trabajo. Lodz se había llenado de bandas de polacos arios que organizaban ataques nocturnos. Detrás de la segregación recién anunciada estaba el régimen alemán, pero el agrupamiento de los judíos en una sola zona podía ser una manera de mitigar las hostilidades que sufríamos. Me di cuenta, sin embargo, de que mi razonamiento era sesgado. El gobierno nunca tomaba decisiones que nos favorecieran.

La orden se dio en febrero, pero no todos la acataron. Hubo miles de personas que presentaron peticiones de exención al Judenrat. Sin embargo, a principios de marzo los soldados alemanes sacaron a la calle a más de doscientos judíos a punta de pistola y pusieron énfasis en que había que colaborar. Fue entonces cuando empezaron en serio los traslados, incluido el nuestro.

El día antes de marcharnos, recibimos la visita de un rabino joven y mofletudo a quien aborrecí a primera vista.

–Les hemos reservado el mejor sitio –dijo, sirviéndose una rebanada de pan racionado que le había ofrecido mamá–. Naturalmente, quizá sea posible mejorar su posición hablando con las personas indicadas.

Como papá hacía caso omiso de su torpe incitación al soborno, miró con lástima a mi hermano, con cara de decir: «¿cómo has podido hacerle esto?».

–Le aseguro que dispondrá de instalaciones sanitarias acordes con su estatus, doctor, pero sus habitaciones serán pequeñas, a menos que pueda usted disponerlo de otro modo.

–Aceptaremos lo que se nos dé –dijo papá.

Le acompañó a la puerta.

Al verle contemplar los restos del jardín, supe qué pensaba: que en verano, cuando aún teníamos una oportunidad, deberíamos habernos ido a Kiev, dejándole a Jozef algún tipo de mensaje para que pudiera seguirnos. Ahora estaban cerradas todas las fronteras, y pronto estaríamos cautivos, sin acceso a las noticias ni a nadie que no fuera judío. La simple posesión de una radio podía ser castigada con la muerte. La nueva ley, por otro lado, impediría a mi padre volver a investigar o ejercer la docencia en su campo, e incluso atender a un paciente ario. La vida que conocíamos había llegado a su fin.

Como el dolor reflejado en el rostro de papá me resultaba insoportable, fui a ver a Jozef. Estaba en la cama, oyendo la *Séptima Sinfonía* de Beethoven en el tocadiscos. Me senté a su lado, demasiado nerviosa para quedarme callada.

–Pero ¿no entiendes lo que pasa? –dije–. ¿Cómo puedes quedarte aquí tumbado? Tenemos que hacer algo. Podríamos perderlo todo: el solario de cristal que diseñó nuestro abuelo, la casa, las alfombras, los muebles, el jardín, la biblioteca... Todo. Nuestra familia ha dedicado varias generaciones a construir esta casa y llenarla de cosas bonitas.

Cuando Jozef me miró, vi que las heridas habían penetrado profundamente en su espíritu.

–Mia, ya sabes que te quiero, y a mamá y papá también, pero no tengo esperanzas. En la universidad intenté fingir que no era judío, pero los demás estudiantes no me dejaban olvidarlo. Todo lo que dices se puede sustituir, pero tenemos que encontrar una manera de sobrevivir. La vida es lo más importante.

–Pero ¿cómo puede haber pasado todo esto? Somos de procedencia alemana. Nuestra casa siempre ha sido germánica a más no poder; más vienesa que polaca, si vamos a eso. Cada vez que el emperador Francisco José visitaba Lodz, nuestro padre y los suyos salían a la puerta a saludar, y cuando el emperador venía a nuestro barrio insistía en ir detrás de los ancianos judíos y sus textos sagrados. Papá nos ha contado mil veces que Francisco José besó la Torá en el templo, y que dijo que era la madre de su religión.

–Es otro mundo. No se puede mirar atrás. Ahora hay que mirar el futuro y encontrar una manera de sobrevivir. Somos la esperanza de nuestro pueblo.

Al poco se durmió. Le pasé la mano por la frente y le di un beso en el pelo. Las notas de Beethoven se mezclaban con el ruido de la calle, el ruido de la emigración. Salí y fui a reunirme con mis padres.

–Mia –dijo papá con actitud resuelta–, sal a buscar un carro y un cochero. Necesitaremos todas las provisiones que podamos encontrar. Es el momento de irnos. No hay tiempo que perder.

–¡No puede! –dijo mamá con voz entrecortada–. No te das cuenta de cómo están de peligrosas las calles, Ben. Ya es bastante malo que la envíes de día por el pan, pero

Mi padre la miró con dureza.

–Una mujer joven y guapa tiene más posibilidades de alquilar un carro y un cochero que yo. Cuando salgo a buscar comida, vuelvo con las manos vacías una vez de cada dos, y esto es una emergencia. Tenemos que sobrevivir. Si queremos llegar a Varsovia, deberemos ser todos muy fuertes. Recuerda que Varsovia es una gran ciudad, donde tenemos muchos amigos no judíos que podrán escondernos hasta que haya pasado toda esta locura.

¡Varsovia! Yo sabía que papá soñaba con el viaje desde que la ocupación se había vuelto asfixiante, pero me parecía una fantasía como la de irse a América. Sería un viaje sembrado de peligros, y de una constante incertidumbre. Varsovia quedaba a unos doscientos kilómetros de distancia, pero nuestras esperanzas de llegar, como judíos, parecían escasas. Estábamos encarcelados, ésa era la verdad. Por otro lado, saltaba a la vista que mis padres ya lo habían discutido alguna vez, porque a mi madre no le sorprendió el anuncio.

Lo que estaba era horrorizada. Papá hizo caso omiso de su mirada hostil y explicó que en cuanto Jozef se hubiera puesto bien podríamos emprender el viaje, para el cual necesitaríamos comida y ropa de abrigo, si no queríamos morir de frío.

–Mientras tanto, esperaremos en Adolf Hitlerstrasse a estar en condiciones de viajar.

–Pues entonces no mandes a Mia. Ve tú al mercado negro.

Mi padre se dirigió al salón y al llegar a la puerta empujó el marco con ambas manos y todas sus fuerzas; pero no era Sansón, y la casa no se derrumbó.

Se giró hacia mi madre.

–Pero ¿no lo entiendes? –dijo–. Cuentan con que nos quedemos paralizados. Con que paguemos cada segundo de libertad a costa de nuestros ahorros. Con que compremos en el mercado negro para evitar el hambre y no pasar frío. Ya has oído al rabino con cara de bebé: nos ha aconsejado el soborno para tener una casa mejor, más seguridad y un trato preferente.

–Ya, pero así es la naturaleza humana –dijo mi madre–. ¿Qué esperas demostrar negándonos lo que mendiga todo el mundo, sobre todo teniendo en cuenta que nos lo podemos permitir?

–¡No es la naturaleza humana! –rugió papá–. Y espero que tampoco sea la tuya, ni la de Mia, ni la de Jozef. No tenemos derecho a ponernos por encima de los demás. Ya no.

El tono de mi madre se enfrió.

–Entonces qué quieres, ¿que nos muramos de hambre antes de irnos a Varsovia?

–No, lo que quiero es resistir. Cualquier céntimo pagado al Judenrat como soborno acaba en manos de los nazis. Es como cavar nuestras propias tumbas y esperar educadamente a que nos arrojen dentro. Lo que no pueden confiscarnos se lo damos nosotros.

–Y ¿cuánto tiempo piensas aguantar? ¿Hasta que se muera Jozef? ¿O yo? ¿O Mia?

–Hasta que me convenza de que no existe otra manera.

No le entendí. ¡Estaba dispuesto a sacrificarnos por un ideal! Estaba dispuesto a dejarnos morir. Fue la primera vez que nos tuvo en contra a las dos, y se dio cuenta.

Apretó mi brazo.

–Busca un carro, Mia, y cárgalo con todo lo que puedas encontrar. Es la hora de hacer el equipaje, Nora. Me voy arriba a dejar algunas cosas arregladas para los nuevos inquilinos, no vayan a pensar que somos malos administradores.

Salí corriendo hecha una furia, sin hablar con papá por miedo a decir barbaridades. Iba en contra de mi manera de ser, porque yo nunca me aguantaba la rabia, pero ese día me pareció peligroso y tuve miedo de infligir heridas incurables.

Las calles estaban llenas de carros de todos los tamaños, y de carretillas que rodaban por los adoquines; era una caravana de vehículos desvencijados cuya gran mayoría servía para transportar las pocas pertenencias que habían podido rescatar las familias.

–¿Ves esa casa? –le comentó un polaco a otro–. Pues es donde nos instalaremos mañana por la noche.

–Muy bonita –dijo su amigo con un silbido de admiración–. ¿Cómo has conseguido una tan grande?

–Es que mi cuñado trabaja en las SS.

La casa que señalaba era la nuestra. A mi lado pasó una anciana, con las encías desdentadas bajo una babushka descolorida. Con la frente sostenía una cinta de la que, a su espalda, colgaba una caja de cartón en la que transportaba sus pertenencias.

La reconocí. Era una de las campesinas judías que buscaban restos en las carretillas del mercado cuando los vendedores cerraban por el *sabbath*, una de las que discutían en las tiendas de ultramarinos por unos pocos groszys. Ahora tendríamos como vecinos a mujeres como ella. Papá tenía razón. Sería intolerable.

Miré alrededor y sentí náuseas al ver las expresiones aturdidas de especies de caballos humanos que arrastraban sus carretas llenas de baúles y cajas. Se suponía que eran mis hermanos y hermanas en la tierra de Abraham. La gente a quien papá llamaba «el prójimo» eran bestias de carga, una humanidad contrahecha que ofendía la vista.

¡No! Yo no era una de ellos. Mi mundo era París, la música, las salas de ópera y de conciertos. Jean-Phillipe. Me apoyé en una farola y sentí un vuelco en el estómago, que intentaba expulsar una comida para la que había hecho tres horas de cola.

Pensé que estaba cerca del café Astoria, donde tantas veladas habíamos pasado Jozef y yo bebiendo oporto y oyendo valses vieneses en el Wurlitzer. Quizá siguiera abierto. Decidí pedir una granadina con soda para calmar mi estómago. Así podría calentarme delante de la reja de la estufa de carbón, como con Jozef y sus amigos.

Bajé por la calle esquivando el tráfico.

–¿A quién tenemos aquí, yendo en dirección contraria? –tronó una voz en alemán–. ¿A una ladrona? ¿A una saboteadora gitana?

Di media vuelta y me encontré con un SS.

–*Nein, mein Herr* –dije con voz temblorosa–. Iba al café Astoria.

Me miró de los pies a la cabeza, imperturbable.

–O sea, ¿que eres judía, eh?

Empezaba a costarme respirar.

–Sí, señor. Mi padre me ha mandado a buscar un carro para mudarnos al barrio judío, pero ya están todos alquilados, y como tengo frío he pensado que en el café...

–¿Llevas alguna identificación?

–Sólo mi tarjeta del colegio. –Busqué en mi bolso y la saqué–. Está en francés, porque voy a un *lycée* de París, pero aquí pone mi edad y mi nombre: Marisa Levy. Le juro que sólo buscaba un carro. De verdad. Tengo a mi hermano enfermo en casa, recuperándose de...

–Tranquilízate –dijo.

Me serené. Quizá no me metiera en la cárcel. Entonces apoyó sus dedos de salchicha en uno de mis hombros, y me quedé helada. ¡No, la cárcel no! ¡Algo peor!

Al principio, viéndole tan corpulento en su uniforme de soldado alemán, me asusté, pero después la afabilidad de sus ojos azules y sus palabras me calmaron.

–Eres muy guapa –dijo–. Yo también tengo una hija, Annaliese. –Se sacó un billetero del bolsillo y me enseñó una foto–. Tiene cuatro años, y es un cielo. La de al lado es mi mujer. –La foto tenía los bordes gastados, y estaba resquebrajada por el centro. Se notaba que la había mirado mucho. Sacudió la cabeza–. Esta guerra... Nos vuelve a todos locos. ¿Se puede saber qué hago enseñándole mi familia a una judía, como si fuera mi sobrina? Mira, ¿sabes qué? Que voy a acompañarte a la plaza Wolnosci, porque aquí no puedes estar. Esto está lleno de purria. El café Astoria ya no es como antes. Al oír que ibas hacia allí he pensado... Digamos que hay ciertas chicas... ¿Me entiendes?

Asentí, sofocada.

–Bueno, pues déjame que te acompañe fuera de este barrio. Iré dos pasos por detrás. En las SS está prohibido ir con judíos, aunque sea con una tan guapa como tú. Pero primero iremos a buscar un carro, antes de que anochezca.

Señaló una callejuela. Entré en primer lugar, sintiendo su mirada por mi espalda, mis caderas y mis piernas, y estuve a punto de echar a correr. Me obsesionaban las imágenes de mi humillación en la estación de tren. Esta vez no podía protegerme ninguna multitud, aunque sólo estuviera compuesta por testigos silenciosos. Me obligué a dar pasos rápidos y regulares, temiendo que el soldado me tocara, temiendo su aliento en mi nuca.

Salimos a la plaza Wolnosci. Él me adelantó y requisó un carro tirado por dos chicos corpulentos, sin prestar atención a las protestas de la familia que caminaba al lado.

–Deprisa, bajad vuestras cosas. ¡A ver si os doy una patada! –gruñó–. Cerdos judíos...

Me entristeció mucho. Mi padre nunca se habría llevado un carro de otra familia. Habría buscado hasta encontrar uno desocupado. Sin embargo, me dije que su búsqueda podría haber sido en balde, porque todos necesitábamos carros. Toda la gente había salido a la calle. Hacía frío y teníamos poco tiempo. Aún me faltaba conseguir toda la comida y el carbón posibles. Me avergüenza reconocer que la pena se convirtió en alivio, y que cuando la familia descargó sus pertenencias descé en mi fuero interno que se dieran prisa.

–Llevad a esta chica adonde quiera –gruñó mi benefactor a los que conducían el carro–. Y si me entero de que le cobráis de más a su familia, os mando a los campos de trabajo. –Me guiñó un ojo y me dio una barra de chocolate–. *Auf Wiedersehen.*

–*Auf Wiedersehen* –murmuré yo–. *Danke schön.*

Los chicos me ayudaron a subir al carro, y salimos en busca de las provisiones que tenía que llevar a mi familia para nuestra última noche en casa.

5

El sueño de mi padre de irnos a Varsovia no se hizo realidad. Nos obligaron a vivir en el Baluty, una gran zona industrial creada por los alemanes para que los judíos pudiéramos contribuir a la maquinaria de guerra nazi. A mí me tocó coser botones en uniformes alemanes seis días a la semana y diez horas al día. En un «gesto de amistad», las autoridades nos dejaban el *sabbath* libre. Trabajábamos en una sala calurosa y mal ventilada del primer piso de un almacén. En verano el ambiente era tan sofocante que muchas chicas se desmayaban. Yo logré soportar el calor, pero mi piel se volvió de un amarillo cetrino.

El Baluty era un lugar frío, sucio y plagado de enfermedades. Antes de la llegada de los alemanes ya había sido un barrio de mala muerte, con edificios viejos que se caían a pedazos y muchas calles sin pavimentar. Con el otoño en puertas, los nazis nos cortaron el suministro de agua e interrumpieron la recogida de basuras. El resultado fue una epidemia de tifus que redujo prácticamente a la mitad a nuestra población. El hambre era constante. Los famélicos suelen enfadarse por nada, y discutíamos por nimiedades. Celebré mis dieciocho años comiéndome yo sola toda una manzana.

En noviembre nos racionaron el combustible, y cuando ya no quedó nada una multitud asaltó y demolió una cabaña de la calle Brzezinska para quemar la madera. Una anciana pereció aplastada mientras intentaba conseguir su parte.

Nate Kolleck, un compañero de clase de Jozef que también había conseguido volver a Lodz, dijo que nos estábamos volviendo como el golem de las leyendas: muertos sin alma que caminaban. Yo rechacé de plano la comparación, pero era evidente que tenía razón. Sabía que lo más probable era que mi piel cetrina acabara adquiriendo un gris cadavérico.

Nate vivía en nuestro edificio. Nos conocíamos de Lodz. No era mucho mayor que yo, aunque parecía mucho más maduro, quizá por su delgadez y porque se le había caído un poco el pelo. Le interesaba tanto la gente que yo ya le veía de psicólogo.

A cada familia le tocaba una sola habitación, independientemente del número de miembros. Nate había tenido «suerte», porque vivía solo, aunque fuera en un ropero. No tenía hermanos. Su padre, David, había muerto apaleado en el café Astoria el primer día de la ocupación, intentando impedir que violaran a una camarera. Más tarde su madre se había arrojado de un segundo piso para no ver ocupada su casa por *Volksdeutsche*. El Ministerio de Finanzas judío se había quedado con todos sus objetos de valor.

Nate, como el resto, había sido compensando en *rumkes*, una moneda que llevaba grabado el perfil del «rey Chaim» Rumkowski. Fuera del Baluty, donde eran la única moneda de curso legal, los rumkes no valían nada. Habíamos tenido que entregarlo todo: marcos, zlotys... hasta dólares americanos. El contrabando se había extinguido de un día para el otro, llevándose consigo cualquier contacto con el mundo exterior.

Con el tiempo, hasta los rumkes perdieron su valor. Al final no quedaba nada que comprar. En el gueto de Chaim, la norma era «trabajar o morirse de hambre». Todos los hombres, mujeres y niños estaban atados a una fábrica, como parte del plan de Rumkowski de convertirnos en indispensables para los nuevos amos.

Desde su apartamento en el «palacio de verano», situado junto al muro del Baluty, Chaim ordenó el desvío de las vías férreas de Litzmannstadt y la creación de una línea especial que moría en el gueto. Las materias primas (retales de cuero, pieles confiscadas, colchas, edredones y almohadas de plumas) eran descargadas en la Umschlagplatz, donde un transporte recogía uniformes de invierno recuperados, así como acero y aluminio de nuestras plantas de reciclaje. Había trabajo, cosa que los habitantes del Baluty agradecían.

Sin embargo, cuando el esfuerzo de guerra alemán empezó a empantanarse, también empezó el desmoronamiento de la vida en el Baluty. Acabamos trabajando y muriéndonos de hambre al mismo tiempo. Las raciones de pan, carne y productos lácteos quedaron reducidas a la mitad, y esta mitad a otra. De todos modos, daba igual que te tocara medio kilo semanal o una tonelada, porque no había nada que comprar. Hasta las personas a quienes les correspondía doble ración –las familias del Judenrat, los miembros de la policía judía, los médicos y quienes recogían desechos humanos en carretas– se morían de hambre.

Mamá y papá cayeron en tal aturdimiento que me dio la sensación de convivir con muñecos mecánicos. Lo poco que había de comer lo cocinaba mi madre con desgana, mientras mi padre atendía a una lista de pacientes cada vez más larga, que se quejaban casi todos de lo mismo: disentería, raquitismo, anemia... Inanición, en suma. Jozef, ya recuperado de sus heridas, vivía en un estado de rabia constante, lanzando invectivas contra los dioses y los alemanes con una energía que parecía inagotable, como el mar rompiendo sin descanso en una dura playa.

En cuanto a mí, me perdí en un mundo de fantasías iluminado por arañas del Théâtre de l'Opéra, donde interpretaba a Sophie o Suzanna, según estuviera de humor para Strauss o para Mozart. Jean-Phillipe, que asistía a todas las funciones, pasaba a buscarme por el camerino y me llevaba a Maxim's, donde bebíamos más de la cuenta, y desde allí íbamos a su apartamento o al mío para hacer el amor lánguidamente entre mullidos cojines. Eran esas visiones lo que me mantenía viva. Cuando un grito, un choque, una pelea o un accidente me obligaban a abrir los ojos a la realidad, lloraba hasta volver a consolarme con la música de mi cabeza.

Durante el invierno de 1940 murieron de hambre miles de judíos. Los supervivientes no tardaron en sucumbir al tifus, duplicando el volumen de trabajo casi inhumano de mi padre. Sin embargo, ni siquiera la epidemia detuvo la incesante actividad de las fábricas del Baluty. Las brigadas seguían mejorando el estado de las carreteras e instalando nuevas líneas de tranvía, mientras nacía en nosotros, muy a nuestro pesar, cierto respeto por Rumkowski, que al menos nos mantenía ocupados con trabajos que permitían albergar cierta esperanza en el futuro de nuestro enclave. Según Jozef, trabajar para Rumkowski era mejor que ser enviado a los campos.

Siempre que hacía falta alguien para un trabajo especial, Nate Kolleck se ofrecía voluntario. En verano o en invierno, fuera cual fuese la naturaleza del trabajo, se presentaba con un abrigo de lana que escondía su vieja cámara Rolleiflex. Con ella, usando películas acumuladas desde mucho antes del establecimiento del gueto, registraba todas las atrocidades que veía: ancianos de largas barbas y patillas arrastrando por el barro sus largos abrigos de lana negra, mujeres con bebés que berreaban tratando de absorber algo de leche de unos pezones que habían dado hasta la última gota, jóvenes milicianos judíos patrullando arrogantes por el gueto, cadáveres en la cuneta con hojas de periódico encima, en espera del servicio de recogida de basuras... También los vivos esperaban en esquinas y puertas, con las piernas hinchadas y la barriga distendida, demasiado débiles para moverse.

Cada noche, Nate revelaba los negativos con productos químicos que guardaba escondidos. Las películas las ocultaba con cuidado en latas, detrás de los ladrillos del armario reconvertido en que dormía. A veces paseábamos juntos por las calles, después de la puesta de sol, y una vez vimos a dos niños desnudos metiéndose puñados de basura en la boca. Me giré, pero Nate cogió mi brazo con rudeza.

–No, Mia, tienes que mirar –insistió, mientras abría el obturador.

Clic. La imagen de los niños quedó inmortalizada.

A continuación pasó un carro sanitario por la calle sin pavimentar, tirado por caballos humanos, esqueletos cubiertos de tendones abultados. El carro rodó por la calle sinuosa, y hasta los niños desnudos huyeron de su hedor. La gente salía a las puertas para vaciar sus cuñas y orinales. Una serie de clics lo conservaron todo.

Nate me miró con cara de satisfacción, mientras escondía la cámara debajo del abrigo, y yo le pregunté, furiosa:

–¿Cómo puedes aguantarlo? Parece que disfrutes con la desgracia ajena.

Se encogió de hombros.

–No soy yo la causa.

–Pero no está bien hacerles fotos. Podrías dejar que escondan su vergüenza, en vez de documentar hasta el último orinal y la última barriga inflada de este infierno.

–Alguien tiene que hacerlo –dijo él con convicción.

–¿Por qué?

–Porque estamos aislados. Ahora que ya no hay contrabandistas, no entra nada de fuera, ni nos dejan salir; y si nosotros no tenemos ni idea de lo que hay más allá de la barrera, ¿tú qué crees que sabrán al otro lado? Fíjate: aquí hay decenas de miles de personas que van por la calle como si ya estuvieran muertos. Por un mendrugo de pan se aplastan cráneos. Hay familias de veinte en una habitación, y niños que comen mierda. Sin fotos, ¿quién se creería lo que nos han hecho los alemanes?

Sacudí la cabeza.

–¿Te acuerdas de que antes pintaba? –preguntó Nate.

–Sí, claro. Jozef decía que tenías muchísimo talento.

–¿Y ese talento me dará un trozo de grasa de vaca para echarlo en el agua sucia que nos dan como sopa en la fábrica? No. El pincel me volvió demasiado romántico. La cámara me ayuda a no perder el realismo, aunque yo sea el único que ve las fotos.

Pensé que no era tan fácil. No podía serlo. Cuando alguien renunciaba al romanticismo, la belleza, la música, el color y la luz, se le atrofiaba el alma, y era como un muerto. Estuve a punto de decírselo, pero me lo pensé mejor. Los cambios infligidos por el gueto habían vuelto inabordable a Nate, aunque tenía la impresión de que quería ser abordado por mí. Creo que hasta es posible que estuviera un poco enamorado. Si las fotografías de lo demoníaco le permitían escapar de los demonios, mejor para él. A mí me daba miedo, la verdad.

–Escucha a tu padre –suplicó mamá, mirando los ojos iracundos de Jozef.

Él se encogió de hombros para apartar su mano.

–No necesito sermones.

–Te digo que le escuches –dijo ella con severidad–. Por fin estás bien físicamente, lo cual significa que tienes que ser más cuidadoso que nunca. Tu mal genio no es sano, y menos con los milicianos por las calles. Por no hablar de los delatores, tus amigos y vecinos.

Jozef se encendió como una llama.

–¿Quién puede no enfadarse con el Führer Rumkowski paseándose por su palacio de verano con botas militares? ¿Y con sus anuncios, encima en polaco, de que si «mis judíos» esto, si «mis judíos» lo otro? Es un malnacido y una vergüenza para la raza judía.

–No existe ninguna raza judía –dijo papá, cansado–. Sólo hay judíos, y tenemos problemas muy serios. Aquí muere gente cada día. El hospital estatal Mickiewicz está desbordado. Necesitamos médicos, desinfectante y medicinas.

–Y ¿esperas que te los dé el rey Chaim?

–Es nuestra única esperanza.

–Un cerdo ignorante es lo que es. Si tenemos mala fama es por culpa de la gente como él, la escoria de la humanidad.

–¡Basta! –bramó papá. Me alegré de que le quedara un poco de pasión–. ¿No lo entiendes? Si hasta ahora los judíos no eran hermanos, la Raza Superior ha hecho que no se nos pueda distinguir a los unos de los otros. ¿Qué te crees, que sólo se mueren de hambre los que no tienen estudios, o que el tifus te perdonará porque tengas talento?

–No me digas que tengo algo que ver con la chusma de Miehlstrasse. ¡Son animales! La mitad casi no habla polaco, y no digamos alemán. Hasta el yiddish lo...

–Precisamente por eso iré al palacio de verano a hablar personalmente con Chaim.

–¿Para qué? ¿Para que pueda pisotearte? ¿Demostrarte su odio a los judíos instruidos?

–Para pedirle que salve a sus hermanos judíos de este gueto podrido. Le besaré los pies. Si es necesario me pondré de rodillas, imploraré y bailaré desnudo por la calle. Una sola vida salvada de Miehlstrasse vale más que todo el orgullo del universo.

Jozef aplaudió.

–¡Bravo! Yo, mientras tanto, iré a intimar con mis hermanos judíos de la fábrica de botones, donde me pasaré seis horas oyendo su cháchara ignorante, y donde haré cola y suplicaré unas hojas de zanahoria o un poco de patata harinosa para darle sabor a mi sopa. Recuerdos de mi parte al palacio de verano.

Las palabras de Jozef cayeron en oídos sordos. Vi marcharse a papá con la espalda erguida por su nueva determinación, y recé por que salieran bien sus planes.

El hombre que volvió era la viva imagen del abatimiento y el desánimo. Se quedó largo rato sentado a la mesa de la cocina, desmadejado, en silencio, con la cabeza apoyada en los brazos cruzados. No vi si lloraba. Al final mamá le convenció de que tomara una taza de té, y debió de reanimarle el calor, porque tuvo fuerzas para mirarnos con cara de lástima y vergüenza, y de contarnos lo ocurrido.

–Me hicieron esperar un buen rato en la antesala –dijo–. Le oía pegar gritos sobre un sello de correos. Se ve que Berlín se ha negado a emitir un sello en su honor con el argumento de que no se puede pegar una cara judía al lado de una aria, y él se enfadó. Y eso que el sello sólo habría circulado por el Baluty... Habría sido cómico. Pero lo que me preocupaba era salir perjudicado por su mal humor.

»Al final me dejaron entrar. Chaim estaba en la ventana, murmurando de espaldas. En el despacho había un escritorio muy grande lleno de papeles, y al otro lado una mesa con un frutero lleno de manzanas, peras y naranjas. ¡Qué ganas tuve de pedirle fruta, queridas mías! Os la habría traído, y habríais podido disfrutar al menos un día de los dones de Dios...

Se puso la mano en el estómago con los ojos empañados.

–Sigue –dije dulcemente, sabiendo que no podía consolarle.

–Chaim se giró y me saludó. Está gordo. ¡Gordo, y nosotros muriéndonos de hambre! Le cuelga la papada por el cuello de la camisa, como si fueran ubres. Le dije que le veía con buen aspecto. Él contestó que hace ejercicio cada día, y supuse que sería el de masticar. «Imagínate, ayer, por la calle, intentó atacarme un vagabundo», me dijo, y yo le compadecí. Y él siguió: «Siempre es la chusma del Bund. Se esconden como conejos y se creen que no sé dónde tienen las madrigueras, ni quién sale de noche a escribir en la pared de nuestras fábricas ABRID LA VERJA Y MATAD A CHAIM, cuando la verdad es que estoy enterado de todo lo que les pasa a mis judíos. ¡Desagradecidos! No son dignos ni de los campos de trabajo. En vez de trabajar, propagan rumores y mentiras. ¿No se dan cuenta de lo que hago por ellos? Las nuevas líneas de tranvía, las mejoras en las carreteras, la nueva estación de tren... ¿Qué se creen, que para el decano es fácil? ¿No se dan cuenta de que si están vivos es exclusivamente gracias a mí?» Suerte que tosí, porque habría seguido así cinco minutos. «Ah, sí, Levy. A ver, ¿qué es tan urgente como para justificar una entrevista personal?», me dijo.

Tuve que reírme de la cruel imitación, aunque mi madre me miró como si hubiera contado un chiste en el templo.

–«El tifus, decano. Hay una epidemia», le dije. Él me contestó: «Pero ¿los médicos no tenéis tratamientos?» «Sí, pero sin medicamentos no hay gran cosa que hacer. Es necesario mejorar las condiciones higiénicas. Hay que enterrar lo antes posible a los muertos. Necesitamos más suministros y más personal. Con un puñado de médicos y enfermeras no se puede impedir que la enfermedad adquiera proporciones incontenibles». Cuanto más me oía, más se enfadaba, hasta que se me plantó delante con la cara a un palmo de la mía. Le olía el aliento a ajo. «¿Qué esperas que haga?», me gritó. «¿Te crees que vuestro decano es un mago? ¿Que puede hacer un gesto con la mano y sacar suministros de una chistera? Si nuestra comunidad no ha sufrido una hecatombe, es porque he hecho que seamos indispensables para el esfuerzo de guerra. ¿Cómo puedes pedirme que destine médicos y enfermeras, o medicamentos? Sería una locura, como firmar una sentencia de muerte.»

»¿Y las brigadas de trabajo?», respondí yo con tono de súplica. «¿Tú crees que modernizar las calles es una necesidad más urgente que el agua potable, o que sirve de algo hacer líneas de tranvía que acerquen unas míseras manzanas a los trabajadores cuando esos mismos hombres hacen falta para recoger cadáveres?»

»Entonces me echó encima toda la caballería, gritándome: «¿Te atreves a poner en duda las decisiones del decano de los judíos? ¿No sabes nada de cómo van las cosas en Berlín? Estoy harto de los judíos polacos. Sois unos lloricas. Os creéis muy listos, pero no sabéis nada de nada.» Levantó el puño, y estuve seguro de que me pegaría. ¡Que Dios se apiade de mí! Me había convertido en el judío llorica que acababa de describir. «Perdóname», le dije. «No pretendía ofenderte. Sólo quería ayudarte a salvar a los judíos.»

»Chaim bajó la mano y me miró con algo que sólo puedo llamar asco. Evidentemente yo era demasiado vil hasta para merecer un puñetazo. Dándome cuenta de que había fracasado, y de que es imposible cambiar a semejante monstruo, me giré, y al hacerlo me quedé de piedra. En la esquina del escritorio de Chaim había un mapa del Baluty con la leyenda escrita a mano. Al entrar no me había fijado, por la fruta. El transporte a la Umschlagplatz, las válvulas para cerrar el suministro de agua y la central eléctrica del gueto estaban marcadas claramente. Por todo el perímetro había espirales, indicando las alambradas de alrededor del muro, y los sitios donde está previsto un segundo anillo. Las calles principales tenían los nombres cambiados: Getto Nord Strasse Eins, Getto Nord Strasse Zwei... El significado era evidente. Los alemanes piensan encerrarnos y dejar que nos muramos, para usar el Baluty como centro de transporte. Chaim no ha mejorado las carreteras ni ha tendido líneas de tranvía para ayudarnos. ¡Lo ha hecho para los alemanes! Está dispuesto a dejar morir a los demás judíos con tal de salvar el pellejo.

Fue como si toda la energía de papá le abandonara de golpe. Volvió a apoyar la cabeza en la mesa y se quedó muy quieto, aunque tuve la impresión de que las manos consoladoras de mamá aliviaban la tensión de sus hombros. Yo era una simple espectadora. Una intimidad como la de mis padres sólo podía soñarla, y pensé que nunca sería más que eso, un sueño.

Luego, sacudiendo el cuerpo como un oso que sale de su hibernación, mi padre se levantó y fue a la salita que usaba de despacho. Volvió con una caja llena de instrumentos médicos: escalpelos con mango de madera, estetoscopios y otros aparatos cuyo aspecto y uso yo desconocía. Tras repartirlos orgullosamente por la mesa, como un mago a punto de realizar su mejor truco, los desenroscó con un gesto teatral y los giró.

Mamá contuvo un grito. Jozef tenía los ojos como platos. Yo me limité a mirar fijamente la cascada de diamantes, no menos de diez, derramada por la mesa, cuyo brillo era como el de ojos amigos.

—En el hospital —dijo papá solemnemente— hay un administrador que no es judío. Le envió el gobierno para vigilar que los médicos nos portemos bien. Es buena persona. Le horroriza nuestra situación, y con el tiempo le he tomado confianza. —Suspiró—. Le he contado lo de los diamantes, y dice que si se los doy podrá meternos en un tren y conseguir los documentos. Con ellos podremos viajar, aunque... —Imitó el duro acento de sus amos alemanes—. Aunque seamos judíos. Lo que no sabe es que en el sótano de nuestra antigua casa hay más diamantes. Al final de la guerra los recuperaremos y tendremos bastante para empezar una nueva vida.

Mamá se tapó la boca para no gritar.

—Pero podría llevarse los diamantes y no volver...

—Sí, es verdad.

—¡Pues no lo hagas! —dijo Jozef.

Papá hizo un gesto con la mano, un gesto que abarcaba nuestra habitación, nuestra calle, nuestro gueto y nuestra vida.

—¿Qué alternativa nos queda?

6

–Se lo diré, Nate –le aseguré–. Se lo haré entender en cuanto llegue a París.

–No te creerán. Es imposible.

Nate, enfadado, manipuló el objetivo de su viejo y maltrecho Rolleiflex hasta enfocar mi perfil invertido con el Baluty al fondo. Después de hacer la foto, me indicó que me apartara de la ventana. Estábamos en el apartamento de mi familia. Era el día antes de irnos.

–Sin las fotos no hay pruebas –dijo–. Tienes que llevártelas.

Me mesé el pelo.

–No puede ser.

–Pondré los negativos en un sobre cerrado con el sello del Baluty. Nadie te pedirá que lo abras. Haré que parezca una carta de amor. Pondré «te quiero» al dorso. –Puso cara de pena.

–¿Y si me descubren?

–¡Qué va! Además, ¿qué podrían decir si te descubrieran? Sólo son negativos de trabajadores de la fábrica y basureros, y del palacio de verano de Chaim. –Me cogió la mano y me miró con la intensidad de un enamorado–. Vale la pena arriesgarse. Sería una manera de abrir los ojos al mundo.

–Sí, pero la que se arriesgaría soy yo. ¿Y si me pegan un tiro?

–¿Por qué? ¿Por llevar fotos de tu familia y enseñar los sitios donde trabaja?

–Por sedición, espionaje, delitos contra el estado... Hay donde elegir. –Me giré hacia la ventana para ver las chimeneas, deseando que ya fuera por la mañana y estuviéramos en el tren.

¿Qué harían los alemanes si me pillaban con la preciada documentación de Nate Kolleck? ¿Tomárselo como una simple travesura infantil? Lo dudé. El primer guardia que viera esos cuerpos raquíticos y muertos de hambre, esos carros de cadáveres y esos niños de vientres hinchados comiendo basura me llevaría directamente a la Gestapo. También a mi familia la harían bajar del tren, y no les pegarían enseguida un tiro, como a mí, sino que serían torturados, obligados a confesar de dónde salían las fotos. Era demasiado horrible. No podía arriesgarme.

El contacto de los dedos fríos de Nate me estremeció.

–Por favor, Mia. Tienes que hacerlo. Mi trabajo lo es todo, y necesito tu ayuda.

–Pondría en peligro a mi familia.

Fue como si no me oyera.

–¿Quién más puede hacerlo? ¿Quién más puede contarle la verdad al mundo?

Fui consciente de que tenía razón.

–Podrías acompañarnos en el tren –dije–. Te haría pasar por un primo o hermanastro.

–No, yo tengo que quedarme aquí haciendo fotos. Me quedaré en el Baluty hasta que me pillen y me maten, y encontraré a otros que hagan las fotos, pero creía que tú…

Pensé que era un héroe. Y yo una cobarde.

Nate puso sus labios en mi boca, labios agrietados y resecos como la hierba del campo después de una helada. Yo aparté instintivamente la cabeza, y sus besos me arañaron la garganta hasta los hombros. Sus dedos azulados aferraron mis brazos, recorrieron mis caderas y subieron en busca de mis pechos. Me había quedado quieta. No hacía nada para detenerle, pero tampoco para incitarle.

Era como estar en un frasco de veneno, abrazada por una calavera y unas tibias. Los sollozos hacían temblar el cuerpo de Nate, que le robaba al mío su calor. Se me puso carne de gallina en toda la espalda. Me mordí fuertemente el labio inferior para insensibilizarme, mientras sentía deslizarse a Nate por mi cuerpo hasta apoyar la cabeza en mi vientre, pero dejarle seguir era demasiado. Demasiado. Me limité a retroceder. Él abrazó el aire y cayó al suelo. Salí rígidamente por la puerta, bajé por la escalera y salí a la calle como un golem.

Nos dejaron subir al tren, pero no en los compartimentos. Encontramos un hueco en un vagón de carga, entre cuarenta o más personas. ¿También habían vendido sus diamantes a cambio de un viaje a Varsovia?

Varsovia. Ése era el destino de nuestro viaje por la oscuridad y el frío. Bien abrigados, y aferrados a las pocas pertenencias que habíamos podido llevarnos, teníamos la esperanza de que las dimensiones y el anonimato de la capital nos permitieran salir de Polonia y, si nos sonreía la suerte, llegar a Francia.

–¿No te han alcanzado los diamantes para comprar asientos? –preguntó Jozef–. ¿Ni siquiera un cojín?

Su voz resonó en el silencio del vagón.

–No hables tan fuerte –le ordenó papá–. Y no pronuncies ni una palabra más en alemán o yiddish. Tienes que hablar sólo en francés. Es una orden. Tú también, Mia. Si os oyen…

–¿Qué? –saltó Jozef–. ¡Esta gente no oye nada! Por eso están en un vagón de ganado: por ser unos estúpidos judíos. Como tú, papá, pero no como yo.

El ruido de una bofetada me sobresaltó como un disparo. Jozef se encogió. Yo miré atónita a papá. Hasta entonces nunca nos había pegado. El «¡Benjamin!» de mi madre no pudo ser más elocuente.

Yo también estaba angustiada. En esa caja móvil de cartón, mísera y pestilente, con mi vestido de lana y mis zapatones que me hacían sentir sucia, cercada por el hambre, la sed, la incomodidad y el miedo, sólo el recuerdo de Nate, y de su desafío a sus amos alemanes, me impedía quejarme con la misma amargura que Jozef. Quise evocar París, y a Jean-Phillipe, pero hasta mi fantasía se había oscurecido. El sentimiento de culpa por no haberme llevado las fotos de Nate me obligaba a desechar hasta la imagen del placer.

De golpe mi padre vomitó, sin avisar.

–Ha estado toda la noche mareado –dijo mamá–. Dios mío…

–No es nada –dijo él–. Demasiado ajetreo y demasiada tensión.

Sin embargo, vi que tiritaba y me quité el abrigo para ponérselo por los hombros. Estaba demasiado débil para resistirse, pero consiguió decir:

–No, Mia, no hace falta.

Esta vez fui yo quien tirité, y no sólo de frío, sino también de miedo.

El tren iba a paso de tortuga. A ese ritmo tardaríamos dos días en llegar a Varsovia, un tiempo en el que podía pasar de todo. Pensé que tarde o temprano Jozef se volvería en contra de papá, y de los demás. Cuando llegara ese momento, mamá y yo tendríamos que tomar una decisión.

Me desperté en las planchas de madera gastada del suelo del vagón, aguijoneada por ráfagas gélidas que se metían en mi vestido. Sentí un hormigueo en el cuero cabelludo, como patas de insecto, pero desapareció enseguida. ¿Serían alucinaciones? «Adiós, desayuno», pensé irónicamente. Luego comprendí que si no había otra manera de aliviar el hambre, dejaría de ser una broma.

La velocidad del tren se había vuelto aceptable. Pronto saldríamos de aquel cuchitril. Busqué a Jozef en la oscuridad y le vi durmiendo, hecho un ovillo de brazos y piernas descarnados. Tuve ganas de pasarle los dedos por el pelo hasta dejárselo tieso, como de pequeña, cuando salía corriendo y gritando, y él me perseguía. Ahora no teníamos sitio para correr, y el humor de Jozef durante la noche anterior no aconsejaba muchas bromas.

Mis padres dormían cerca, abrazados como un solo bulto. Quise acercarme a rastras, para que también me abrigara su calor, y tropecé con algo. ¡Un cuerpo!

–Perdone –dije.

Noté algo raro. No se movía, y eso que el golpe había sido fuerte. Miré hacia abajo. A la luz filtrada por las puertas correderas del vagón me miraban dos ojos. De mujer. Ojos que no parpadeaban. Insomnes. *Muertos*. ¡Había estado reptando al lado de un cadáver!

Grité. Mi padre se incorporó.

–¿Qué pasa, Mia?

Me había quedado sin habla. Opté por apartarme del cadáver y correr como un roedor hacia el fondo del vagón, donde iban dos soldados alemanes sentados alrededor de un hornillo y una tetera. ¿Qué hacía? ¿Les contaba lo de la mujer muerta? ¿Me atrevería a dirigirme a un soldado alemán?

–Deja los cadáveres para después –dijo suspirando uno de los dos–. Primero tomamos un té y luego los tiramos.

Escuché atentamente, sin respirar.

–Tíralos tú –dijo el otro, más joven–, que yo no tengo estómago.

–Pues ya te puedes ir acostumbrando, porque en todos los trenes hay cadáveres, y se supone que tenemos que deshacernos de ellos antes de llegar a Treblinka.

–¿Y luego?

–Descargamos, media vuelta y por el siguiente cargamento.

–¿Más judíos?

–¡Tú dirás! Nunca se acaban. Son materia prima para los campos de trabajo.

–Qué asco de trabajo –dijo el soldado joven.

–Mejor que el frente. Al menos aquí no te pueden matar.

¡Campos de trabajo! Un lugar desconocido para mí, cuyo nombre era Treblinka. Era el final del viaje, la última parada. Los judíos, la «materia prima», estábamos condenados. Volví sigilosamente con mis padres, tomando la precaución de esquivar los cuerpos vivos o muertos que la luz de la mañana empezaba a perfilar mejor.

Mi padre estaba sentado sujetándose el estómago. Al verme sonrió.

–No puede faltar mucho –dijo.

Le conté lo que había oído, y en su cara vi que empezaba a entender.

–Una traición –susurró–. El administrador nos ha jodido.

Era la primera vez que usaba la palabra «jodido» en mi presencia. Oírla en su boca, en cierto modo, me dio tanto miedo como la conversación entre los alemanes.

–Tenemos que hacer algo –dijo, despertando a mamá–. ¿Sabes dónde está Jozef?

–Sí.

Se lo señalé.

–Ve a buscarle y dile que venga haciendo el mínimo de ruido. Dile que me importa un carajo lo enfadado que esté. Que venga y escuche.

Me reconfortó verle tan decidido. Papá era un hombre enérgico y capaz. Nos salvaría. Cumplí su petición. Jozef me siguió obedientemente, quizá por la urgencia de mi tono. Nos sentamos muy juntos y esperamos a que papá hablara. La gente se estaba despertando, llenando el aire de gemidos, quejas, gritos y susurros. Al fondo del vagón, uno de los soldados se levantó para vernos mejor. Sujetaba su fusil con las dos manos.

–Tenemos problemas –dijo papá–. Problemas gravísimos. Este tren no va a Varsovia, sino a Treblinka, que es donde han mandado a muchos judíos de Lodz. Dicen que no todos sobreviven, que el trabajo es muy duro y que no existe ninguna posibilidad de huir. Vuestra mamá, mi Nora, lo pasaría fatal.

–Y tú, Benjamin –dijo mi madre–. Llevas varios días enfermo.

–Por lo tanto, no tenemos que llegar –prosiguió papá como si no la hubiera oído. Bajó la voz–. Tenemos que escaparnos.

Jozef resopló.

–¿Cómo? ¿Volando?

Me dio rabia su desdén. Sin embargo, compartía su preocupación. El hambre y el miedo habían empezado a darme náuseas. Estábamos prisioneros en el vagón. No había escapatoria.

–Saltando –dijo papá, ignorando el sarcasmo–. Iremos hacia la puerta. Sé que no está cerrada, porque de vez en cuando los soldados la abren para respirar. Iremos en fila india. El encargado de abrirla serás tú, Jozef. Irás el primero y saltarás el último. Mia, tú serás la segunda. Yo el tercero, y mamá se cogerá a mí cuando saltemos. No podemos estar a más de diez o doce pasos largos de la puerta. Esperaremos a que el tren aminore un poco y nos arriesgaremos. No corráis. Caminad deprisa y sin parar, como si fueseis a hacer algo importante. Ahora nos levantaremos, pero no todos a la vez. Intentad que parezca que no somos de la misma familia. Quedaos bastante cerca de mí para oírme susurrar. Contaré hasta tres. Y no dudéis, por lo que más queráis.

Mamá y yo estábamos tan acostumbradas a seguir las órdenes de papá que no discutimos. Si decía que era el mejor plan, lo era. En cambio Jozef tenía sus dudas, y las expresó.

–Suponte que sobrevivimos a la caída. ¿Qué haremos en el quinto pino, sin dinero, comida ni pasaportes? Nos pillarán en unos días a los cuatro, si tenemos la suerte de durar tanto, y a saber qué será de nosotros.

Papá le miró impasiblemente.

–Si no quieres venir es cosa tuya. Lo que necesitaremos es que nos abras la puerta, porque eres el único bastante fuerte. A ti quizá te vaya mejor en Treblinka. Al resto lo dudo.

Mi madre se echó a llorar. Papá la cogió por la cintura. Ella le miró con los ojos brillantes.

–Confía en mí.

Mamá asintió con la cabeza.

–Bueno –dijo papá–, levantate, Mia. –Lo hice–. Ahora tú, Jozef. Sin mirarla.

Jozef obedeció sin rechistar. La gravedad de su expresión me indicó que tenía miedo. Yo reaccioné mecánicamente, aunque se dio la circunstancia grotesca de que me acordé de un trozo de la melodía que acompaña la huida de Konstanze y Belmonte de la casa de Osmin en *El rapto del Serrallo*.

Papá se levantó, seguido por mamá. Iban cogidos de la mano.

–Uno –dijo él–. Dos. ¡Tres!

Nos acercamos a la puerta esquivando a los demás, saltando por encima de la gente dormida o muerta.

–¡Alto! –El soldado nos había visto. Intenté no mirar, pero vi de reojo que levantaba el rifle–. ¿Qué hacéis?

Jozef ya había llegado a la puerta. La abrió de un tirón descomunal, dejando espacio suficiente para una persona.

«¡Alto o disparo!»

Sentí las manos de mi padre en la espalda, y le oí gruñir al empujarme con todas sus fuerzas. Luego el ruido de un disparo, la sensación de una larga caída, un terrible dolor... y oscuridad.

7

Me despertó un foco muy intenso, deslumbrante. Cuando mis ojos se movieron a izquierda y derecha por el pánico, sentí un dolor insoportable en todo el cráneo, y tuve miedo de volver a quedarme inconsciente. Poco a poco comprendí que no era un foco. Aquella luz cegadora era el sol de mediodía.

Un remolino de hojas secas giraba sobre mí. Cuando intenté mover la cabeza, me dolió toda la columna vertebral. Estaba empapada de sudor. Tenía las mejillas ardiendo, pero la espalda y las piernas insensibles. Haciendo un gran esfuerzo, me senté. ¡Al menos no me había roto la columna! Miré alrededor. A la izquierda, un campo descuidado con algunos árboles. A la derecha, dos bolas de fuego que brillaban como los hornos de la fundición del Baluty. Otra vez el sol. Junté los círculos con gran concentración, como si enfocara una de las cámaras de Nate Kolleck. Las bolas se fundieron y se separaron. Luego volvieron a juntarse, y se me despertó un zumbido agudo y persistente en los oídos. Al mover la cabeza para despejarme, tuve náuseas.

Perdida. Sola. Magullada. Me puse a cuatro patas y dejé la cabeza colgando para que se me pasara el mareo. Tenía el abrigo roto. Vi las heridas en brazos y piernas.

Me arrastré hacia un terraplén. Vías de tren. ¡Dios mío! Me acordé.

¿Qué había sido de papá? Me había empujado por detrás, justo antes del disparo. ¿Le habían matado? ¿Habían muerto todos a manos de los alemanes, papá, mamá y Jozef? ¿O continuaban su viaje hacia Treblinka, sin escapatoria, hacia un destino aciago? Sollocé. A unos cincuenta metros había un bosquecito y hacia allí me arrastré. Decidí ir a Treblinka, por si podía rescatar a mi familia. Quizá pudiera comprarles con el dinero que ganara

de camino, o como mínimo darles a entender que tarde o temprano recibirían ayuda y que no había que desesperar. Nada más
pensarlo, me di cuenta de que eran fantasías, pero las alimenté
porque me daban fuerzas. Tumbada entre los árboles, cerré los
ojos y evoqué la imagen de la casa de la calle Kowalska en mi
niñez.

Me quedé dormida. Al despertar, el alba ya teñía los campos. Al
principio me sentí revitalizada (el largo descanso había suavizado
mis dolores físicos), pero luego me acordé de dónde estaba, y de todo lo que había pasado, y me angustié otra vez. Sólo me alegraba de
una cosa: de no haberme llevado las fotos de Nate. Así, si a lo largo
de mi viaje –¿adónde?, ¿en qué dirección?– encontraba algún control, no podrían acusarme de espionaje. De hecho nadie sabría que
venía de Lodz, ni lo más importante: que era judía. Fue una sensación un poco rara. Podía adoptar cualquier identidad. Podía inven-
tarme un pasado, y justificar mi estado con cualquier pretexto.
Hasta podía... No, mi nombre de pila decidí conservarlo. Era un regalo de mamá y papá.

Me levanté con cuidado y volví al terraplén, sintiendo unas punzadas tremendas en la cadera izquierda, donde se había desenca-
jado el hueso. Al llegar al terraplén examiné mis heridas, como si
Marisa Levy fuera un espécimen de laboratorio. Tenía los pies hinchados, las piernas llenas de cortes y arañazos y los morados más
negros que antes. Las costillas, magulladas; el abrigo, perdido e
irrecuperable. Debajo de la rebeca, mi vestido de lana se había roto
en varios puntos, dejando a la vista la ropa interior. Tendría que so-
lucionarlo de alguna manera, pero ¿cómo? La sangre seca había
pegado el vestido a la piel en varios puntos.

Crucé las vías arrastrando la pierna izquierda entre tallos de
hierba segados. El sol, ya en todo su esplendor, era una bendición.
De repente me di cuenta de que estaba muerta de hambre. Divisé
una granja al borde de un campo labrado, y la superficie entre azu-
lada y negra de un estanque donde se reflejaba el sol. Ya decidiría
en su momento si me acercaba a la granja. Lo que necesitaba ur-
gentemente era agua. Arranqué un puñado de hierba que había sobrevivido al invierno y mastiqué los tallos, absorbiendo su humedad con mi lengua rasposa.

Pronto podría beber en el estanque. Beber y darme un baño. ¡Agua fresca! ¡Agua limpia! Después buscaría comida, en la granja si me atrevía, o por la carretera. La falta de dinero, dirección y planes era lo de menos. Estaba a punto de beber, y de lavarme.

Tiré el abrigo, que ya no servía de nada, y di unos pasos vacilantes. Iba encorvada, midiendo cada paso y controlando mi equilibrio, atenta a cualquier ruido de pasos o de perros que pudieran perseguirme.

Al llegar al borde del estanque, me arrodillé y toqué el agua helada con la boca. Luego incliné la cabeza y rompí el reflejo tembloroso de mi cara. El impacto del frío fue una emoción indescriptible. ¡Estaba viva!

No tardé ni un minuto en desnudarme, para lavarme todo el cuerpo de tierra, mugre y enfermedad. Me sumergí en el agua una y otra vez, aunque estuviera tan fría que me cortaba la respiración. Al final salí, me tumbé en la hierba y sonreí mirando el sol.

–¿Marta?

Era una voz de mujer. Venía del campo. Una silueta se acercaba a trompicones. Debía de tener unos ochenta años.

Volví a ponerme los harapos. La vieja casi estaba en el estanque. Mi única esperanza era escapar. Me levanté con los zapatos en la mano, pero se me dobló la pierna izquierda y caí con un grito involuntario de dolor.

La vieja se acercó más y me miró confusa.

–¿Marta? ¿Estás bien?

Sus ojos oscuros, hundidos, pasaron de largo. ¡Era ciega!

Caminaba con los brazos extendidos como antenas, moviendo los dedos en busca de algo sólido.

–¿Quién es? –exclamó alarmada–. ¿Por qué no contestas, Marta? ¿Por qué no dice quién es?

Mis dientes empezaron a castañetear. Ella tropezó hacia atrás.

–Sé que hay alguien –dijo con tono lastimero–. No me haga daño, por favor. Soy una vieja indefensa. Los alemanes ya se han llevado todo el trigo y las patatas. Ni siquiera me queda la vaca lechera. Le juro que no tengo nada. Por favor, deje a esta vieja...

Avanzó de puro miedo, concentrando sus sentidos en mi presencia invisible.

–Sé que hay alguien –gimió tambaleándose.

Después hizo un movimiento aparatoso con los brazos y se cayó al agua.

Yo me lancé en su rescate sin pensar en mi seguridad, ni en las posibles consecuencias. Se había caído de cabeza, y le estaba costando mantenerla fuera del agua. Le cogí un brazo y la arrastré a la orilla.

–Tranquila, no le haré nada –dije–. Conmigo no corre peligro. Se lo prometo.

Me miró con sus ojos velados por las cataratas.

–Pero ¿por qué no has contestado cuando...?

–Tenía miedo –respondí rápidamente–, pero ahora ya no. Es la guerra. Nos tiene a todos asustados. ¿Vive en la granja de la colina? Venga, la acompaño a casa.

Me dejó cogerle el brazo y llevarla a la cabaña. Me reconfortó tocarla, y me alegró poder reconfortarla a ella.

–Creía que eras mi hija Marta –dijo–. No sé nada de ella desde el amanecer. Ha ido a Vishna a comprar pan y lleva todo el día fuera. Es la primera vez que deja apagarse el fuego. Ya debe de estar anocheciendo.

–No –dije con calma–, aún no es mediodía. Seguro que Marta no tardará.

Tuve un mareo. No había comido nada en veinticuatro horas. Las piernas ya no me sostenían, ni a mí ni al peso de la anciana. Se me estrechó tanto el campo de visión que al final veía la granja como un juguete al final de un largo túnel. Hice un gran esfuerzo por seguir moviendo los pies. A cada paso, la casa se acercaba y volvía a alejarse. Marta había salido a buscar pan. ¡Ojalá la vieja pudiera darme un poco!

–Tranquila, que ya le enciendo el fuego –dije–. Luego...

¿Luego qué? Había oído demasiadas historias de judíos traicionados por campesinos polacos para ahora esperar alguna atención de la tal Marta. Seguro que me delataba. Si no por odio, por miedo a las represalias alemanas. Tendría que dejar a la vieja en su casa e irme enseguida. Si no tenía comida, me conformaría con tomar al vuelo una taza de té.

–¿Por qué no me has contestado en el estanque? –volvió a preguntar ella–. Deberías haberme dicho algo. Me has dado un susto... Dime la verdad: ¿eres gitana?

Me maravillé de la ironía.

–No, abuela, claro que no.

–Perdona –se disculpó–; es que desde la invasión se oyen unas cosas...

Faltaba muy poco para llegar a la casa.

–Ya, ya lo sé.

–Marta, cuando vuelve de la compra, no habla de nada más. Que si la guerra, que si los soldados... Coquetean descaradamente con las chicas. Con Marta no, claro; ella no se dejaría tocar, pero van con algunas de las más alegres, que a veces hasta están casadas. Bandas de gitanos que merodean por el campo, judíos renegados... Da asco que dejen a sus mujeres...

Me estremecí.

–Tienes frío –dijo ella–. Pero ¡qué delgada estás! Pareces un palo. Te noto las costillas. ¿Y tu abrigo? ¡Pobrecita! ¿Qué pasa, tus padres no te dan comida y ropa? ¿O tu marido? –Llegamos a los escalones de entrada y empezamos a subir, aunque habría sido difícil saber quién aguantaba a quién. La vieja siguió hablando por los codos–. Pregunto demasiado. Soy una vieja entrometida. Queda un poco de borscht de la cena. Si tienes hambre, caliéntalo para las dos. ¿Cómo has dicho que te llamas?

–Saskia –dije.

Cruzamos el porche y entramos en la cocina. Resultó que Marta había encendido fuego por la mañana. Me arrodillé delante de los últimos rescoldos, puse otro tronco y soplé hasta que se encendió. La olla que había encima del fuego se calentó rápidamente, llenando el aire con un dulzón aroma de sopa que casi me hizo desmayar.

Cogí el atizador que había al lado de la chimenea y moví el tronco, mirando el hierro, la cabeza de la vieja y mis nudillos blancos. ¡Podía hacerlo!, pensé, horrorizada por mi propia fantasía. Si llegaba Marta, y se daba cuenta de lo que era –una judía sin ropa ni comida–, podía matarlas a las dos. Mi padre, traicionado por un polaco «amigo», había pagado mi libertad al alto precio de su propia vida. Mi deber era sobrevivir. Era papá quien había puesto en marcha la cadena de acontecimientos que acababa de llevarme a aquella granja llena de calor, comida y peligro. Seguro que había tenido algún motivo para salvarme la vida. O él o Dios.

La anciana no dejaba de mover las sillas, los cubiertos y los cuencos. Era para volverse loca. Al final me dejó servir la sopa, y nos sentamos cada una en un lado de mesa. Tragué la primera cucharada sin importarme que me quemara la lengua y la garganta. Nunca había probado nada tan bueno. Mis ojos se llenaron de lágrimas. Mis ideas de asesina eran demasiado horribles y crueles. Levanté el cuenco y bebí directamente. ¡Menos mal que la vieja estaba ciega!

Después de comer, se fue a otra habitación y volvió con un vestido de franela.

–Toma, póntelo –dijo–. Así podrás secar tu ropa delante del fuego.

–Sí.

Sacudí la cabeza, como si me despertara de un sueño. La vieja no podía imaginar lo que escondían mis lacónicas respuestas: una mezcla de alegría y angustia, un alma que se debatía entre el éxtasis y el miedo.

Recé con todas mis fuerzas por que Marta no volviera nunca.

8

Marta no volvió. Quizá hubiera muerto mucho antes de mi llegada, o se hubiera fugado con un hombre. Quizá la hubieran matado el mismo día. No lo sé, pero el caso es que por momentos la granjera me confundía con ella, o con una compañera de clase, pero casi siempre me reconocía como lo que era: una desconocida. De hecho no parecía demasiado angustiada por la ausencia de Marta. Era como si las vicisitudes de la guerra la hubieran vuelto inmune a la tragedia. Se limitaba a vivir sus últimos años de la mejor manera.

La verdad es que era muy amable. Me dio comida y ropa, y me trató como a un miembro de su familia. Yo la correspondía ayudándola en la casa, y hasta salía a hacerle la compra: viajes al pueblo que vivía con miedo, segura de que me descubrirían, aunque nadie dio indicios de fijarse en mí ya que ni siquiera me prestaban atención.

Yo, sin embargo, que había aprendido a desconfiar de la amabilidad, era reacia a interponer a otra persona entre mi familia prisionera y yo, y en cuanto supe que la granja estaba a menos de cien kilómetros de Varsovia decidí emprender el viaje. En Varsovia vivían mis tíos Esther y David. Podría alojarme en su casa, ganar un poco de dinero y buscar una manera de liberar a mi familia. A esas alturas me había convencido de que papá no estaba muerto, sino en el campo de trabajo, con mamá y Jozef. En el peor de los casos, estaría a salvo hasta el final de la guerra.

No sabía muy bien qué encontraría, pero me imaginé que la situación era mejor que en Lodz. A pesar de los rumores que corrían sobre Varsovia, tenía la impresión de que mi única esperanza era encontrar a mis tíos.

Por eso, al cumplirse una semana de mi llegada a la granja –una semana de incesantes pesadillas y con un miedo creciente a que me descubrieran–, me fui con unas botas de Marta que me iban como barcas. Sabía que la vieja se quedaría sola, pero su suerte, extrañamente, no me preocupaba. Era una buena persona, pero lo primero era mi familia. Por otro lado, aun a riesgo de equivocarme, la consideraba una *Volksdeutsche*. De lo contrario no estaría viva, y yo no sentía la menor piedad por los polacos que estaban de parte de los nazis.

Me fui una mañana fría y soleada en que el aire empezaba a oler a primavera. Aparte de las botas de Marta, llevaba un vestido de Marta, un abrigo de Marta y la mochila de Marta con ropa de recambio. Tampoco tuve reparos en coger un pan de la cocina. Lo necesitaría.

Caminé sin descanso doce horas, evitando la carretera principal a Varsovia. Iba por caminos secundarios, fingiendo naturalidad cada vez que paraba algún camión de tropas y los soldados intentaban convencerme de que subiera con ellos a la trasera. Al final, la rodilla de mi pierna mala me obligó a sentarme. Sobrevino la noche, y con ella el miedo.

¿Qué haría la vieja cuando echara en falta la ropa de Marta? ¿Avisar a la policía? Tarde o temprano me descubriría la Gestapo, me identificaría como una judía escapada del tren y me condenaría a muerte por haber robado a una ciudadana polaca. Ni mi familia ni nadie sabría que había muerto. Jean-Phillipe encontraría otra novia –si no la tenía ya–, y yo acabaría en una tumba anónima, porque nadie sabía mi nombre.

Me dolía todo el cuerpo. Las lágrimas afloraban a mis ojos como si tuvieran vida propia. También reía a ratos sin querer. Empecé a temer volverme loca. Pasé la noche en un olmedo, que me protegió del viento.

A la mañana siguiente reemprendí el viaje contando mis pasos para no pensar en el dolor de la pierna. Supuse que al llegar a un millón ya estaría en Varsovia.

Tardé dos días más. Al llegar ya había perdido la cuenta de mis pasos, pero me daba igual. Había llegado. Justo antes de que el campo se convirtiera en ciudad, me puse otro vestido de Marta, limpié sus botas de barro, me peiné con su peine y fui en busca de mi tía Esther, como una polaquita guapa y serena. Todos los letreros de las calles habían pasado a estar en alemán, como en Lodz, pero al llegar a Eisentrasse reconocí la panadería de la esquina y supe que estaba cerca de la casa de Esther.

En la siguiente esquina me quedé de piedra. Habían erigido una enorme barricada de madera, de tres metros de altura, con una doble alambrada muy tupida en cada lado. Detrás había dos barrios conectados por un puente, llenos de peatones que se movían por las calles como bancos de peces.

Vi acercarse una brigada de obreros con palas, picos, martillos y cinceles, seguida por varias bestias de carga humanas que transportaban ladrillos a hombros, en capazos que se mantenían en equilibrio gracias a unas barras de metal. Miré sus barbas, sus cabezas rapadas y las cintas azules que llevaban en la cabeza con la estrella de David. Al llegar a la barricada, doblaron a la derecha. Era evidente que hacían un rodeo para acceder a la zona acordonada. Los judíos de ambos lados del muro les ignoraban.

¿Un Baluty? ¿En Varsovia? ¿Una ciudad donde vivía más de medio millón de judíos, y varios millones cuyos antepasados se habían convertido al cristianismo? Era una de las razones por las que Esther y David se sentían cómodos en la capital, pero saltaba a la vista que ahora estaban tan encerrados como nosotros en Lodz. Si algo semejante podía ocurrir en la capital polaca, ¿qué refugio quedaba?

No había pasado ni un día en aquella granja sin soñar con Varsovia y mi feliz reencuentro con David y Esther. Varios judíos de clase alta habían huido a la capital justo antes de la creación del gueto de Lodz, y a nadie le había sorprendido no saber nada de ellos. ¿Qué noticias podían enviar, a fin de cuentas? Sólo rumores sobre la caída inminente de los aliados, y la acumulación de éxitos por parte del ejército alemán.

Como decía mi madre, que nadie hable del mar no significa que se haya evaporado.

Me acerqué a la alambrada, y arrimé tanto la cara que el frío metal rascó mi frente. Al otro lado del muro, los judíos parecían llevar una vida normal, con una calle normal. No parecían tan pobres y abatidos como los del gueto de Lodz, pero supuse que si todo seguía el mismo curso acabaría llegándoles su hora. Bordeé la valla siguiendo a los obreros hasta una entrada en Kaiserstrasse, cuyo antiguo nombre, recordé, había sido calle Zlota.

Varios grupos de curiosos polacos observaban a distancia prudencial el control al que los centinelas alemanes sometían a todos los judíos que entraban al recinto. Al otro lado del muro había policías con la estrella de David que hacían lo mismo con cualquiera que quisiese salir. Un grupo de niños polacos profería obscenidades desde un callejón. Otros tiraban piedras y botellas por encima del muro.

Vi que los hombres –había pocas mujeres– exhibían documentos de identidad con foto. ¿Los llevaba todo el mundo? A saber. Pero yo no tenía ninguno. Y si Varsovia era como el Baluty, eso se castigaba con la muerte.

De pronto me di cuenta de que la ropa y las botas de Marta, que no eran de mi talla, me conferían un aspecto ridículo. De polaquita guapa, nada de nada. Era una simple judía sin documentación, una refugiada que se había fugado del tren a Treblinka.

Sintiéndome observada, traté de mezclarme con la multitud. La gente se había apretujado para asistir a la paliza que los soldados alemanes estaban propinando a un pobre anciano que volvía al gueto. Quedé hipnotizada por la imagen del viejo pidiendo ayuda a gritos.

Uno de los guardias se giró y abrió la boca, como a punto de decirme algo. ¿De acusarme? Mi corazón se disparó.

–¡Apártate, sucio asesino de Cristo! –grité a la patética figura del anciano, y clavé la punta de la bota de Marta en su fláccida barriga.

La multitud siguió mi ejemplo. Cuando los guardias lograron contenerla, el viejo estaba inconsciente en el suelo, y yo lejos de allí.

Todos mis sueños de seguridad habían sido en vano. Mi situación era desesperada: el hambre, el cansancio... Había perdido hasta el sentido común. ¿Cómo esperaba cruzar el muro y encontrar a tía Esther y tío David sin que me detuvieran? ¿O sin que les detuvieran a ellos? Vagué por el corazón de la Varsovia aria, en un laberinto de autobuses, tranvías, coches y uniformes. Aturdida, insensible, temblorosa, sin saber dónde pasar la noche, recorrí lo ahora se llamaba Bahnhofstrasse. ¿Cómo podía zafarme de las SS sin un documento de identidad?

Me pregunté si no habría sido mejor quedarme en el tren, o entregarme a las autoridades cerca de la granja de la vieja, suplicando piedad mansamente. Quizá me hubieran puesto a trabajar en el campo. Quizá me hubieran enviado a Treblinka para correr la misma suerte que el resto de mi familia, pero fortalecida por el amor de los míos.

O quizá lo mejor hubiera sido quedarme en el Baluty con Nate Kolleck. Como mínimo, haberme llevado los negativos. Al menos entonces todo mi sufrimiento, mi muerte, habrían servido de algo.

Estaba en el corazón de la ciudad. Gracias a nuestras frecuentes visitas familiares, lo conocía todo, y podía identificar las calles por sus nombres polacos sin mirar los letreros. Con mis enormes botas, que me hacían tropezar por los adoquines, pasé deprisa al lado del antiguo ayuntamiento de la calle Konopnicka, convertido en un cuartel, y llegué a la plaza Tres Cruces. Mis pasos vacilantes me llevaron a las inmediaciones de la gran iglesia bizantina de San Alejandro, donde se conservaba el corazón de mi amado Chopin en una urna negra, encima del altar. Vi erguirse las enormes paredes de ladrillo y acero del colegio femenino vienés. Al llegar a ese punto, el miedo se apoderó definitivamente de mí.

Estaba todo lleno de soldados, caminando por la plaza o apoyados en barandas y farolas. Aparte de sus voces, graves y amenazadoras como truenos, sólo se oían los gritos de algún grupo de niños que corría tras ellos tratando de ablandarles con halagos y marrullerías.

–¡Venga, señor, anímese!

–¡Eh, que estaba yo primero! Mire estos cigarrillos, señor. Son egipcios, se lo juro.

–¡Quítate de en medio, polaco hijo de perra! –vociferó un soldado, dando una bofetada al segundo niño.

El bofetón me llegó al alma, haciendo que me apartara de la puerta del colegio.

Volví a cruzar la plaza con la exasperante sensación de que me perseguían. De repente me paré a escuchar. ¿Eran pisadas, o un simple periódico arrastrado por el viento? Seguí caminando sin rumbo, pero más deprisa. El ruido se acercó. Contemplé mi sombra en espera de que apareciese alguna otra.

Al final me decidí a girarme, pero sólo encontré la luz del sol poniente tras la cúpula encendida de la catedral. Un eco de carcajadas resonaba en la plaza casi desierta.

–Por favor, señora, un zloty, cincuenta groszys, lo que sea... –dijo una voz quejumbrosa a mis pies. Era un niño envuelto en un abrigo de pieles–. Tengo mucha hambre...

–Si por mí fuera... –dije, fijándome en su acento.

Hacía tanto tiempo que no oía el habla melodiosa de los judíos que vivían más al norte de Lodz que no podía jurarlo, pero...

–¿No tiene nada? ¿Ni un mendrugo de pan? ¡Déme algo, señora, por favor! Los niños me han robado los cigarrillos, y ya no puedo vender nada.

De cara redonda, mejillas peladas por el frío, ojos enormes y castaños y pies hinchados, tenía unos siete u ocho años. Por alguna razón me cayó bien.

–No tengo ni un zloty. Te lo juro. Ni siquiera sé dónde dormir.

Pareció alegrarse de que hubiera alguien aún más desgraciado que él.

–Puede dormir conmigo. Tengo mi guarida. Venga y se la enseño.

–¿Guarida? –pregunté, intrigada.

–Sí, en lo que era el puente Poniatowski, en Saska Kepa. Al menos se está seco. No; tengo una idea mejor. Podría ir a la calle Krucza. ¿Le gustaría?

Ninguno de los nombres me decía nada, pero la idea de estar seca me sonó a gloria bendita.

–Y ¿cómo puedo encontrar...?

Pero ya no me escuchaba. Algo había llamado su atención. Se oyó un silbido. Contestó con otro muy estridente. Después se fue corriendo por la plaza, sujetando la cuerda del abrigo para que no se le abriera.

La noche cayó sobre Varsovia como una capucha de verdugo. La escasez de farolas, de gas o eléctricas, creaba una atmósfera siniestra en la ciudad ocupada, pero agradecí la oscuridad. Quizá me ayudara a pasar inadvertida.

Había aprendido que existían varias clases de miedo. El de tener delante a un soldado alemán era un miedo tórrido, abrasador, porque podían volarte la cabeza a la menor provocación. En cambio, en la calle el enemigo no tenía rostro. Podía ser una campesina, un mendigo o un cazarrecompensas. Cualquiera podía convertirse en delator, hasta otro refugiado, o un perro callejero. De niña nunca me habían dejado ir sola por Varsovia. ¿Qué habría pensado la tía Esther en ese momento de su sobrina, siempre tan modosita y tan decente?

Intenté que el arrullo de las palomas que corrían por la plaza me infundiera coraje. Era la única música que quedaba en mi cabeza.

—Hola —dijo alguien.

Me tocaron el hombro y di un respingo. Era un hombre con la gorra en la mano. Detrás había otro. Temí que me atacaran, pero sólo hasta que vi que no eran hombres, sino niños.

El primero de los dos, que era el mayor, llevaba una camisa limpia y unos pantalones de lana nuevos, pero sus zapatos, negros y puntiagudos, estaban muy raspados.

—*Nicht verstehen, nicht verstehen* —dije, apartándome con un encogimiento de hombros.

—Tranquila —murmuró él en polaco—. No te asustes, por favor. Paulus me ha dicho que no sabes dónde dormir. Ahora que te veo, creo que me suenas. —Cambió de postura, avergonzado—. Antes trabajaba en el café Tarnopol. ¿Tú no cantabas y tocabas el piano?

Me hinqué las uñas en la palma de la mano. El segundo niño, pelirrojo y con pecas, debía de tener diez u once años. Cabía alguna posibilidad de que fuera judío, pero el otro... Comparado con él, Jozef parecía un rabino. Por otro lado, mencionar el café Tarnopol era como enseñar una estrella de David.

—Te habrás confundido —dije, temerosa de arriesgarme—. No me suena ningún café Tarnopol. Tengo que irme a casa. Seguro que mi padre me...

Me giré, pero él me cerró rápidamente el paso.

—Pero ¿no te das cuenta de que estamos todos igual? Nos la estamos jugando por ti.

Tuve ganas de creerle. Ansiaba que me ayudara alguien, aunque sólo fuera un niño, pero...

—No sé qué quieres decir —contesté.

—Buscamos a los nuestros —susurró él—. Fíate de nosotros. Es la única manera.

—No sé qué buscas —repuse con frialdad.

—Me llamo Amchu. —Vi que se le humedecían los lagrimales—. *Ich bin ein Yid.*

Vacilé, tratando de quitármelo de encima.

—Déjame, por favor.

Al final se rindió.

—Bueno, vete —gruñó—, pero te he visto en el muro del gueto y lo sé todo. Somos muchos. Nos ayudamos mutuamente. Somos listos y sobrevivimos. Ven al número treinta y siete de la calle Krucza. Es tan pequeña que los alemanes no se han tomado la molestia de cambiarle el nombre. Te abrirá una mujer. Dile que te manda Lobo. Ya le conocerás. Llama dos veces a la puerta, espera y da tres golpes más. –Se giró hacia el otro niño, que nos miraba boquiabierto–. Venga, vámonos. –Y añadió–: Si quiere ya irá.

Estuve una hora pensando y vagando sin rumbo, como si fuera a alguna parte. Mis breves incursiones en las callejuelas de la zona no dieron resultado. De hecho, ni siquiera sabía qué buscaba.

Plantarme en una puerta sin documento de identidad era como pedir una invitación al cuartel general de la Gestapo, mientras que quedarme mucho más tiempo en la calle era un suicidio. Haciendo de tripas corazón, pregunté a una transeúnte por la calle Krucza. Señaló hacia la estación de trenes, que asomaba un poco por detrás del cuartel. Salí en la dirección indicada. Era consciente de que podía estar yendo a mi captura y mi muerte, pero no tenía alternativa.

Al acercarme a la calle en cuestión, un niño de unos nueve años cruzó la calle y se me puso delante.

–Tienes que acompañarme –dijo sin girarse–. Lobo cree que pueden haberte seguido. Ahora es peligroso ir a la calle Krucza. No me conoces. Quédate a media manzana. Llegaremos a un bar. A esta hora de la noche siempre está muy lleno. Nadie te molestará. Entra, espera cinco minutos y vuelve a salir. Si me ves, sígueme. Si no... buena suerte.

Le hice caso. Al salir del bar, le vi al fondo de la calle. Creo que nunca he estado tan contenta de ver a nadie. Si la intención de los niños hubiera sido delatarme, no se habrían andado con tantos jueguecitos.

Le seguí por un laberinto de callejones que nos llevó hasta el río Bug. Al acercanos a los cobertizos de la Wehrmacht, el niño caminó más despacio y me hizo señas de que le alcanzara. El dolor de la cadera me impedía caminar muy deprisa.

–Date prisa –susurró–. Es mala zona, plagada de alemanes. Si intentan detenernos, tú no digas nada. La mayoría son *schmalzers*.

Me miró para asegurarse de que le hubiera entendido, y arrugó la frente al ver mi cara de sorpresa.

–¿No sabes qué es un *schmalzer*? Hay diez por cada uno de nosotros. Te obligan a pagarles para que no canten, y la siguiente vez te pillan y te piden más, los muy asquerosos. Es lo que le pasó a nuestro compañero Hymie. Contribuimos todos, trescientos zlotys, pero no sirvió de nada porque al final desapareció.

Dio una patada en el suelo.

–Lo importante es ser listo. Tú quédate conmigo y te protegeré de los *schmalzers*.

Miré a aquel niño de la calle, de actitud tan adulta y precavida, con algo parecido al afecto. Nos volvimos a separar. Me llevó a Saska Kepa por el Puente Nuevo. Sin darme cuenta, casi habíamos vuelto al punto de partida. Bajé por un terraplén y un bosquecillo, ayudándome con las manos. El niño me esperaba abajo, tirando piedras a la base del puente con gestos de impaciencia. Al verme siguió caminando. Le seguí por las vías de tren, hasta un pequeño olmedo.

Le di alcance entre los árboles. Él levantó una mano para hacerme callar.

–¡Paulus! –susurró–. ¡Soy yo, el Guiños! Sal. Traigo pan. Y una visita.

–¿Pan? –El niño de la cara redonda y el abrigo de pieles asomó la cabeza por la boca de una cueva, escondida por una maraña de arbustos y zarzas–. ¡Hola, señora! –Sonrió–. Estaba seguro de que vendría. ¿Lo ve? Es mi guarida.

–¿A qué esperas? –gruñó el Guiños, dándome un empujoncito–. Entra. Compartirás la guarida con mi hermano, que es éste.

Me arrastré entre paredes de barro hasta sentarme en una especie de hornacina de caliza. Paulus puso un camastro de paja en el suelo y lo tapó con una manta muy gastada, casi transparente. Al lado había una lámpara de aceite cuya luz me reconfortó. Sólo entonces me di cuenta de lo cansada que estaba. Me parecía más cómoda esa cama que la mía de la calle Kowalska, con sus cuatro postes. Lo único que me apetecía era acostarme y dormir.

Pero primero el pan. El Guiños partió la hogaza en tres y nos dio un trozo a cada uno.

–Lo he robado en la mejor panadería de Varsovia –dijo con orgullo.

En efecto: ni en París había comido yo un pan tan bueno. Todas mis dudas y preguntas pasaron a segundo plano. La experiencia me había enseñado que las palabras eran para cuando no había comida.

El Guiños repartió las migas, metió una mano en el bolsillo y sacó un fajo de zlotys.

–Toma, los cien de esta semana –dijo, dándoselos a Paulus–. Más vale que te duren hasta el martes, porque no te tocan más. ¿Lo has entendido? El resto nos iremos al amanecer. Hemos quedado con Lobo.

–Puedo llevarla. Me sé el camino de memoria –propuso Paulus.

–Lo siento, pero tendrás que quedarte unos días aquí. Órdenes de Lobo. En la plaza la cosa está que arde, y esta vez sólo quiere reunirse con los mayores. –Alargó el brazo para apagar la mecha de la lámpara–. Lo siento –repitió.

Después de alborotarle el pelo a su hermano, se alejó hasta confundirse con la oscuridad.

Paulus lloraba. Me dejó abrazarle y compartimos el camastro.

–Buenas noches –susurré–. Que duermas bien.

Se hizo un ovillo entre mis brazos, sin dejar de sollozar. Me lo imaginé antes de la invasión, paseándose muy acicalado de la mano de su papá, con su pelo castaño ondulado peinado hacia atrás desde la frente. Se volvió y abrazó el aire, como si hubiera cogido un osito de peluche invisible. Al oírle gemir volví a rodearle con mis brazos, reconociendo la pauta de mis pesadillas recurrentes.

¿A Paulus también le despertaban sus propios sollozos, como me había pasado a mí en mil y una ocasiones? ¿Veía caras en la ventana, de soldados con casco y metralleta?

–Tranquilo –dije.

Le canté en voz baja la nana de Brahms. En el silencio de la cueva, mi voz y la belleza de la melodía me conmovieron profundamente.

Paulus me sonrió medio dormido. Luego su mano se cerró y se levantó, como si le diera un puñetazo a alguien. ¡Dios, qué cosas debía de haber visto y vivido! Seguí canturreando, hasta que se rindió a mis arrullos y cayó en un sueño profundo. Sólo se movían sus labios, chupando el pulgar.

Agotada como estaba, y a pesar del calor y el silencio de la cueva, tardé mucho en conciliar el sueño. Tenía la cabeza llena de imágenes de mi familia. Vi a mi padre muerto, o herido, o golpeado por los guardias como castigo a su intento de fuga. También vi a Jozef recibiendo una paliza por haber acudido en su ayuda. Mi madre –mi pobre madre– se quedaría sola y no sobreviviría. ¡Qué mala idea había sido dejarles! Debería haberme quedado a su lado, aunque significase la muerte.

La nana resonaba en mi cabeza. Me puse a llorar. Podía usarla para consolar a un niño, pero ¿quién me consolaba a mí?

–¿Cigarrillos, soldado?

–¿Qué tienes? ¿Hierbajos rellenos de pelusa?

–¡No, claro que no! –dije–. Fíjese en la etiqueta y el sello del Reich.

–¡Qué sello ni qué pamplinas! ¿No tienes pitillos franceses?

Me encogí de hombros y le di la espalda. El soldado me siguió con ánimo de pelea. Estaba borracho. Si algo temía yo, era a los borrachos. Busqué rápidamente a mis compañeros por la plaza Tres Cruces, pero el Guiños y el Pecas se habían ido, y Paulus estaba solo en los escalones de la iglesia de San Alejandro, absorto en sí mismo. ¿Y Lobo, el proveedor de cigarrillos? El Guiños me había dicho que siempre estaba cerca, listo para intervenir si surgían problemas.

–¿Cigarrillos, Kommandant? –pregunté a un hombre corpulento que iba hacia la iglesia, esperando que su rango disuadiera al borracho, que me había cogido por los brazos a fin de proponerme follar, no cigarrillos, a cambio de dinero.

–¡Descanse, soldado! –dijo el oficial, al darse cuenta de lo que pasaba–. Tiene diez segundos para desaparecer.

El borracho metió una mano en el bolsillo, pero cuando encontró el cuchillo ya tenía entre los ojos la Luger del oficial, imprimiéndole una «o».

–Podría matarte por amenazar a un superior –gruñó el oficial–. Venga, suelta el arma y retrocede con las manos a la espalda. ¿Cómo te llamas?

El soldado se serenó de golpe.

–Schwitters. División Panzer 242, señor.

–Te dejo que te vayas porque estoy de buen humor, Schwitters, pero que no te vuelva a ver en la plaza Tres Cruces. ¿Queda claro?

–Sí, Kommandant. Gracias, señor. –El pobre sudaba a chorros–. Siento haber...

–Cállate, y pídele perdón a esta joven.

Los ojos del soldado se llenaron de rabia. Me fulminó con la mirada.

–Perdóname, pequeña...

–Muy bien, Schwitters. Con eso basta.

–Sí, Kommandant.

–Y otra cosa, Schwitters: no estaría de más que aprendiera a diferenciar entre mujeres de la calle y señoritas. Esta joven goza de mi protección personal. Como vuelva a molestarla, se enfrentará a un pelotón de fusilamiento.

–*Heil Hitler!*

El soldado hizo un saludo militar y se giró.

Las manos del Kommandant se deslizaron por mi brazo, para alisar la parte del jersey que había estrujado el soldado. Fue un gesto amistoso, sin segundas intenciones. Le sonreí con gratitud.

–Una chica como tú debería tener más cuidado –dijo él–. Esto de noche es peligroso. ¿Cómo te llamas?

–Marisa. Gracias, herr Kommandant. Es usted muy amable.

Su mirada era agradable y paternal.

–¿Dónde vives?

–En Saska Kepa. En una cueva donde compartía un jergón con un niño de ocho años.

Me tendió la mano.

–Me llamo Egon Hildebrand. Llámame Egon, por favor.

–Si lo desea el Kommandant...

–Lo deseo, lo deseo. También necesito un cigarrillo. ¿Qué me ofreces esta noche, Marisa?

–Tengo de todo, Egon. ¿Te apetecen unos Seagulls? ¿Swojaks liados a mano? ¿Egipcios? Son todos auténticos. Nada de imitaciones.

Se le iluminó la mirada.

–Ya lo sé, ya lo sé. A partir de ahora, los cigarrillos te los compraré exclusivamente a ti. Los otros me venden hierba a treinta y cinco zlotys, diciendo que es una ganga; se creen que pueden engañarme, pero sé diferenciar el oro del latón, y veo que tú vendes oro. Esta noche me llevo cuatro paquetes. No, que sean cinco. Seagulls.

Le miré fijamente.

–Pero Komm... Egon... Son ciento setenta y cinco zlotys...

–¿En qué quieres que se gaste el dinero un soldado solo? Si no es en esto es en bebida, o en una prostituta enferma. Dame el gusto. Prefiero saber que no te quedarás aquí hasta altas horas de la noche, corriendo el riesgo de que te molesten.

Me puso doscientos zlotys en la mano y abrió un paquete de cigarrillos.

–¿Te apetece uno, querida?

–No, gracias, no fumo.

–En fin, *fräulein*, que tu compañía es un placer, y que me gustaría volver a verte. Ya me he dado cuenta de que tu educación no guarda relación con la del resto de chicas de la calle. Un día tendrás que explicarme cómo has llegado a esta situación.

–Me alegro de que piense así.

Me pregunté si él se habría alegrado tanto de saber que yo era judía. La idea me provocó un escalofrío.

–Más me alegro yo. El viernes que viene quizá pueda convencerte de que demos un paseo por la orilla del Bug.

¿Qué pensaría el Guiños? ¿O Lobo? Pasearme con un oficial alemán... Pero si me negaba...

–No sé qué decir –contesté–. El viernes por la tarde siempre hay mucho trabajo.

–Bueno, tú piénsalo. No hace falta que contestes ahora mismo. La semana que viene pasaré por aquí más o menos a la misma hora. Ya te decidirás.

Volvió a tenderme la mano.

–De acuerdo. –Se la estreché, y la solté para hurgar en mis bolsillos–. Un momento, Egon, que se te olvida el cambio.

–De momento guárdatelo –dijo él–. Ya lo arreglaremos el fin de semana que viene.

Su figura achaparrada se alejó hacia el cuartel con pasos rígidos. Soplé el fajo de zlotys para que me diera buena suerte, y me lo guardé en la cintura del vestido. ¡Doscientos zlotys! ¡Un milagro! Ya podía dar por terminada la noche.

Supe que tenía cierto margen de tiempo para mantener a raya a Egon sin renunciar a sus zlotys. Y si sus ganas de llevarme de paseo se hacían demasiado acuciantes... El cuartel del otro lado de la plaza estaba lleno de oficiales alemanes. Lo primero era sobrevivir, y estaba dispuesta a todo por ver a mi familia.

Lobo, cuyo apellido era Rydecki, sólo tenía dieciocho años, pero ya era todo un hombre. Dotado de una estatura que infundía respeto, de una fuerza de levantador de pesas y una resistencia de obrero del metal, no por ello dejaba de manifestar a sus amigos una amabilidad que traslucía su bondad de corazón.

Era como si no se inmutase por nada. Los peligros le hacían sonreír; y los dolores, reír. Mezcla de arrojo y prudencia, cuidaba a su pandilla de ladrones y pillastres como un bondadoso Robin Hood que robase a los goyim para dar de comer a los judíos.

Me cayó bien desde nuestro primer encuentro, a los dos días de mi llegada a la guarida de Paulus. El Guiños me llevó al albergue de la calle Krucza, donde Lobo era como un príncipe en su corte, asignando misiones, planeando rutas de huida por si corríamos algún peligro e inventando las mentiras que usaríamos en caso de interrogatorio. Fue Lobo quien me enseñó a vestirme combinando el atractivo sexual con la compasión, y a modular la voz para captar clientes, parando los pies a los que se pusieran frescos. En una semana, ya gané tanto como cualquiera de mis compañeros de la plaza Tres Cruces.

No nos veíamos como ladrones y pillastres, sino como paladines de la libertad judía. Nos hacíamos llamar Zydowska Organizacja Bojowa, ZOB. Nunca supe si Paulus me había encontrado en la plaza por casualidad o en misión de captación a las órdenes de Lobo. En todo caso, me había integrado en los últimos escalafones de un grupo de soldados judíos menores de edad, un círculo de auténticos amigos que velarían por mí. No me sorprendió en ningún momento ser a la vez la mayor del grupo y la más necesitada de ayuda. No eran los años, sino la experiencia, lo que nos hacía madurar. Los alemanes no hacían distinciones entre nuestro grupo y los millares de desarrapados de origen campesino que se habían refugiado en la relativa seguridad de Varsovia, pero internamente teníamos mucho más que temer.

Algo que me extrañó desde el principio fue que Lobo pudiera permitirse una habitación en la calle Krucza, ir bien vestido, le gustaban las camisas de un blanco deslumbrante y los pantalones de marinero, y repartir dinero cada cierto tiempo a sus adláteres. Debíamos de ser los mendigos mejor alimentados de todo Varsovia. Un día averigüé la respuesta.

Cuando me dirigía a la calle Krucza para entregarle a Lobo los beneficios del día (poníamos todo el dinero en común y él ejercía de administrador, además de presidente y secretario del grupo), vi llegar a un hombre con una bolsa de arpillera muy llena. Miraba constantemente alrededor, sin la sangre fría de los del ZOB. Lobo salió personalmente a la puerta y cogió el saco. La transacción debió de durar menos de quince segundos. El hombre se marchó, pero Lobo, que me había visto, y ya había puesto el saco en lugar seguro, salió a saludarme.

–Vamos a dar un paseo –dijo–. Dame la mano, que iremos de novios. Así podré hablarte al oído.

A decir verdad, no me habría molestado ser la novia de Lobo, pero existía una prohibición estricta contra cualquier tipo de confraternización. Así pues, dejé que me cogiera por la cintura y apoyé la cabeza en su hombro.

–¡Armas! –dijo–. Lo del saco eran armas. Esta noche las introduciremos a escondidas en el gueto, y quiero que nos ayudes.

Me quedé boquiabierta.

–Pero...

–Al ser chica te será más fácil. Cruzarás el control llevando una pistola bajo la chaqueta. Al otro lado habrá alguien esperándote.

Mi cabeza era un hervidero de preguntas.

–¿Para quién son?

–Para el ejército judío. Dentro están formando un ejército de resistentes para rebelarse contra sus torturadores nazis, y luchar como leones en vez de morir como ovejas.

Su tono, de costumbre sereno, se había encendido. Vi brillar sus ojos en el crepúsculo.

–¿Cuándo piensan hacerlo?

–No lo sé. Cuando tengan bastantes armas. Mi trabajo y el del resto es darles todas las que podamos.

–Y ¿a ti quién te las suministra?

Meneó la cabeza.

–No puedo decírtelo. El que las ha traído esta noche sólo es un mensajero. En cuanto a la persona que le envía... digamos que soy el único del ZOB que sabe su nombre. Ten en cuenta que si te pillara la Gestapo podría sonsacártelo con torturas.

¡Torturas! ¡Y Lobo quería que hiciera de contrabandista! No. Me daba mucho miedo. Era demasiado peligroso, y...

Me estaba mirando de manera rara.

–No estás obligada a ayudarnos; ahora bien, si no lo haces tendrás que irte del ZOB y prometer que no hablarás de nosotros con nadie, so pena de muerte.

Curiosamente, sus palabras me reconfortaron. De ningún modo podía irme yo del ZOB. El carácter directo de la amenaza borró de mi cabeza cualquier ambigüedad. Por supuesto que me quedaría con mis amigos. Le cogí por la cintura.

–No tengo documentos. ¿Cómo cruzaré el control?

Sacó un papel del bolsillo y me lo dio sonriendo.

–¡Abracadabra! Te llamas Mira Luxenberg y tienes permiso para entrar y salir del gueto, porque trabajas en el hospital militar.

Lo cogí con recelo y gratitud, viendo mi foto (recordé que el Guiños me la había hecho unos días atrás, con la excusa de quedarse «un recuerdo») y un sello que parecía oficial.

–¡Ahora podré ver a mi tía Esther! –exclamé.

Lobo se puso serio.

–¡De eso nada! ¡Ni te acerques! El gueto está lleno de espías alemanes, y si te siguen será un peligro para todos, incluidos tus tíos.

Tenía razón, pero me dolió aceptarlo. Separada de toda mi familia, imaginé por un momento que jamás volvería a verlos. Pensé que me sorprenderían haciendo contrabando de pistolas, que Esther y David habían sido expulsados de sus casas, que mamá y papá habían muerto en Treblinka, y que Jozef estaba en la cárcel por plantarle cara a un SS.

Lobo dio media vuelta. Volvimos hacia la calle Krucza.

–Tengo que dejarte aquí –dijo poco antes de llegar–. Sé que te he asignado una misión peligrosa, pero los riesgos hay que compartirlos entre todos. El Guiños y el Pecas también están haciendo contrabando de armas. El Pecas, y hasta Paulus, el peque, pasan frascos de potasio, gasolina y ácido clorhídrico. Somos muchos: Peter y Ariel, Kivi y Halinka... Ya va siendo hora de que los conozcas. No sé si lo sabías, pero has estado a prueba. Ahora ya confío en ti. Eres uno de los nuestros. Y no tengas miedo por lo de las armas. Los vigilantes son tontos y se aburren como ostras. Dejarían pasar al mismísimo Franklin Roosevelt en silla de ruedas. No te ocurrirá nada.

¡Confiaba en mí! Lobo, el joven y valiente héroe, el paladín de los judíos, confiaba en mí. El miedo se convirtió en otra cosa: orgullo.

Una tarde, después de varios días, quedé con Lobo en el café Hirschfeld, donde se reunían los especuladores judíos con permiso para tener vida social dentro del gueto. Lobo escurría hojas de té en el borde de la taza. Hirschfeld debía de tener influencias en el Judenrat de Varsovia, porque no le molestaba nadie, y podíamos reunirnos libremente en el café con la única condición de consumir. Lobo usaba el Hirschfeld como lugar esporádico de reunión del ZOB. A los que habían destacado por su trabajo callejero les recompensaba con una buena comida, «para que se mantengan fuertes». Él, sin embargo, sólo bebía té.

–¿Por qué no pides otro? –pregunté–. En esas hojas ya no queda nada.

Frunció el entrecejo.

–Sería derrochar. Necesitamos hasta el último zloty. Ya han empezado las deportaciones. Están haciendo redadas de gitanos por toda la ciudad. Esta mañana Peter me ha contado que cerca de Auschwitz hay un campo de exterminio donde gasean a los presos. Los traen en trenes llenos hasta el techo. Pronto los nazis caerán sobre el gueto como halcones en busca de ratones. Por eso es tan urgente nuestro trabajo, y tan importante el dinero. Es necesario que los del gueto puedan resistir.

–¿Resistir? ¿Para qué? Los alemanes tienen tanques, ametralladoras y bombas. Será una carnicería.

Lobo se irguió en la silla.

–Al menos defenderán sus vidas, en vez de dejarse llevar a las cámaras de gas. Al menos tendrán una muerte gloriosa.

Me di cuenta de que se imaginaba luchando hasta la muerte junto a sus compañeros, pero mi corazón se rebeló. La muerte no tenía nada de glorioso.

–¿Y los americanos? Seguro que entran en la guerra y nos salvan.

Me miró con compasión.

–De eso vete olvidando. Aunque odien a los nazis, les importan un carajo los judíos. Si deciden luchar será en el campo de batalla, no en el gueto. ¿Le están contando al mundo nuestra situación? No. Se callan. El tratado con Rusia ha sido nuestra perdición.

Me daba miedo oírle hablar así. Su estado de ánimo era negrísimo. Quise hacerle otra pregunta, pero me lo impidió con un gesto. Amchu se acercaba en compañía de otros. Se sentaron en nuestra mesa. Lobo me presentó a Ariel, Peter, Halinka y Walter. Todos eran niños o adolescentes, cuyo único punto en común era el fervor, y una mirada dura.

El camarero trajo varias bandejas con remolacha y col en vinagre. Yo me había estado alimentando de pan y alguna manzana que otra, pero no participé en el festín. Ya había dado el primer paso en mi nueva carrera, llevando cinco pistolas al gueto, pero no era un gesto especialmente heroico, ni me sentía merecedora de una ración especial. Al ver mi abstinencia, Lobo sonrió, pero no dijo nada.

El café empezaba a llenarse. La clientela se componía mayoritamente de polacos ricos, que creaban un ambiente de gran animación. Lobo tuvo que sobornar a Hirschfeld para conservar su mesa. Al ver que Ariel señalaba la puerta, nos giramos y vimos entrar a un gordo sesentón con una chica del brazo. Ella tenía quince años como máximo, y agitaba su larga melena rubia como un purasangre.

–Meltzer, el estraperlista –explicó Ariel susurrando–. La chica forma parte de los beneficios.

–Halinka –preguntó Lobo de sopetón–, ¿y lo del material médico? ¿Cómo va?

–Ni bien ni mal –contestó ella, nerviosa–. De calendario bien, pero está siendo difícil cumplir la cuota de bisturíes. Tampoco he podido conseguir un esterilizador. Creo que hay un par de médicos que sospechan de mí. Supongo que habrá que fiarse de que no digan nada.

–No tenemos más remedio.

Seguí la mirada de Lobo y vi una bandeja de pato relleno y montañas de kasha, cuyo delicioso y tentador olor flotaba entre volutas de humo de tabaco. En el escenario, un cómico contaba chistes sobre Hitler. Casi todas las mesas se reían. En la del ZOB nadie abría la boca. Era una de nuestras reglas: no tomarse a Hitler nunca a la ligera.

Reconocí a uno de los ocupantes de la mesa de al lado, un hombre corpulento de mediana edad. Era Henry Keller, de Cohen y Keller. Su foto estaba enganchada en los tranvías de la empresa, que servían para transportar a los que estaban demasiado enfermos para cruzar el gueto a pie. Pensé que tarde o temprano los usaría todo el mundo. Cohen y Keller también tenía la concesión de rickshaws, «ambulancias» y los únicos coches fúnebres del gueto.

Keller me sorprendió mirándole y me hizo un guiño provocativo. Yo bajé la vista hacia mis manos y toqueteé mi vestido raído. Lobo me estaba observando. Me ruboricé. ¿Le habría fallado en otra prueba de lealtad?

–No te avergüences –dijo él–. Es muy natural que Keller te encuentre atractiva. Por no hablar del comandante Hildebrand.

¡Conque sabía lo del oficial! Egon ya me había requerido varias veces, pero yo siempre había podido quedarme su dinero sin aceptar un paseo. Las palabras de Lobo me dolieron.

–No es mi culpa –dije.

Él se rió.

–Hombre, la verdad es que sí. Si no fueras tan guapa...

Apoyó suavemente una mano en la mía, pero yo la aparté. El resto de la mesa simuló no darse cuenta. Fue uno de esos momentos en que su lealtad fanática hacia Lobo me hizo dudar, y me dio ganas de gritar. Se hacían llamar el ZOB, pero debajo de sus ostentaciones de coraje, y de su fidelidad a Lobo, sólo eran niños jugando a la revolución, demasiado pequeños para medir las consecuencias de sus actos. Planear la resistencia armada era muy emocionante; pasar armas, bombas o material médico de contrabando también, pero ¿quién de ellos sería capaz de apretar un gatillo o de arrojar una bomba? ¿Ariel, con su acné? ¿El Pecas, con su voz de pito? ¿Halinka, que movía la cola como un cachorro enamorado cada vez que Lobo la miraba? ¿Paulus, con sus ocho años?

–¿Hildebrand está interesado en ti?

Era Lobo, que había acercado su silla a la mía y hablaba en voz baja para que no le oyera el resto.

–Supongo que sí. ¿Qué más da? La verdad, no entiendo que siempre tengas que sacar el mismo tema.

–Es importante para todos. Tienes que aceptar el paseo.

–¡Ni hablar! –Comprendí lo que quería decir, pero era pedir demasiado–. Tú estás loco.

La pareja de la mesa de al lado dio una palmada para llamar al maître, que se agachó para oírles entre las carcajadas que provocaba el cómico. Poco después apareció un carro de dulces lleno de galletas, tartas y pasteles, que distrajo a nuestros jóvenes acompañantes.

–No se conformará con un paseo por la orilla del río.

–Tú no eres una niña –gruñó Lobo.

–Ni tú tonto. ¿Te das cuenta de lo que me juego? ¿O no te importa, Lobo? Para ti sólo soy uno de tantos...

–Te vigilaremos y protegeremos.

Una promesa sin sentido, que me hizo odiarle.

–¿Y si decide que quiere estar a solas conmigo? ¿Y si me lleva a un hotel, o a una habitación privada?

Lobo se reclinó en la silla.

–Es con lo que contamos. Tú le sigues la corriente y nosotros organizamos una pequeña distracción que le impida...

–¿Qué? ¿Violarme? ¿Sólo una pequeña distracción? ¿Es lo que tienes planeado?

–¿Qué te crees, que te morirás por que te toque un hombre? –terció Halinka–. Al menos podrías decir que has dado algo por la causa.

¡Maldición! Nos había oído. Tuve ganas de arrancarle los ojos.

–¡O sea que estáis todos de acuerdo en ponerme en sus manos! Es eso, ¿no? Pues lo siento, pero el cebo se niega. ¿Por qué no lo haces tú?

–No hables tan alto. –Lobo (el Lobo autoritario de siempre) me miró–. Primero, que no te ponemos en manos de nadie. Te prometo que no perderás tu preciosa virginidad. Segundo, que creo que Hildebrand es el responsable de la desaparición de Hymie, y me gustaría bastante hacérselo pagar. Y la única manera es que esté solo. –Me miró con una ferocidad desconocida–. La persona elegida eres tú. Ya sabes lo que tienes que hacer.

Halinka me cogió la mano para darme ánimos.

–Hymie era el hermano de Lobo –explicó.

—Qué noche más bonita hemos pasado, ¿eh? –dijo Egon Hildebrand.

No le faltaba razón. Lejos de ser el depredador sexual descrito por Lobo, había demostrado ser todo un caballero, atento a mi persona y a mis sentimientos.

La cálida noche de primavera había sido muy agradable. Tras un paseo de unos dos kilómetros por la orilla del Bug, habíamos cenado a la luz de las velas en un restaurante polaco, lejos del Cuatro Estaciones, donde iban a cenar la mayoría de los oficiales. La cara y la voz de Egon eran propias de un hombre joven. No podía tener mucho más de veinte años. Me contó su infancia en Baviera, y su afición al esquí y la poesía de Goethe y Schiller. También me habló de sus padres, que habían querido darle la mejor educación posible, un deseo frustrado por su reclutamiento. Dijo que estaba orgulloso de haber pasado por la academia de oficiales, y que esperaba que algún día le enviasen al frente para luchar por su país. Todo ello lo explicó como si no se diera cuenta de que yo era su «enemiga», tal vez por mi perfecto alemán, o porque en el transcurso de esas horas podía albergar la fantasía de estar con una bávara, una de las novias que había tenido en su tierra natal.

Mi situación era extraña. Por un lado, había jurado odiarle. No sólo era el responsable de la desaparición del hermano de Lobo, en circunstancias que este último jamás había explicado, sino un ario, un integrante de la tribu que había mandado a mi familia a Treblinka, y que a mí me obligaba a vivir en una cueva ganándome la vida con el contrabando de armas. Por otro lado, tenía que reconocer que me caía bien. Era un hombre muy dulce, abiertamente romántico, que sabía divertirse y tenía ganas de hacerme pasar un buen rato.

–¿Qué, te apetece una copita? –dijo después de cenar, cuando volvíamos a la plaza Tres Cruces.

–Mira, Egon, lo siento pero no –repuse impulsivamente, olvidando mi misión.

–Ya, ya. No quería ofenderte.

Me sobresalté al recordar las instrucciones de Lobo, y la tarea que tenía por delante. Ya no había marcha atrás.

–¡No, si no estoy ofendida!

–He sido demasiado directo. Con el tiempo, cuando nos conozcamos mejor...

Le cogí la mano.

–No, en serio. Ha sido un momento de cansancio.

Dejé que me rozara un pecho con el brazo.

–Aquí cerca hay un hotel donde van mis amigas con sus novios –dije–. Podríamos ir.

–Perfecto –dijo él, con tal entusiasmo que supe que lo tenía todo pensado de antemano, y que se había imaginado desnudándome, besándome y haciéndome el amor toda la noche–. Si no quieres no tenemos que hacer nada. Sería una manera de alargar la noche. No sé... Podríamos dormir juntos... –Estaba tan violento que no se atrevía ni a mirarme–. Es que llevo tanto tiempo sin acostarme con ninguna chica que no sea prostituta... con una buena chica como tú...

Una buena chica que le estaba llevando a la trampa de Lobo.

–Bueno –dije–. Si sólo dormimos...

Su gratitud me dio lástima. Le rodeé la cintura y me lo llevé de la orilla hacia un edificio destartalado de una callejuela, presentado como el hotel Ritz.

Miré alrededor. Ni rastro de Lobo, ni de nadie del ZOB. No era muy tarde, pero la calle estaba vacía, y en las ventanas de los otros edificios había pocas luces encendidas. Me pregunté si en caso de que Lobo no apareciese Egon sería fiel a su palabra y se conformaría con dormir. No, seguro que Lobo estaba cerca. Me lo había prometido. No verle sólo significaba que estaba bien escondido.

Cuando nos acercamos al hotel tuve miedo, pero al mismo tiempo mis entrañas se estaban despertando a una emoción que no tenía nada que ver con el rescate ni con la traición. Egon era un hombre guapo que se hacía querer. Si pudiera olvidar que era alemán y yo judía, al menos por una noche... Subimos por la escalera de la recepción.

–No te entiendo, Marisa –dijo él con las mejillas encendidas–. Me dices que no a una copa, y luego me arrastras por la escalera. ¡Qué rara eres!

Tan rara que en ese momento no era Marisa, sino Mira, el nombre que Lobo había inscrito en mis documentos, y tenía la sensación de ver a mi presa desde una gran altura, fría, distante, sin piedad.

–Igual me arrepiento –insinué coquetamente–. La cuestión es que tú estés contento –me apresuré a añadir–. Es lo único que quiero.

–Tú contenta y yo contento.

Más que hablar, Egon cantaba.

Estaba tensa, como si me oprimiera un torno. El recepcionista vaciló, pero después de una mirada culpable hacia ambos lados le dio a Egon una llave con una tira de cuero.

–La doscientos dieciséis –susurró, aceptando cobrar en efectivo y por adelantado, sin mirar nuestros documentos.

Antes de encontrar la habitación, recorrimos tres tramos de escaleras y un pasillo polvoriento, oyendo susurros, risas entrecortadas, gemidos y el elocuente ruido de los muelles. A Egon le costó un poco abrir la puerta, porque le temblaban las manos. Cuando entramos sentí sus brazos en mi cintura.

Mis sensaciones habían perdido cualquier componente sexual. Me quedé desmadejada, como una colegiala esperando su castigo.

Mientras Egon besaba mi frente, procuré recordar las instrucciones de Lobo. Me dije que todo saldría como lo habíamos ensayado. «Aprende a no sentir nada. Este hombre es tu enemigo, y el de Lobo. El enemigo de los judíos.» Me acerqué a la lámpara de gas y subí la mecha al máximo. Era la señal convenida para que viniera Lobo.

–Demasiada luz –dijo Egon, acercándose para bajarla.

Antes tuve tiempo de ver una habitación pequeña y desnuda, con el empapelado desprendido en varios sitios y trozos de moldura desprendidos del techo. La cama, de grandes dimensiones, estaba cubierta por una raída colcha de algodón. En un rincón había una pila, y al otro lado un tocador barato lleno de arañazos. La capa de polvo de la claraboya, estábamos en el último piso, era tan gruesa que sospeché que no pasaba luz ni en pleno día.

¡Y ni un armario! ¡Era un hotel de prostitutas! ¿Qué se había creído Lobo? ¿Qué estaría pensando Egon? ¿Qué podía pensar, sino que yo era una de tantas prostitutas, más guapa y mejor hablada que las demás, pero del mismo ramo? Probablemente se estuviera arrepintiendo del gasto innecesario de la cena. Me quedé quieta, esperando su siguiente movimiento.

Fue tierno. Si Egon se había llevado una decepción, no se le notó. Cerró la puerta y se puso a mis espaldas. Estábamos solos. No había escondrijo posible para Lobo.

La mirada de Egon encontró la mía en el espejo del tocador.

–No tengas miedo, Marisa –susurró–. Tendré cuidado.

Pero ¿cómo? ¿No me tomaba por una prostituta? ¿Tan grande era su fantasía como para no ver dónde estábamos?

–El espejo no te hace justicia –susurró, mientras me quitaba las horquillas del pelo y me lo acariciaba como un ciego, deshaciendo las trenzas sin ninguna prisa–. Ahora sí. Mírate.

Sus manos delicadas colocaron mi cabeza de frente a su reflejo. Mi rostro estaba enmarcado por largas ondas de pelo negro. Era como lo llevaba para Jean-Phillipe. ¿Cómo se atrevía a verme así?

–Ha sido mala idea venir aquí contigo –gemí al sentir su mano en mis brazos desnudos.

Me acarició la nuca y un hombro con los labios, y empezó a desabrocharme el vestido por la espalda.

–Eres mi recompensa –dijo, desoyendo mi protesta–. Todos los milagros tienen su precio. Me quitaron a Elsa. No creas que no he sufrido por Alemania. Era joven, guapa e inteligente, pero tú aún eres más guapa, y quiero que seas la destinataria de todo mi amor por ella.

Se arrodilló y, girándome, se hundió entre mis brazos con la cabeza apoyada en mis pechos. Al sentir su calor sofocante, y su deseo torrencial, me aparté con un gritito ahogado, buscando alguna escapatoria.

–Por favor –dijo él con voz ronca–, déjame quererte.

¿Quererme? Para Egon el amor era un cuento de hadas, con música de cámara y sonetos ardientes. Tal vez en otra vida, en París, lo hubiera visto yo de la misma manera, pero en Varsovia el amor era un techo, un mendrugo compartido y juntarse con otros para sobrevivir.

Se acercó a la silla del tocador y me miró como si yo fuera un maniquí, mientras yo me fijaba en el reflejo: su nuca, mi mirada de susto... Después se levantó y me besó la garganta y los hombros, sin encontrar resistencia.

–Sí –murmuró–, sí...

Me acarició dulcemente, llegando a mis caderas, pero sin despegar la cabeza de mis pechos. Esta vez no me aparté. Él, animado, me desabrochó el vestido y bajó los tirantes hasta que vi mis pechos presionando la suave tela blanca de mi camisola.

–Tan, tan guapa...

Besó ardorosamente la tela de algodón. Mientras una de sus manos bajaba los tirantes de la camisola, la otra acarició suavemente mis pezones, haciendo que temblaran y se endurecieran. Era la primera vez que me tocaban los pechos desnudos, aunque la mano de Jean-Phillipe sobre mi ropa me hubiera hecho soñar con ello muchas veces. A pesar del miedo, sentí un placer sin nombre y cerré los ojos.

En ese momento, con un estrépito de cristales rotos, alguien cayó por la claraboya. La mano de Lobo asestó un sordo martillazo en el cráneo de Egon. Yo grité y me subí la camisola. Lobo me miró de manera extraña, como si se diese cuenta por primera vez de que era una mujer. Después miró al alemán, que yacía muerto a sus pies, y rompió en sollozos angustiados que hacían temblar su cuerpo.

Yo acabé de vestirme, me puse los zapatos y, antes de llegar a trompicones a la puerta, le lancé la llave. Para él quizá también había sido la primera vez.

10

El gueto se convirtió en mi segundo hogar. Era una ciudad donde vivían casi quinientas mil personas. Si tenía que cruzar el control en una u otra dirección, esperaba a que la policía local, que parecía indiferente a todo, relevara a las SS.

En poco tiempo nos volvimos tan osados que atravesábamos los controles sin ningún miedo, y hacíamos gestiones «legítimas» a ambos lados de la barrera.

Yo escribía a Treblinka dos veces por semana, poniendo la calle Krucza en el remite, y un día –¡milagro de milagros!– recibí una respuesta. Me la dio Lobo mientras íbamos con nuestra mercancía por un barrio comercial.

Treblinka, 17 de abril de 1941

Bueno, hija y hermana de nuestro corazón,

por fin tenemos la oportunidad de escribirte desde el campo de trabajo. No podemos decir que las condiciones sean malas. Yo, Benjamin, trabajo en el campo, pero no es una labor penosa. En atención a mi edad, nuestros jefes no me presionan tanto como a los demás. Nora trabaja en la cocina, ayudando a preparar las comidas del campo, que son poco abundantes pero sanas. En cuanto a Jozef, le va mejor que a nadie. Se ha convertido en la estrella del equipo de boxeo.

Te escribo para pedirte que nos envíes mantas de lana, y también, si es posible, botas de cuero y almohadas de plumón. Preferiría no tener que mendigar así, pero hace frío, y los administradores del campo, a pesar de sus esfuerzos, no han podido conseguir bastantes suministros de Berlín. Por otro lado, si te sobra algo de oro, el comandante del campo nos lo entregará sin falta y lo usaremos para comprar artículos de primera necesidad, como jabón y maquinillas de afeitar.

Dales muchos recuerdos a Esther y David. También a nuestro querido tío Horowitz. Dile que siempre le tenemos en nuestros pensamientos.

Con todo nuestro amor

Le di la carta a Lobo.

–¿Es la letra de tu padre? –preguntó.

–Sí, pero floja, como si no tuviera fuerzas. –Mi alegría era incontenible–. ¡Pero está vivo!

–No sé hasta cuándo –dijo Lobo, extremadamente serio.

Sentí la opresión del miedo.

–¿Qué quieres decir?

–Esta carta es una sarta de mentiras. Supongo que ya te has dado cuenta. –Resopló–. «El tío Horowitz siempre está en nuestros pensamientos.» Es como llamaban los judíos a Hitler en los chistes de antes de la guerra. Lo que te está diciendo es que la carta se la ha hecho escribir Hitler, o en todo caso sus secuaces.

Yo lo del «tío Horowitz» ya lo sabía, pero la emoción de leer la carta me había hecho pasar por alto el comentario de mi padre.

–Entonces lo de que en el campo no se trabaja mucho, lo de la buena comida, lo del equipo de boxeo...

–Mentiras.

Me resistí a creerle.

–Pero ¿qué sentido tiene?

–Es evidente que necesitan provisiones: mantas y cuero para las tropas, y oro para ellos. Por eso le han dictado la carta a tu padre. Seguro que en Polonia hay miles de familias que han recibido la misma. –Sacudió la cabeza–. ¿Cómo se puede ser tan sádico? ¡Dios mío! ¡Qué talento para torturarnos!

Me convencí de que tenía razón. La carta no era un bálsamo, sino un veneno.

–¿Qué podemos hacer? –pregunté, con la misma sensación de impotencia que en casa de la vieja ciega.

–¡Seguir luchando!

Sus palabras eran animosas, pero le vi abatido y muy cansado. Miré nerviosamente a un grupo de calaveras SS que salían de un café para alemanes de la plaza Tres Cruces. Me acerqué a ellos.

–¿Los oficiales desean cigarrillos?

Compraron diez paquetes en total, entre comentarios insinuantes a los que yo, a esas alturas, ya me había acostumbrado. En cuanto a Lobo, fue como si se esfumara, pero volvió en cuanto los soldados se hubieron ido de la plaza.

La plaza era el escenario de todos mis negocios. Parecía mentira que hubiera cambiado tanto. Antes de la llegada de los alemanes había sido muy bonita, con su catedral bizantina y su colegio moderno, pero ahora era un nido de prostitutas y vendedores de cigarrillos.

El sol de abril aún no había calentado el gueto. Lobo llevaba un grueso abrigo de paño, con pantalones de pana y una chaqueta de manga larga.

–Ya no tendrás que preocuparte por los soldados –me dijo–. Tengo una manera de protegerte.

Sus palabras no me alegraron. A esas alturas ya me consideraba capaz de cuidarme sola.

–¿Cuál?

Se abrió la chaqueta. Tenía una Luger alemana metida en el cinturón.

–Al que intente hacerte daño, le reviento la cabeza.

–¡Es la de Egon! –exclamé.

–Exacto –dijo él con una sonrisa burlona.

–Dios mío...

El horrible recuerdo de aquella noche en el hotel volvió como una ola, y en mi angustia vi a Lobo como agresor y a Egon como víctima.

Él sonreía, esperando que le felicitase. Lo que hice, con los ojos llorosos, fue darle una bofetada tan fuerte que se me quedó la mano medio dormida.

–¡Asesino! –dije–. No tenías que matarle.

–Mira, Mia, aparte de ser un nazi de mierda, mató a mi hermano, y estaba recogiendo información sobre los nuestros. Nos habrían matado a todos en cuestión de semanas. La pistola es mi botín. ¿No es mejor que esté muerto? Así podremos seguir luchando.

Volví a la plaza Tres Cruces, dando un rodeo para no acercarme al cuartel del ejército alemán. Desde la muerte de Egon todo estaba infestado de agentes de la Gestapo que buscaban pistas. Mi gran temor era caer prisionera y confesar. De vez en cuando me refugiaba en las sombras, creyendo ver la silueta de Egon.

Los días siguientes estuvieron dominados por el miedo. Mi libertad de entrar y salir del gueto corría grave peligro. La policía local se había puesto muy severa en todos los puntos de acceso oficiales. Las partes nuevas del muro, hechas con ladrillo, estaban siendo reforzadas con alambradas, y había guardias por todas partes. Otro problema era la Gestapo, que con sus uniformes bien planchados y sus zapatos brillantes parecían máquinas de guerra aterradoras.

Y siempre jóvenes polacos acechando en la oscuridad y esperando el momento de practicar el chantaje, el robo o la violencia física, dejando a sus víctimas ensangrentadas e inconscientes en el suelo para que las rematasen los alemanes.

–¡Mia! –Era el liante de Paulus–. Espera, Mia, que soy yo. Tengo que decirte algo.

Se acercó corriendo, tan imbuido de la importancia de su mensaje que su cara redonda brillaba.

La noticia, fuera cual fuese, podía esperar.

–Vete –gruñí.

Le di la espalda y me alejé deprisa, dejándole atónito.

–¡Espera, Mia! –dijo él con voz llorosa–. Tienes que saberlo. Los *schmalzers* están buscando un ratón. Un ratón que engañó a un gato alemán muy gordo, llevándole a un hotel del que no salió vivo. ¡Ten mucho cuidado, Mia! ¡Te conviene! Los alemanes te están preparando una ratonera.

Ya no podía seguir en Varsovia. Quedarme en el gueto equivalía a poner en peligro a tía Esther y tío David, que eran mi único recurso. Tarde o temprano la única vía de salida sería hacia los campos. En cambio, si me quedaba en la parte aria, acabaría interrogada irremediablemente por la Gestapo, y en ese caso el desenlace sería la muerte. Por otro lado, para el resto del grupo era muy peligroso que les vieran conmigo.

Caminé buscando un plan, con el cerebro embotado y el cuerpo exhausto. Al llegar a Chlodna subí a la acera elevada, construida para que las líneas de tranvía pudieran pasar por la zona de trabajo. El tranvía era el medio de transporte que usaban los de fuera para ir a trabajar. La zona estaba vigilada para evitar la huida de judíos. Subí al «pasillo polaco», que comunicaba las dos partes del gueto. La baranda estaba llena de curiosos y de niños que tiraban piedras a los hasidim. A mis pies, grupos de figuras con brazales se movían como abejas en un panal, buscando «traidores» incansablemente entre una población tan castigada que se movía como bestias de carga, por no decir escarabajos: hombros endebles y encorvados, para protegerse de las botellas y las piedras.

El gueto parecía impenetrable, pero yo sabía que el mejor momento para entrar y salir era el cambio de guardia. Las chimeneas de la fábrica Toebbens tenían un brillo rojo. Pensé en el Baluty, donde había chimeneas parecidas que presagiaban las mismas desgracias. En Lodz no nos había salvado trabajar. En Varsovia, la codicia mantenía abierto el pasillo para los artículos manufacturados por los judíos de la ciudad, que gracias a ello podían acceder a un nivel de pobreza por el que los súbditos del rey Chaim habrían sido capaces de matar.

Sin embargo, faltaba muy poco para que los alemanes se lo llevaran todo de los cuerpos y los corazones de los judíos del gueto de Varsovia. ¿Qué sería entonces de sus habitantes? ¿Qué les esperaba? ¿El tifus, el cólera, la inanición? De repente, las pocas armas que habíamos logrado introducir me parecieron dotadas de la misma potencia que un juguete. ¿Que morirían algunos alemanes? Sin duda, pero al final el precio de la rebelión sería la tortura y la muerte. ¿Cuántos guetos había en el imperio alemán? ¿Uno por cada capital de provincia?

Me imaginé a Nate Kolleck mirando por la cámara, contrayendo sus ojos enfermizos para enfocar los carros de cadáveres, tan presentes en Lodz como en Varsovia. En Lodz, la idea de que nuestra agonía pudiera prolongarse, y de que tantas ciudades, tantas decenas de miles de judíos, pudieran sufrir hasta ese punto mientras la vida seguía su curso en el resto del mundo me había parecido descabellada. Seguro que en París las chicas de mi *lycée* planeaban incursiones por las boutiques de Saint-Germain. Se habían reído de mí, llamándome judía, y me habían tratado como a una especie animal inferior. Pues quizá tuvieran razón. El espectáculo que bullía a mis pies parecía demostrarlo en toda su crudeza y nitidez.

Cuando la apisonadora de Hitler llegara a París, Ruán, Lieja, Amsterdam, Londres... ¿Qué resistencia encontraría? ¿Sería la única manera de que el resto del mundo prestara atención al grito de Polonia? Yo sabía que mi padre tenía un hermano en Estados

Unidos: Martin Levy, que vivía con Ceena, su mujer, en un lugar llamado Brooklyn (parte, al parecer, de la ciudad de Nueva York). Mis padres no hablaban mucho de ellos. Quizá fuera porque en su día se les había presentado la ocasión de acompañarles, de emigrar, y habían decidido quedarse en Lodz. Como decía papá, tenía obligaciones con los suyos. ¡Ja! ¡Pues valiente pago habían recibido a cambio él y su familia!

Decidí escribir lo antes posible a mi tío americano, y a Jean-Phillipe, y al mundo entero si era necesario, para contarles lo que estaba viendo, y hablarles de los campos de trabajo y del racionamiento y de las ratas, y hasta del estraperlo y el colaboracionismo. Les hablaría del tifus, de la inanición y de una loca que vagaba de noche por las calles cantando canciones yidish a pleno pulmón.

Los alemanes la llamaban «el ruiseñor del gueto». Un ruiseñor como yo... Me juré no cantar jamás para los alemanes, ni trabajar en los campos, ni dejarme torturar. No tenía adónde ir. La desesperación se abatió sobre mi espíritu. Me aferré a la barandilla. El suelo estaba a unos veinticinco metros. Era una caída a la que no se podía sobrevivir. La muerte me tendía sus brazos consoladores.

Un policía polaco tocó mi hombro.

–Documentos.

Sacudí la cabeza para despejarme y le di mi tarjeta. Al sentirme observada, mis rodillas empezaron a flaquear de miedo. Era la primera vez que me paraban desde el asesinato de Egon.

–Mira Luxenberg –leyó–. Sí, eres tú.

–¿Yo? ¿Quién?

Se desahogó.

–¡Lo sabes perfectamente, so zorra! Estoy harto de las *Volksdeutsche*. Os creéis que podéis ir de insolentes por el mundo sin que os pase nada. –Hizo una pausa para respirar, mientras se le ponía rojo el cuello bajo las ondas de su pelo rubio–. Cuando acabemos contigo, habrás cantado el himno nacional.

Me dio una bofetada en la oreja y, cogiéndome del pelo, me arrastró por el puente hacia un Daimler negro, entre los gritos y las ovaciones de los espectadores polacos.

Me arrepentí de no haber saltado.

El olor a tapicería de cuero y grasa de caballo del coche me inundó de recuerdos. Cientos de veces, al subir al Daimler de mi padre, había cerrado los ojos y al abrirlos me había visto transportada como por arte de magia a la campiña. Ahora, al abrirlos, sólo vi a mi captor y al oficial alemán uniformado que conducía. ¿Un oficial? ¿Por qué? Fue una pregunta fugaz. Estaba demasiado asustada para darle muchas vueltas.

Había estado dispuesta a saltar por la baranda. Y justo entonces me habían pillado y arrastrado al coche. Mi captor tenía los ojos de un azul hielo, y su bigote era como una pincelada clara en medio del rostro.

Tardamos menos de cinco minutos en llegar. El soldado me sacó del coche y me empujó hacia una casa muy normal. Al fondo del pasillo había una salita sin ventanas. ¡Una sala de torturas!

De repente tuve náuseas. Me dolía la oreja por la bofetada. También me escocía el cuero cabelludo, en la parte donde me había tirado del pelo. Me pregunté si involuntariamente ya habría revelado algo. ¿Había gritado llamando a Lobo, cuya nueva Luger ya no servía de nada? ¡Qué lástima no haber saltado a tiempo!

Nos sentamos frente a frente, con una mesita de madera en medio. Aparte de ésta sólo había una lámpara de pie con una bombilla desnuda que proyectaba una luz horrible. Tuve la seguridad de que tarde o temprano llegarían otros para llevarme a un sitio todavía peor, con instrumentos de tortura. Resiste, me dije. No delates a tus camaradas. Pero no sabía si sería tan fuerte.

—No tengas miedo, hermanita —intervino en mal yidish el soldado. Su tono era amable. Una trampa.

—Mi idioma materno es el alemán, si no le importa.

—El mío también. Pues hablaremos alemán. —Tendió la mano por encima de la mesa—. Me llamo Peter y he trabajado con los vendedores de cigarrillos a través de Lobo.

—¿Lobo? ¿Eso es un nombre de persona?

Se rió.

—Eres tan guapa como me dijo Lobo, y mucho más inteligente. Felicidades.

Si era una trampa, no carecía de atractivo. Tuve ganas de confiar en él, pero no me atreví.

—¡Qué cosas dice!

–Me gusta la gente peleona. Ya veo que te llevarás bien con nosotros.

–¿Nosotros?

–El Comité Nacional. Creía que Lobo ya te lo había explicado. Corres un gravísimo peligro. Lobo sólo recurre a nosotros en circunstancias extremas. Me ha sabido mal hacerte daño, pero teníamos que hacer una buena interpretación.

Sentí una alegría tan grande que casi me mareé. No era una trampa, sino una posibilidad de salvación.

–¡Dios mío! –dije–. Cuando me ha llevado al Daimler, creía que era un alemán.

–Es que lo soy.

–Y el chófer, con uniforme alemán...

–Es polaco. –Peter sonrió–. Lo siento, Mia. Es lo único que puedo decirte. Participamos en la lucha por la supervivencia, aunque me duele decir que no quedamos muchos. Claro que si consiguiéramos crear una red en toda Polonia, una resistencia...

Yo ya no escuchaba. El chófer llevaba uniforme de oficial.

–¡El uniforme de Egon! –exclamé. Un grito nació en lo más profundo de mi garganta. Oí el impacto del martillo en la cabeza de Egon, y vi su cara–. No tenían que matarle. Lobo podría haberle robado la pistola y el uniforme, pero sin asesinarle.

–Contrólate –gruñó Peter–. Nos están matando a razón de doscientos cincuenta al día. ¡Doscientos cincuenta! Y esto sólo es el principio. Nuestro único recurso es plantarles cara de todas las formas posibles. Puede que te interese saber que el batallón de tu querido Hildebrand invadió el gueto, hizo una redada y mató a todos los rehenes, después de violar y torturar a dos adolescentes y una octogenaria.

Me resistí a creerlo.

–Imposible.

–¿Por qué? ¿Porque parecía amable y educado? No seas ingenua, y alégrate. La persona que llevaste a la trampa de Lobo era un viejo conocido. Entre otras cosas, había delatado a su novia a la Gestapo al descubrir que tenía una octava parte de ascendencia judía.

¿Y Liza, su esposa muerta de neumonía? Peter me había dejado sin palabras.

–La situación es la siguiente –dijo con premura–. Hemos ido a buscarte porque el recepcionista del hotel te delató a la policía. Te conocen, aunque sea por un nombre falso. Tu vida, por decirlo en pocas palabras, no vale ni un zloty, a menos que sea para los *schmalzers*. Si te quedas en Varsovia eres mujer muerta, y los únicos capaces de sacarte de aquí somos nosotros. –Su mirada era penetrante. No se podía dudar de que decía la verdad–. Nuestra especialidad es salvar vidas. Y preparar a las personas que salvamos.

–¿Prepararnos? ¿Para qué?

–Para la guerra. Para rebelarse contra los nazis y recuperar nuestro país.

Era patético. Me pregunté si su sala de guerra sería igual de mísera, y si todos sus uniformes procederían de cadáveres.

–Lo único que conseguiréis es que nos maten más deprisa.

–¡Pero si ya estamos muertos! ¿No lo ves? Al menos podremos llevarnos por delante a diez por cada uno de nosotros.

–Seguiremos estando muertos.

–No, todos no. Algunos de los que huyan, como tenéis que hacer Lobo y tú, sobrevivirán, y vuestros hijos crecerán en Palestina.

Me giré, asqueada.

–¡Ah, es eso, sois sionistas! Pues te digo una cosa, Peter: ya me harté de vosotros en el Baluty. El rey Chaim, decano de los judíos, también era sionista. Decía que había que trabajar duro para el estado alemán, volverse indispensables para que nos mandaran a la Tierra Prometida. ¿Qué Tierra Prometida? Fantasías.

Peter me cogió la mano y me obligó a mirarle.

–Si luchas por ella no será una fantasía.

–No tengo esa clase de valor. Cuando creía que me había encontrado la Gestapo, pensé en tirarme del puente.

–¿Qué te crees que es ser valiente? Aguantar un cuarto de segundo más. Lobo me ha hablado mucho de ti. Sé lo del vagón de ganado, y que te empujó tu padre. Eso es ser valiente, y no lo que hice yo escondiéndome en el sótano mientras oía a los soldados alemanes derribando la puerta y atacando a mi mujer, mientras mi hijo berreaba en sus brazos. Ahora, si tengo valor, sólo es porque no puedo quitarme de la cabeza lo que vi y oí. Sin el sueño de Jerusalén, no quedaría nada.

Supe que tenía razón, pero yo no compartía el mismo sueño, ni la misma esperanza. Mi único deseo era reunirme con mi familia y volver a oír canciones y risas, aunque fuera la última vez.

–Bueno, más vale que te vayas –dijo él–. Dentro de un rato vendrá un niño que te llevará a una alcantarilla cerca del gueto. Ve hacia el norte por la cloaca y llegarás a la puerta este de Grzybowska, donde estará esperándote Lobo, que habrá falsificado salvoconductos para los dos. Esperad a que aparezca un carro de heno. Escondeos bajo el heno y no hagáis ruido hasta que el conductor os diga que no hay peligro. Os incorporaréis a una brigada de trabajo, de peones del campo. Habrá alemanes. Vigilan que se trabaje bien, pero no os harán nada porque no sabrán que sois judíos. Tendréis que quedaros una temporadita.

–¿Cuánto?

–Hasta que os consigamos un pasaje en el vapor que navega por el Vístula. Desembarcaréis cerca de la frontera checa y podréis pasar a Suiza. Tendréis que cruzar Alemania, pero es el camino menos peligroso. Cerca de la frontera alemana, en el lago de Constanza, hay un convento donde os albergarán unos días. –Sonrió–. Las monjas no se dejan amedrentar por los nazis. Les han desafiado prácticamente a que les cierren el convento, y de paso se han enemistado con el Papa. No será la primera vez que nos ayuden. Si conseguís llegar, os harán pasar a Suiza. –Debió de ver mi cara de preocupación–. Hazme caso. Es lo mejor.

–¿Y si nos detienen?

Abrió las manos en señal de que no había nada que hacer, y suspiró al entregarme una hoja de papel.

–Es la dirección de la joyería de Nueva York donde viven tus tíos. Tarde o temprano, Dios mediante, llegarás.

No le pregunté cómo había averiguado la existencia de mis tíos. No, pensé, mi lugar está aquí. Lo que tengo que hacer es rescatar a mis padres y a mi hermano.

Llamaron a la puerta.

–Debe de ser el niño –dijo el sionista–. Vete con él, y con Dios.

Metí la mano en el bolsillo y saqué las cartas que había escrito para mi familia y Jean-Phillipe.

–¿Podría mandarlas?

Nos levantamos al mismo tiempo. Peter cogió las cartas.

–Bueno, aunque no te garantizo que lleguen a sus destinatarios.

Me dio otro papel.

–Guárdalo. Si llegas a Suiza puede que lo necesites.

Lo miré. Era una dirección.

–Adiós –dije.

No contestó.

—Bueno, pues ya está todo listo —le dije a Lobo—. Cogeremos el vapor.

Estábamos sembrando un campo con cincuenta personas o más, a una distancia desconocida de Varsovia.

—Sigue pareciéndome demasiado arriesgado —dijo él, repitiendo la misma cantinela que desde el día en que habíamos subido al carro de heno—. Es una locura navegar por el Vístula con documentos falsos. En el agua no hay escapatoria. ¿Tantas horas entre *Volksdeutsche* y polacos? Para un judío, sería una locura acercarse menos de quince kilómetros a uno de esos barcos.

—Es que la idea es ésa. Puede que no vigilen tan de cerca.

—¡Pero Mia, por favor! —Cogió mi mano y me miró a los ojos—. ¿No lo entiendes? Tu alemán y tu polaco son perfectos, pero los míos no. Si te pasa algo y me quedo solo, no sobreviviré. Es posible que en el barco vayan tropas. Si les excitas, la situación será imprevisible.

Me di cuenta de que fuera del gueto Lobo tenía miedo. Sabía muy poco del mundo exterior. Yo había viajado, hablaba varios idiomas y tenía más seguridad. A Lobo le sentaba fatal tener que depender de mí. Mi obligación era ser fuerte.

—¿Desde cuándo el Comité Nacional está tan preocupado de que una chica joven esté cerca de alemanes con intenciones poco honorables? —dije—. La semana pasada no tuviste ningún inconveniente en incitarme a que me violasen.

—¿Cuántas veces te lo tengo que explicar? Ya te dije por qué era necesario. Además, lo único que hizo…

—No, si lo que hizo ya lo sé. Y sé que sigues sin arrepentirte.

Me alisé el delantal y me puse el gorro. En ese momento se acercó un coche, y todos los trabajadores cogieron las palas y los picos. Todos se cuadraron, Lobo el que más.

Un oficial se acercó a mí y me puso una mano en el pecho. Sonreí con cara de tonta, pero tuve ganas de matarle.

—Es hora de recoger —les gritó a los demás—. Hay que sembrar otro campo antes de que anochezca.

Subí con el resto de los trabajadores a la parte trasera del camión, y esperé a que arrancase para acercarme a Lobo. Tal como íbamos, pegados como la basura, nadie se fijaría en nuestra conversación.

Lobo me rodeó con un brazo protector.

–Tienes razón –susurró–. Tenemos que subir al barco.

Apreté su mano, agradecida.

–Ah, otra cosa –dijo él–. No sé muy bien cómo decírtelo.

–Diciéndolo.

–Le sugerí a Peter que sería más seguro que viajáramos como marido y mujer. Es lo que pone en nuestros documentos, y lo que tenemos que fingir.

Miré la negra noche del campo. A través de las rendijas del camión, vi soldados con ametralladoras en los coches que iban detrás de nosotros.

–Mira, Lobo –suspiré–, para sobrevivir haría cualquier cosa.

11

En algún momento de la noche, el Vístula se había vuelto más ancho y profundo, y las llanuras que nos rodeaban se habían convertido en acantilados de seis o siete metros de altura. Desde nuestro miserable ojo de buey, el agua revuelta parecía subir hasta el horizonte, donde se unía a un cielo bermellón. Apoyada en un codo, vi que el alba dibujaba una franja luminosa en el río.

La corriente, cada vez más fuerte, hacía rugir las hélices del barco. De tanto ver balancearse las orillas acabé mareada. A la velocidad que íbamos, probablemente tendríamos que pasar otro día y otra noche a bordo del carguero.

Lobo y yo compartíamos una litera muy estrecha, ligeramente ablandada por un jergón de paja. Estábamos tan agotados que habíamos dormido profundamente toda la noche. Cuando la luz del alba penetró tímidamente en el camarote –poco más que un pequeño almacén lleno de cajas, sogas y otros artículos náuticos–, sentí que la mano de Lobo se deslizaba por debajo de la manta hasta posarse en uno de mis muslos. Los dos estábamos vestidos, pero sentí su calor. Aparté su mano y le di la espalda.

Me obligó a girarme.

–Mia –dijo–, te quiero. –Su voz rezumaba dolor–. Tengo miedo de perderte. Quiero sentir todo tu cuerpo. No sabemos qué nos espera. Pase lo que pase, quiero recordarte.

Al arrimarme a él, sentí la resistencia de su pene duro.

–No, Lobo; soy virgen, y no es ni el lugar ni el momento adecuados para hacerlo.

En la penumbra, su cara reflejaba una juventud inverosímil.

–Antes nunca se lo habría dicho a nadie, pero supongo que ya no importa. Nunca he estado con ninguna mujer. Vaya, que supongo que también soy virgen.

Quizá le estuviera afectando la tensión del viaje. En todo caso, no era el Lobo que conocía. Fuera del gueto, mi valeroso combatiente de las calles era vulnerable, y me di cuenta de que en muchos aspectos me necesitaba.

Le di un beso en la boca. Él me abrazó. Tenía la barba rasposa y el aliento caliente. Temblaba. Al verme desnuda, murmuró:

–Qué guapa, Mia...

¡Teníamos tan poco sitio! Fue un milagro, pero el caso es que ocurrió.

Lobo se sentó y, tras una mirada a la mancha de sangre de la sábana, bajó de la litera y se vistió. Al llegar a la puerta del camarote, se giró para mirarme. ¿Lo que vi en sus mejillas eran lágrimas?

–Ya tenemos algo que nunca olvidaremos –dije.

Cerré los ojos, y en ese momento sonó sin querer en mi cabeza la música que Mozart había puesto a don Giovanni para seducir a la inocente Zerlina.

Entramos en una zona de mesetas. Encima de los barrancos de la orilla, que parecían fiordos, una manta de robles y hayas retorcidas llevaba hacia los Cárpatos lejanos.

Era un día caluroso, más propio de agosto que de abril. Yo había subido a la cubierta. Las corvas se me pegaban a la silla por debajo de mi vestido de lana. El aire estaba tan denso y cargado que el cielo se había vaciado de pájaros, sólo quedaban nubecillas que zumbaban, compuestas por millones de insectos invisibles.

Adelantamos a una barcaza cerca de la orilla oeste. Estaba tripulada por adolescentes, desnudos de cintura para arriba, que la impulsaban mediante largos palos de madera, haciendo ondular sus espaldas y sus fuertes antebrazos. Percibí la potencia de sus músculos y casi sentí tensarse sus tendones.

En el Baluty había mirado muchas veces los pechos y estómagos desnudos de los trabajadores, imaginando que sus ojos soñolientos recorrían mi cuerpo, y ardiendo en deseos de sentir sus labios en los hombros y el cuello. ¿Dónde estaba ahora ese inquietante misterio, con su promesa de éxtasis? ¿Dónde estaba la fascinante ternura?

Oí las voces de los marineros, que le tomaban el pelo a mi marido y contaban sus conquistas. Sus risas relajadas me daban dentera, pero no tanto como las protestas de Lobo.

Traté de imaginar la indignación que habrían sentido mis padres al enterarse del bochornoso comportamiento de su hija en un vapor que navegaba por el Vístula, pero no conseguí ver sus caras. Estaban tan lejos como el paraíso.

Me levanté para acercarme a Lobo, que estaba sentado en una caja, rodeado por varios marineros.

–Estábamos tomando una copita, cariño –dijo él con voz pastosa, dando unas palmadas a la caja–. Ven, que celebraremos nuestra noche de bodas.

–Una copa. Trae una copa del comedor para la señora. ¡Venga, muévete!

Las palabras del segundo de a bordo iban dirigidas al grumete, que salió corriendo entre las carcajadas de la tripulación. ¿Podía haber algo más gracioso que una recién casada ruborizada y un recién casado achispado?

Lobo volvió a llamarme a su lado. Luego se giró hacia la tripulación.

–Vamos a sobornar al cocinero. Treinta zlotys por otra botella de su slivovitz. Y si brindáis por la novia, invita el novio.

¡Treinta zlotys! Dinero que necesitábamos para menesteres mucho más importantes.

Justo entonces, cortando mis protestas, por otra parte inútiles, se acercó una patrullera alemana, y en cuestión de segundos me quedé sola con Lobo en la cubierta, mientras los marineros salían corriendo en diversas direcciones.

Un oficial alemán solicitó subir a bordo, petición que le fue concedida. El capitán del vapor salió al puente de mando, con su reluciente uniforme blanco. Lobo me cogió por la cintura en actitud protectora.

Fingí aceptar su abrazo.

–Estás borracho –le susurré al oído–. Si nos pregunta algo, déjame hablar a mí.

Le llevé a la borda de babor, donde los marineros estaban echando un cabo a la lancha del oficial.

Lobo se aferró a la barandilla. Me pregunté qué había sido del sagaz y arrogante partisano de otros tiempos. ¿Y del joven marido jactancioso? Mientras miraba su perfil, tuve el vago deseo de que se girara y me guiñara el ojo, dispuesto a estafar veinte zlotys al enésimo canalla de la Gestapo a cambio de falsos cigarrillos, pero evitó mi mirada y apretó los puños. Temiendo que su miedo fuera tan patente que nos delatara, le apreté la mano con todas mis fuerzas y traté de sonreír.

El alemán y nuestro capitán parecían conocerse. Se dieron la mano e inspeccionaron juntos a la tripulación. Oyéndoles hablar, deduje que el capitán era un contrabandista y que el oficial lo sabía, pero como el uno hablaba en polaco y el otro en alemán no me quedaron claros sus tejemanejes. Quizá hacía varios días que habían ultimado la operación.

El alemán se refirió a nosotros con un gesto de la mano.

–¿Y éstos? ¿Quiénes son?

–Nuestra pareja de recién casados: Stephanie y Johan Pavlovski.

El capitán tuvo que repetirlo, porque se le trababa la lengua con el alemán.

–Encantada de conocerle –dije yo en alemán con una reverencia, tendiendo la mano.

–No, señora, el gusto es mío. –El oficial frunció el entrecejo y miró a Lobo a los ojos–. ¿Y usted?

–Le pido disculpas por mi esposo, señor. Casi no habla alemán, aunque lo entiende un poco.

–Entonces es polaco. ¿Eso quiere decir que es judío?

–¡No, por Dios! ¿Cómo podría casarme con un judío? La madre de Johan, que en paz descanse, era *Volksdeutsche* de pura cepa. De Warta.

–Pero usted domina perfectamente el alemán, *mein Liebchen*. ¿Significa eso que tiene ascendencia aria?

Bajé la mirada, diciéndome que la próxima vez tendría que adoptar un dialecto regional. Mi alemán era demasiado bueno.

–No, mis padres también eran polacos, pero trabajé de *au pair* en casa de un fabricante alemán de lentes ópticas.

Por su manera de mirarme, era evidente que estaba encantado con lo que veía.

–Espero que no se encuentre en el vapor de este buen amigo mío porque ha huido de su jefe...

–Le juro por Dios que no. –Metí la mano en el escote para sacar el pequeño crucifijo que había comprado meses atrás para emergencias de esa clase, y lo besé fervientemente–. El hermano de la madre de Johan tiene una granja en Ostrowiec, y siempre le había prometido a Johan que el día que quisiera trabajar en ella...

El alemán se encogió de hombros.

–¿Creen que los rusos habrán dejado algo en pie?

Lobo y yo nos miramos con los ojos muy abiertos.

–*Weiss nicht** –dije yo.

–*Weiss nicht* –repitió Lobo.

Nos quedamos callados en espera de más información. Me pregunté si era posible que los rusos estuvieran liberando las llanuras del sur. Ojalá.

–Bueno, pues ya se pueden ir. Capitán Jaslo, voy a poner rumbo a la orilla occidental. Usted haga lo mismo. ¿Le apetece que cenemos juntos, suponiendo que esté todo en orden con los permisos de desembarco y los documentos? A condición, eso sí, de que la novia nos haga de intérprete.

–Le aseguro que nada me complacería tanto, herr Kapitän –balbuceó nuestro capitán.

–Para mí también será un honor –dije yo.

–Pues nada, decidido. –El alemán volvió a mirarme–. Estoy seguro de que encontraremos intereses comunes.

La patrullera alemana atracó al lado de unas huertas de albaricoqueros y almendros. Cenamos en la cubierta. Con el telón de fondo de un coro de ruiseñores, y de las aguas salobres del Vístula lamiendo el casco, oímos las notas de *Pequeña serenata nocturna* mientras comíamos pescado fresco con verdura, como si fuera nuestro menú diario. Mi intención era guardarle un poco de comida a Lobo, escondiéndola en una servilleta o pidiéndola con franqueza, pero me avergüenza reconocer que al final me lo comí todo, y que me costó guardar la compostura para no devorarlo en un santiamén. El capitán no tuvo tantos reparos.

Aunque el sonido de los violines estuviera distorsionado por un rudimentario altavoz, Mozart me conmovió tanto como siempre. Apasionado, alegre, profundo... Daba la impresión de que los comensales –el capitán, el segundo de a bordo, yo y los propios alemanes– hacían un gran esfuerzo por olvidarlo todo y concentrarse en las cadencias y las melodías.

Nuestro anfitrión nos contó con orgullo que Alemania estaba consolidando su control del norte de Francia. Imaginé sin gran difi-

---

* No lo sé. (N. del T.)

cultad el ruido de las botas y los tanques por los adoquines. Pronto el ejército estaría en París. Mi *lycée* sería un excelente cuartel para algún general alemán, quizá el jefe de una división Panzer. Podrían tomar coñac en la biblioteca y celebrar bailes en el auditorio.

¿Y mis compañeras de clase? ¿Qué sería de ellas una vez las fábricas, despachos y castillos de sus padres hubieran sido requisados, y no quedase nada de sus obras de arte, coches, : uebles y cubertería de plata? Cierto que había cosas peores que coser botones en uniformes o vender cigarrillos en el mercado negro, pero para mis compañeras de clase sería un trabajo insoportable. A mí, en el ínterin, me habían desvirgado en el sucio camarote de un vapor. De momento, sin embargo, disponía de unas horas para volver a ser humana, aunque fuera en calidad de invitada de nuestro máximo enemigo. Nos sirvieron una galantina de carpa con crema de rábano picante, tarros de encurtidos y conservas requisados, budín de castaña y vodka dulce. Sentada delante de una mesa de teca pulida y lacada, yo no comía únicamente con el obsequioso oficial alemán y nuestro capitán polaco, sino con las velas y con Mozart.

Nuestro capitán me dio un suave codazo.

–Buenísima, la cena. Buenísima.

Lo traduje.

–Confío en que se queden un poco más como mis invitados.

–Sería un placer, pero tenemos que desembarcar en Sandomierz antes de mañana por la noche, conque si me disculpa, Kommandant...

La mirada del alemán pasó de mis labios al bigote movedizo de nuestro capitán.

–Dígale que ha subido la tarifa. Me conformo con cinco mil zlotys.

Al entender lo que le pedían, el capitán palideció.

–¡Pero si ese dinero no lo veo junto ni en un mes! Imposible. Además, aunque llevara tanto dinero a bordo, ¿cómo podría explicárselo a mis superiores?

–No proteste –gruñó el alemán–. Los polacos no discuten con oficiales del Reich, y menos cuando hacen contrabando de licores en su barco y transportan ilegalmente a personas de dudosa condición. Si se niega a pagarme, tendré derecho a reventar su carraca o mandarle fusilar. –Se giró hacia mí–. Traduzca exactamente mis palabras.

Así lo hice.

–Tiene que aceptar –le dije al capitán–. Sólo hay dos opciones: o pagar el soborno, o que nos maten a todos.

Él suspiró.

–Bueno, pues dígale a ese cerdo apestoso que se quede sus zlotys de mierda. Si quiere se los meto uno a uno por el culo a su Führer.

–El capitán polaco acepta con mucho gusto los términos que ha expuesto usted –dije en alemán–. También desea regalarle una caja de *schnaps* a título personal.

El alemán sonrió.

–O este hombre se sale de la media de los tontos polacos, o es usted una joven muy lista. Y mentirosa.

–¡No, no, señor! Le aseguro que es exactamente lo que ha dicho.

–Da igual, acepto. Guardias, llevaos a este imbécil y comprobad que no nos engañe. Si se pone desagradable, le tiráis por la borda. Habrá alguno de vosotros que sepa contar hasta cinco mil. Cinco mil, ¿me explico? Ya decía yo. –Me miró–. Ahora, querida, antes de que se marche, tomemos otra copa de coñac y sigamos escuchando a Mozart.

Palidecí.

–Es que…

Él se rió.

–No, no, tranquila, que me ha interpretado mal. No la obligaré a follar conmigo la misma noche de su boda. ¿Por quién me toma, por una especie de monstruo?

–¿Se puede saber qué demonios hacías?

Lobo cerró el camarote de un portazo.

Me encogí de hombros.

–Estás borracho, camarada.

–¿Ah, sí? Puede ser, pero no has contestado a mi pregunta. «¿Qué has estado haciendo en el otro barco?»

Le fulminé con la mirada.

–¿Esto qué es, un tribunal revolucionario? Y yo que creía que era un camarote de tres al cuarto en un vapor de mala muerte…

–El sarcasmo no te sienta bien.

–Bueno, camarada, pues me declaro culpable de haber bailado el vals con alemanes. Muchos alemanes. Primero el capitán, luego el segundo de a bordo, y luego no sé qué oficial. Es más: me he zampado su comida y me he bebido su vino.

—Confraternizando con el enemigo, vaya. —Lobo se paseaba por el diminuto camarote–. En el gueto, por algo así ejecutaban a las chicas.

—Pues ejecútame, ejecútame. ¿Cómo quieres hacerlo? ¿Asfixiándome? ¿Qué te parece el estrangulamiento? Siento no tener un garrote como Dios manda, pero en mi bolsa hay medias, y seguro que podrías...

Me golpeó sin reparar en la fuerza de la bofetada.

—Te ha gustado, ¿verdad? Tantas manos de cerdos alemanes en tu cuerpo... Seguro que cuando bailabas con ellos les dejabas que te manoscasen el culo.

Viendo su angustia, me ablandé un poco.

—¿Es que no sabes pensar? Ha sido como en la plaza Tres Cruces: te compran cigarrillos y esperan cierto grado de permisividad. Al final te acostumbras. El capitán alemán me ha metido cien zlotys en la camisola. ¿No te parece bien pagado, para un vals?

—Pero es un nazi de mierda, y tú te has divertido. Has disfrutado de cada minuto.

—¿Por qué no? La música, la comida, el vino... Nada de eso era nazi. No ha sido idea mía ir a cenar. He ido como intérprete. Y por si te consuela, no me ha gustado tener que bailar a la fuerza. —Le miré con desagrado–. Si es que los hombres sois más tontos... ¿En serio creéis que a las mujeres les gusta que las sobe cualquiera? ¿Que les pellizquen el culo y les rocen las tetas «accidentalmente»?

Se quedó callado, luchando como un gladiador contra sus propios sentimientos.

—Y ahora, no aprietes tanto los puños y apaga la luz –dije–, que estoy agotada.

12

En comparación con la palangana de nuestro camarote, donde había intentado quitarme la suciedad moral que se me había enquistado en los poros, el agua gélida del estanque fue un verdadero bálsamo. En ese momento, ni las propias catacumbas de los muertos de Sandomierz, por donde habíamos huido, me parecían peores.

Sintiendo la mirada de Lobo, me metí un poco más en el agua. Él se estaba quitando los pantalones. Ya tenia la camisa abierta hasta el ombligo.

–No entres –le advertí.

Sonrió con suficiencia.

–Lo dices en broma.

–No, lo digo en serio. Espera a que yo esté limpia. Luego te bañarás o no, que eso ya es cosa tuya, y ahora déjame en paz.

–¡Qué tonterías dices! –Se inclinó hacia el estanque, como si quisiera sacarme a la fuerza–. Hay que seguir. Faltan varios kilómetros para Mielac y debemos llegar hoy. Tendremos que viajar a la luz del día, y cada minuto que perdamos empeorará la situación. ¡Venga!

–Vete a la porra. Como metas el pie en el agua, te mato. Venga, alcánzame el peine y no me mires tanto.

Obedeció y se quedó entre las aneas, rumiando su mal humor. Yo peiné lentamente mi cabello, centímetro a centímetro, hasta quitarle todo el barro, los piojos y los nudos. Sintiendo que el frío se filtraba en mi cadera mala (la izquierda), miré mis brazos y mis piernas escuálidos. Ahora que habíamos salido sanos y salvos tanto del gueto como del vapor, me atreví a imaginarme que lo recuperaría todo: mi familia, mi música y mi propio cuerpo. Todo lo que me había sido arrebatado dos años atrás.

¿Volvería a estar sentada en el salón de nuestra casa, cantando, discutiendo con Jozef y escuchando música? ¿Oiría de nuevo las riñas de papá y las palabras de consuelo de mamá? ¿Podían borrarse los recuerdos? Litzmannstadt, Nate Kolleck, los cigarrillos, Lobo...

... cuya voz me gritaba:

–¡Mia, por amor de Dios!

–Ya salgo, ya salgo.

Salí de mala gana andando por el fondo cenagoso del estanque.

Lobo me tendía su camisa en la orilla, para que la usara de toalla, pero pasé de largo y, pisando con cuidado, llegué a un claro. Me tumbé cerca de un sauce. El sol hacía brillar las gotas de agua de mi cuerpo. Poco a poco fue volviendo el placer, una sensación tan extraña que al principio no la reconocí. Dejé que la yema de mis dedos acariciasen mis brazos y mi ingle, gozando de mi cuerpo, y de estar viva.

Una sombra tapó el sol. Vi a Lobo justo delante, con los brazos cruzados y mi camisola arrugada entre las manos. Me incorporé enfadada.

–¿Por qué me haces esto? –gruñó él, tirando la bola de ropa a mis pies.

–¿El qué?

–Tocarte aquí tumbada. Me vuelves loco de deseo, y ahora no tenemos tiempo para eso. ¡Sería peligroso entretenernos!

Me vestí deprisa, avergonzada, y abrí el hato que había dejado en la orilla.

–Mira, Lobo, he encontrado un nido en la orilla. –Se lo enseñé–. Hay tres huevos. Nuestra comida. –Hablaba con dificultad. En mis pulmones ardía una tristeza que no me dejaba respirar–. Toma –dije–, cómete dos.

–Despierta, que tenemos que irnos.

Las manos de Lobo zarandearon suavemente mis hombros. Habíamos caminado tres o cuatro horas hasta que, sintiéndome agotada, nos habíamos echado a dormir un poco. Lobo prefería viajar de noche. Era como si tuviera un reloj interior que le marcaba un plazo, mientras que a mí me daba lo mismo el momento en que llegáramos a la frontera, siempre que no nos pillaran de camino.

–Son unos ciento veinticinco kilómetros por la orilla, y en las últimas dos noches no hemos hecho más de sesenta.

Le miré con sorpresa. ¿Ciento veinticinco kilómetros?

–Creía que el barco nos había acercado a la frontera –dije–. No puede estar tan lejos.

Me miró muy serio.

–Es que no cruzaremos la frontera.

–¿Cómo que no? ¿Qué quieres decir? Creía que el plan era...

–El plan es llegar a un refugio y seguir luchando. ¡Tú, yo y centenares de los nuestros!

¡No! Me rebelé interiormente. Estaba harta de luchar y de correr, harta de refugios que no refugiaban y de planes que acababan siendo simples mentiras para engañarme.

–Yo me voy a la frontera, digas lo que digas. –Le pegué con los puños–. No aguanto más.

–Tus padres están en Auschwitz –dijo él inexpresivamente–. Auschwitz queda cerca de Cracovia. El refugio está cerca de Cracovia. Desde allí podrás llegar hasta ellos.

Era tan absurdo que estuve a punto de reírme. ¿Se había vuelto loco? ¿Por qué mentía?

–No das ni una. Mis padres y Jozef están en Treblinka. ¡Treblinka! No sabes lo que dices.

Me cogió en sus brazos y me susurró como a una niña:

–Shhh. ¿Te acuerdas de la carta de tu padre, la que le dictaron a la fuerza? Pues estaba escrita el último día que pasó en Treblinka. Bueno, que pasaron él y tu madre. Conseguí que Peter les siguiera la pista. Aunque no te lo creas, me sentía preocupado por tu familia y le pedí que averiguase cómo estaban. Les trasladaron a Auschwitz, otro campo peor que el primero, pero tuvieron suerte. La mayoría de los que iban en el mismo tren fueron exterminados. –El dolor se reflejó en su cara–. Tu padre es médico, y en Auschwitz necesitan médicos; no para los judíos sino para los alemanes, porque todos los médicos alemanes están en el frente.

Eran tantas noticias que me desbordaron. Mi cerebro era como un avispero de preguntas.

–¿Y mi madre? ¿Por qué se salvó?

Lobo se encogió de hombros.

–Ni idea. Quizá sepan que mientras ella esté viva tu padre no intentará nada raro, como equivocarse de medicamento o dejar una burbuja de aire en la jeringuilla.

–¿Y Jozef? –Habría preferido no preguntarlo.

–Es el problema. Peter no pudo averiguar nada.

El sentido de sus palabras fue como un mazazo. Se me humedecieron los ojos.

–O sea que está muerto. No me mientas, Lobo. Tengo razón, ¿verdad?

Me abrazó con más fuerza.

–No necesariamente. Nuestras fuentes no pueden preguntarlo todo. Si se pasaran de la raya nos pondrían a todos en peligro. Peter se informó sobre tus padres como un favor personal. No podía pedirle que...

–Ya lo entiendo. –Las esperanzas eran ínfimas, pero me aferré a ellas–. Cuando lleguemos al refugio, puede que me entere por mis propios medios.

Él negó con la cabeza.

–Podrías intentarlo, pero te suplico que no lo hagas.

¿Que no me informara sobre Jozef? Era como pedirle a una muerta de sed que no bebiera. Me aparté de él.

–En Auschwitz hay cuatro o cinco campos de trabajo –me explicó–. Cada uno con unos veinte mil reclusos, o el doble. El conjunto ha recibido el nombre de «zona de campos de Wartheland». Debe de estar plagado de soldados alemanes, sin contar los vigilantes y los perros. Sería un suicidio.

Desahogué toda mi rabia.

–No lo entiendo. Dices que no cruzaremos la frontera porque tenemos que seguir luchando, y yo te digo que no quiero. Entonces me cuentas que estaré cerca del campo donde están mis padres, y puede que mi hermano, pero me dices que no puedo intentar ponerme en contacto con ellos. Me has estado mintiendo desde el principio, y usando nuestro «matrimonio» como una excusa para acostarte conmigo. ¿Lo de los documentos fue idea tuya? ¿Le pediste a Peter que los falsificara para poder follar conmigo? Y ahora... –Respiré hondo para controlarme–. Si mi familia aún está viva, tengo que encontrarla. Es lo único que me queda.

Me tendió los brazos.

–Me tienes a mí.

Conque era eso. Lobo había dicho que me quería. Yo no acababa de entenderlo, pero ¿qué otro motivo podía tener su comportamiento, no ya de los últimos días, sino de los últimos meses, sino el amor? Quería tenerme a su lado. Me necesitaba. Lo que quisiera yo, lo que necesitara, carecía de importancia. Fue el día en que odié más a una persona, y eso que había recibido toda clase de maltratos.

El mero hecho de verle era una tortura. Me giré, pero él me cogió por la muñeca y me impidió salir corriendo.

–No sabes hacia dónde ir. No sabes dónde queda la frontera, ni dónde hay un refugio. Ya es bastante difícil sobrevivir los dos juntos. Sin mí estás condenada.

–¡Me da igual! –grité–. Prefiero morirme a estar contigo.

No reflejó el dolor que debí de causarle.

–La única posibilidad de volver a ver a tu familia es quedarte conmigo. Te prometo que te ayudaré. Iremos directamente a Auschwitz, pero tendrás que dejar que te guíe.

Lo dijo con serenidad. Yo, sabiendo que tenía razón, y que el amor familiar era más importante que el odio que pudiera inspirarme Lobo, asentí en silencio. Él sacó el mapa del bolsillo y lo estudió.

–Hay unas vías a diez kilómetros. Si las seguimos en vez de ir por el río, nos ahorraremos unos cincuenta. Será más peligroso, porque cerca del agua se está más protegido, pero quizá valga la pena arriesgarse.

Me observó tan fijamente que no tuve más remedio que acabar mirando sus ojos apenados.

–No sé –dije–. Decide tú.

Caminamos toda la noche y parte de la mañana. Yo le seguía como un autómata, obediente y con imágenes de Jean-Phillipe en la cabeza. Era la única manera de imaginar que me guiaba un hombre a quien quería. Lobo era fiero y decidido, carecía de ternura. Sabiendo que también estaba enfadado, no aflojé el paso ni un momento, para no darle la satisfacción de verme flaquear, a pesar de que tenía la cadera inflamada y de que cada paso provocaba un aguijonazo en mi pierna.

Lobo había optado por seguir las vías. El paisaje se volvió más agreste, y más espesos los bosques de abedules y abetos nudosos. Nos detuvimos en un pinar e hicimos turnos de vigilancia mientras el otro dormía. Al anochecer reanudamos nuestro viaje, agradeciendo que la luna nos permitiera esquivar los troncos y las ramas del suelo. Siempre caminar, y caminar... Parecíamos las únicas personas vivas del planeta.

–¿A cuánto calculas que estamos de Cracovia? –le pregunté a la mañana siguiente.

–A cinco o diez kilómetros. Con estas estribaciones del demonio es difícil saberlo.

Suspiré.

–La última vez que fui a Cracovia le pregunté a mi hermano dónde estaban los judíos. Me contó que habían huido porque no les gustaba cómo les trataban, pero también me dijo que el antisemitismo no le parecía tan grave.

–¿No se te ocurrió preguntarle por qué iba a una universidad donde los judíos tenían que sentarse en bancos separados? ¿Ni qué opinión le merecía que recibieran palizas gratuitas de sus compañeros de clase? Todo eso antes de que llegaran los nazis, Mia.

–Ya lo sé. Supongo que por alguna razón éramos inmunes. A fin de cuentas era la Universidad Jagellónica.

–Yo también tuve la tentación de ir –dijo Lobo–. Antes de la guerra, mi sueño era ser médico y salvar vidas. Me parecía muy importante tener un título de una facultad de medicina, pero cuando vi lo que pasaba opté por una escuela judía. Luego, cuando estalló la guerra, los nazis reunieron a los profesores en el patio y los ametrallaron.

–Y tú te uniste a la resistencia –dije, simpatizando con él a mi pesar.

–No tenía sentido quedarse en Cracovia. Para mí sólo es una avanzada nazi en la frontera con el Wartheland. Según Peter, está plagado de transportes alemanes. Han enviado todos los judíos a Auschwitz. Será lo que nos pasará a nosotros si nos cogen. Eso en el mejor de los casos. Y te aseguro que no es la forma de encontrar a tus padres.

–Pues entonces vayamos directamente a Aushwitz.

–¿Para qué?

–Para encontrarles. Para rescatarles.

–O para que nos encuentren a nosotros… y nos maten.

–¡Me da igual! –grité–. Tú dices que nos matarán allá donde estemos. Al menos estaré con mamá y papá.

Lobo asintió.

–Y yo contigo.

La sencillez de sus palabras me conmovió hasta lo indecible. Ahora ya no hablaba de ningún refugio. Lobo moriría conmigo, y por mí. Se me hizo un nudo tan grande en la garganta que casi no podía tragar. El ladrido lejano de un perro nos hizo adentrarnos por el bosque, que al ser tan frondoso reducía las posibilidades de que nos vieran. Lobo me animó a seguir caminando. A mediodía llegamos al fondo de un barranco y encontramos un matorral con suelo de musgo donde forcé un descanso.

–Tienes que dormir –dije–. Esta vez me toca a mí el primer turno de vigilancia. Tendrías que verte. Se te cierran los ojos.

Lobo se tumbó boca arriba con una rodilla doblada, los ojos cerrados y la respiración regular. ¡Pobre! Con toda su inteligencia y valor, vivía en un mundo infantil de blancos y negros, de indios y vaqueros, como esas ridículas películas americanas que habíamos visto alguna vez en Lodz. Pensé en lo reconfortante que debía de ser ver el mundo sin ambigüedades. Un mundo donde todos los judíos eran buenos y todos los alemanes malos, y donde era irremediable que lucharan hasta el último superviviente. Seguro que en cualquier grupo de gente había buenos y malos. ¿Qué razón podía tener Dios para elegir a los judíos entre toda la humanidad para ese favor tan especial que nos había granjeado el odio de los no judíos? Y suponiendo que sí, que nos hubiera elegido, ¿para qué? ¿Para favorecernos, o para el sufrimiento que nos estaba infligiendo? ¿Qué Dios podía ser tan cruel, incluso si en el cielo nos esperaba la redención?

Lobo se despertó a medias. Le dejé apoyar la cabeza en mi regazo y volvió a dormirse. Estaba claro que me quería. Lo había demostrado con creces, pero ¿cómo podía pensar en ser correspondido? Mujeres asediadas por la guerra, mujeres en guetos, escondidas, vendiendo tabaco en las esquinas a los nazis, poniendo trampas mortales a oficiales alemanes... ¿Cómo podían amar esas mujeres?

Le dejé dormir plácidamente en mi regazo, mientras acumulaba todo mi valor y fortaleza. Al amanecer estaríamos en la zona de campos de Auschwitz, recientemente repoblada.

Esperar a Lobo bajo la lluvia era peor que ser perseguidos por los lobos, como nos había pasado en las estribaciones de Auschwitz.

Ciñéndome mi jersey roto y mojado, me apoyé cansadamente contra un muro, debajo de un puente ferroviario bombardeado. Cada vez que oía pasos encima, sentía un desgarro tan grande que tenía miedo de gritar, aunque sólo fuera para aliviar la tensión. Hasta los lobos parecían menos amenazadores que aquel pueblo fantasma.

Las voces que oía sobre mí no eran soldados de camino al cuartel, ni oficiales de permiso, sino campesinos y trabajadores cuyo alemán desentonaba de manera extraña en aquella avanzadilla polaca. Lobo me había dicho que se habían instalado en todas partes, incluidas las iglesias, las tiendas, las casas y los restaurantes, pero así y todo la desaparición de los judíos había dejado una localidad muy escasa de habitantes.

Al oír los pasos felinos de Lobo por la orilla mojada, musité impulsivamente:

–¡Menos mal!

Apareció a mi lado, surgiendo de la lluvia, y se acurrucó temblando.

–Déjame que te caliente –le dije, cogiendo sus manos heladas y frotándolas con suavidad–. Es aquí, ¿verdad? ¿Has visto algún indicio del campo?

–Ven –susurró él.

Las torres de vigilancia que dominaban el paisaje parecían gigantes feroces. Cada una de ellas, ocupada por un soldado con una ametralladora, servía de soporte a un foco que barría el terreno, iluminando un lóbrego espectáculo. Teníamos delante dos barreras de alambradas, seguidas por una valla electrificada que zumbaba, crepitaba y, de vez en cuando, estallaba en un fogonazo violeta, señal de que un insecto había chocado con ella.

Era el perímetro de una pequeña ciudad compuesta de establos, naves de cemento y grandes almacenes sin ventanas, bañados por una intensa luz incandescente. Lejos, al otro lado de una chimenea que vomitaba humo, figuras como hormigas trajinaban en un ballet grotesco.

Nos acercamos con sigilo. Al otro lado de la valla se oyó un grito que tardó en apagarse. Se repitió varias veces, cada vez más seguidas. Era una mujer gritando de dolor. Me tapé los oídos, pero el desgarrador grito no cesaba. Luego un hombre se rió. Otro grito, un disparo y el silencio.

Ya no llovía ni hacía viento. El humo denso y negro de la chimenea formaba una nube sobre todo el campo, una bruma que al posarse en las torres de vigilancia hacía que los focos parecieran ojos de dragones. El humo nos irritaba nariz y ojos, y nos provocaba arcadas. Lobo tosió un poco y corrió por el barro hacia las colinas que teníamos detrás. Yo le seguí, mientras su silueta se hacía más pequeña y se distorsionaba por el humo hasta parecer una simple rama movida por el viento.

Le encontré al borde del bosque, a cuatro patas. Su cabeza colgaba como la de una marioneta con los hilos cortados. Había vomitado.

–Lo siento –dijo sin aliento.

–No hay nada que sentir.

Le puse una mano en la espalda. Me miró con gratitud.

–Qué humo… ¡Qué humo, por Dios! –Tenía el estómago revuelto–. Hemos hecho mal en venir. No sé cómo se me ha ocurrido. Esta tarde, al encontrar el campo, vi a un prisionero que intentaba escapar de una brigada de trabajo. Fue penoso. Le mataron a tiros antes de llegar a la primera torre, pero siguió arrastrándose hacia la valla con todas las heridas sangrando. No paró hasta que un guardia le disparó a bocajarro en la cabeza. Luego salió un *kommandant* hecho una furia y se lió a gritos con los otros trabajadores, culpándoles de haber incitado a su compañero a escaparse. Les hizo cuadrarse y pasó revista dándoles golpes con la fusta.

»Los otros parecía que envidiaran al muerto, y no me extraña. ¿Sabes de qué es el humo, Mia? ¿Sabes a qué huele? A gente quemada. No puede ser otra cosa. ¡Están quemando gente! ¡A los que no pueden trabajar!

Papá podía trabajar. Mamá también. Pero ¿y si se ponían enfermos? ¿Y si los alemanes encontraban un doctor o una cocinera mejores que ellos? ¿Y si mandaban a mis padres al crematorio por alguna infracción de poca monta? ¡Dios! ¡Dios! Estaba ciega de frustración y mareada de dolor. No había forma alguna de salvarles, ninguna manera de entrar y salir del campo. Lo que acabábamos de ver eran pruebas tangibles. La rabia me dio sed de venganza. Ahora entendía a Lobo, su obcecación y su manía de seguir luchando, y me alegré de ser su compañera. Resistiríamos y moriríamos juntos.

—No tiene sentido que nos quedemos —dijo él—. El refugio está en un suburbio de Cracovia, un sitio que se llama Katowice. Queda cerca de un café, el Monopol. Si llegamos, alguien se pondrá en contacto con nosotros. Según Peter, nos están esperando, aunque llevamos varios días de retraso. ¿Te sientes capaz de caminar toda la noche?

¿Caminar toda la noche? Con tal de tener la posibilidad de vengarme, caminaría una eternidad.

Pasada la medianoche, las colinas dieron paso a una fértil y vasta llanura. Vimos varios pueblos de engañosa placidez. ¿Cuántos cadáveres, me pregunté, se habían quemado en Auschwitz para dejar sitio a los nuevos habitantes? ¿A esa chusma de los Sudetes y Silesia? ¡Asesinos! ¡Torturadores! Esperé que el fuego del infierno quemara más, y fuera más duradero, que los que habían encendido ellos.

Al rayar el alba nos metimos en el pajar de una granja que parecía abandonada. Estábamos rodeados de ratones, que se fueron envalentonando. Hacía una noche fría para abril. Era como si el clima reflejase la frialdad del mundo, que se había vuelto oscuro y hostil. Al pensar en mis padres, vi imágenes de tal atrocidad que quise borrarlas, pero eran indelebles. Aunque me repitiera que no les matarían, porque eran necesarios, veía constantemente las nubes de humo sobre el campo, y su hedor abrasaba mi nariz.

Aparte de Lobo, todo era una fantasmagoría de transportes, estrellas de David, alambradas y focos. Cogí su mano y me la puse por debajo de la camisola, repentinamente ansiosa de que me tocara. Estaba despierto. Le oí respirar más aprisa.

Sus dedos irradiaban deseo.

–Por favor –susurré–, esta noche te necesito. Hazme el amor, Lobo. Quiero sentirte dentro.

Levanté las caderas, me quité la falda y le bajé los pantalones.

–Lobo –murmuré, abriéndome para acogerle–, sólo nosotros dos.

El roce de sus labios en mi nuca prendió fuego a mi piel. Tuve ganas de gritar, hincarle las uñas en la espalda y aferrarme a él hasta lograr tenerle en todas partes a la vez. Sus dedos acariciaron mis pechos, antes de dejar paso a su boca y buscar mis entrañas.

Me penetró y yo gemí, elevándome hacia sus embates. Necesitaba tenerle por entero, apagarle y que me apagase. Nuestros cuerpos se fundieron. Nos movimos cada vez más deprisa el uno contra el otro, el uno con el otro, hasta que sólo existió el deseo, el movimiento y la consumación.

14

Un café con leche en el café Monopol. Lo servían con trozos cristalinos de puro azúcar de remolacha, el mejor de Katowice. Nos costó un gran esfuerzo chuparlos en vez de devorarlos. Había algunas parejas de mediana edad sentadas bajo enormes parasoles como el nuestro. El borde de la terraza estaba ocupado por mujeres solas, algunas de las cuales bebían café y otras se limitaban a observar la actividad del local.

–Estás causando sensación –le dije a Lobo, haciendo que nuestras pantorrillas se tocaran por debajo de la mesa–. Eres el único hombre de menos de cuarenta años.

Estiré coquetamente las cintas que colgaban de mi pamela, pero al ver que Lobo no estaba de humor para juegos me aparté.

–Ya lo sé. Tengo la sensación de estar en un escaparate –dijo él.

Llevábamos la ropa que nos habían dado en el refugio: yo un vestido de tirantes y una pamela, y Lobo pantalones de pinzas y una camisa blanca con el cuello abierto. También nos habían dado unos zlotys, suficientes para desayunar y aparentar que el Monopol era nuestro ambiente habitual. A Lobo le habían dicho que se fingiera herido. Su cojera, de camino al Monopol, habría enorgullecido al mismísimo Lionel Barrymore.

–Tranquilo –le advertí–. Witold ya no tardará. ¿Por qué no te relajas? Ha dicho que estaba todo arreglado. Además, deberíamos pedir algo de comer. Me apetece un bocadillo.

–Tú haz lo que quieras –gruñó él–, pero yo esto de esperar no lo soporto. El Witold ese ni me gusta ni me inspira confianza.

–Al menos nos ha dado esta ropa, y dinero para un bocadillo… ¡Camarero! –Busqué uno, y me giré rápidamente hacia Lobo–. Acaba de entrar todo un grupo de calaveras –susurré–. No pongas esa cara de culpable, que nos descubrirán.

Alisé los pliegues del vestido y miré el periódico doblado que tenía al lado de mi taza. Al pie de la primera página ponía que Estados Unidos había cerrado sus consulados en Alemania. Por fin pasa algo, pensé, pero ¿por qué han tardado tanto? Dos años de tiranía alemana, no sólo en Polonia sino en todo el este de Europa. ¿Qué esperaban los americanos?

Vigilé a los soldados con un ojo, mientras leía el periódico con el otro. Había tres páginas de esquelas.

Mañana se celebrará una misa de réquiem por el alma de los difuntos. La notificación del funeral se producirá tras la llegada de las cenizas.

El breve me dejó abatida. Cenizas... Recordé las chimeneas humeantes de Auschwitz, y la peste a carne quemada. Esos muertos no tendrían esquelas ni ceremonias.

—¿Flores para la señora? —preguntó una voz—. Sin duda el caballero querrá obsequiarla con una rosa. Son de mi jardín, recién cortadas. —Era un viejo encorvado, con algunas rosas desvaídas en una cesta de mimbre.

Le indiqué que se fuera. Los soldados se habían acercado a la barra, donde pedían pintas de cerveza, a pesar de la hora. Con un nudo de rabia en la garganta, apreté el cuchillo que me había dado Witold. Lobo también tenía uno. Conque cenizas...

—Suelta el cuchillo, imbécil.

Sobresaltada, hice lo que me pedía Lobo, pero no había sido su voz. ¡El vendedor de flores!

—Sigue leyendo el periódico —susurró—. Así, muy bien. Y tú cómprame una rosa antes de que sospechen.

Lobo buscó calderilla en su bolsillo. Parecía un pájaro bajo la zarpa de un gato.

—¿Ha dicho dos o tres rosas? —preguntó el viejo, alzando la voz e inclinándose hacia el cesto para elegirlas. Me fijé en la deformidad de su columna vertebral, que daba a su pecho enclenque la forma de una ese. Me dio las flores—. Tenéis que salir de aquí —susurró con voz de hombre joven.

—No sé quién es usted —le dije—, pero le aseguro que ni mi marido ni yo tenemos nada que temer. Somos ciudadanos del Reich como Dios manda. Mi marido fue herido en el frente oriental. Tenemos los documentos en regla.

–¡Imbécil! –repitió el vendedor en voz queda–. No hay tiempo que perder. Habrá una redada dentro de cinco minutos. Os encontrarán, y por muy bien falsificados que estén los documentos, os ejecutarán. Aquí no os conoce nadie, y a los *krauts* no les gustan los desconocidos. –Tendió la mano a Lobo–. Son veinte zlotys, *mein Herr*.

Lobo le pagó con los ojos brillantes. Yo miré el café aguantando la respiración. La barra se había llenado de soldados. Me fijé en sus caras obtusas y escuché sus bromas. La mayoría ya empezaba a entonarse.

Tuve un escalofrío. Algo raro pasaba. En el gueto había visto centenares de redadas nazis, y las caras de los apostados para que no escapara nadie siempre habían reflejado la emoción del cazador. ¿Dónde estaba ahora esa energía? Los soldados del café parecían de lo más apáticos.

Una de las mesas cercanas a la nuestra estaba ocupada por un hombre barbudo que no nos quitaba ojo. Llevaba gafas de sol, y lo observaba todo moviendo la cabeza como si...

Tiré la servilleta al suelo y me levanté gritando:

–¿Y a ti quién te ha dejado entrar, cerdo polaco? No queremos tus flores podridas. –Le di un golpe con el bolso al vendedor–. ¡Camarero! ¡Oficiales! ¿Podrían sacar de la terraza a esta escoria, por favor?

Los soldados acudieron desenfundando sus pistolas. Lobo tuvo tiempo de mirarme con los ojos desorbitados, antes de verme salir del café con gran indignación. Recé para que me siguiera.

—Os han delatado –dijo Witold–. Un minuto más y os habría pillado ese tullidito *schmalzer*. Casi es un milagro que hayáis escapado. ¿Cómo os habéis dado cuenta?

Me encogí de hombros.

–En Varsovia tuvimos tanto contacto con *schmalzers* que los huelo de lejos.

–Habla por ti –dijo Lobo, riendo–. Yo no tenía duda de que te estabas suicidando.

Le apreté la mano con afecto. Nuestra aventura matinal lo había desorientado. Aunque mi acción nos hubiera salvado la vida, le costaba aceptarla. Desde su punto de vista aún éramos el ZOB del gueto: yo la subordinada y él mi superior.

–No vi ninguna alternativa. Me pareció sospechoso que no te mencionara, Witold; eso, y tu pinta de no reconocerle. Ah, por cierto, gracias por no mover ni un dedo.

–Yo estaba para controlar. Cualquier intervención mía me habría puesto en evidencia.

–A partir de ahí, me fijé en las caras de los nazis para ver qué pasaba. O eran buenísimos actores, o no sabían nada de ninguna redada. Y dudé que fueran tan buenos actores.

–Has hecho bien –dijo Witold. Se giró hacia mi amante–. Enviaré tu informe sobre Auschwitz en el siguiente correo a Varsovia. Peter estará encantado de que hayáis llegado. Hemos perdido a muchos.

Hizo una pausa para ofrecernos una bandeja de tristes galletas. Yo, que no había podido comerme el bocadillo, cogí una.

–Pero no podéis quedaros –dijo Witold–. Nos han dicho desde La Haya que es un buen momento para sacaros del Wartheland. En cuanto hayáis cenado, os llevaremos al bosque eslovaco, donde os dirán el nombre de vuestro nuevo contacto. Sabréis los nombres de los contactos al final de cada viaje. Vuestro destino es Suiza. Una vez ahí, dependerá de ti llegar a Oriente Medio, Lobo. Te comunicarán tu misión en cuanto llegues. Por lo que a ti respecta, Mia, eres libre de hacer lo que quieras. Puedes quedarte con nosotros o podemos intentar que cruces la frontera.

Lobo nunca me había dicho nada sobre Oriente Medio. Rehuyó mi mirada inquisitiva. ¿Había sido el plan desde el principio? ¿Llevarme al refugio y separarnos? ¿Protegerme, pero sólo hasta un momento dado? Por otra parte, ¿qué haría en Oriente Medio? ¿Qué misión le tenían reservada?

La idea de la separación hizo que me fallaran las rodillas, así que me senté. No llores, me dije, pero mi voluntad era impotente. Lobo se colocó a mis espaldas y me puso una mano en el hombro.

–Mia viene conmigo –le dijo a Witold.

Sentada en la parte trasera del coche, con un abrigo pesadísimo de lana, vi pasar muros de piedra iluminados por los faros. A lo largo de las carreteras llenas de baches que conducían a la frontera eslovaca, aparecían y desaparecían pueblecitos y aldeas: Rowien, Michalkowice, Praq...

El conductor del Steyr, un desconocido a quien le sentaba mal el uniforme alemán, contaba malos chistes verdes en polaco a Lobo. Me acordé del comportamiento de mi «marido» con los marineros del vapor, y de la rabia que había sentido contra él, pero ahora los chistes me parecían inocentes. ¿Qué daño hacía Lobo descansando un poco de tanta tensión?

–No se preocupe, señora –dijo el conductor–, que en el bosque no tendrán ningún problema. ¿En los Beskids? ¡Qué va! Los tenemos tan llenos de partisanos que los nazis tienen que colaborar con nosotros para salvar su asqueroso pellejo. Hasta los gitanos se pasean tranquilamente. Ya lo verá.

Gitanos y judíos. El día en que los unos y los otros pudieran vivir tranquilos, yo estaría en el paraíso.

Vimos aparecer las franjas diagonales y rojas del control fronterizo, cuya barrera, cruzada en el camino, tenía la solidez de un mondadientes. El camión frenó y eligió justo ese momento para traquetear y calarse. Un guarda se acercó y levantó la linterna para vernos las caras.

–¡Ah, eres tú, Jerzy! Veo que sigues con el servicio de transporte. ¿Esta vez a quién llevas?

Jerzy le dio al estárter, pero no consiguió meter la marcha.

«Heil Hitler», Karl –dijo–. Esta vez llevo al Führer en persona.

El guarda no lo encajó demasiado bien.

–Muy gracioso.

–No; son el doctor Heller y su mujer. El doctor viene directamente de Berlín, y le estaba contando tus experimentos de horticultura.

–Fascinantes –se apresuró a decir Lobo–. De hecho yo también me dedico un poco a la horticultura.

–¡Qué bien! ¿Le apetece venir a mi casa? He estado injertando albaricoqueros en...

–Será mejor que lo dejemos para el viaje de vuelta –dijo Jerzy–. Ahora mismo tenemos un poco prisa.

–Bueno, pues entonces los documentos, por favor.

–No los llevo encima –dijo Jerzy con calma. Lobo me cogió la mano–. El viaje del doctor Heller ha sido autorizado por el *Obersturmführer* Wolsong, de la División Panzer 323, sin tiempo para órdenes escritas. Es fundamental que el doctor Heller y su esposa...

–Las nuevas directrices de Berlín establecen claramente que no se puede cruzar la frontera sin salvoconducto en ninguna circunstancia.

–La documentación está a punto de llegar –dijo Jerzy–. La recibirás mañana mismo. Pasado mañana, como muy tarde. –Cogió algo que tenía detrás y le dio al guarda una lata del tamaño de una caja de galletas–. Regalo de Margot. ¡Cógelo, hombre! Es plumcake de manzana. No hay nadie que lo haga como Margot. Seguro que hace meses que no comes nada tan bueno. Venga, cógelo. Cuando te lo hayas acabado ya tendrás los documentos. Ahora la misión del doctor no puede encontrar ningún impedimento. Debe comunicar directamente sus averiguaciones al subsecretario del Ministerio de Salud. –El motor se puso en marcha. Jerzy hizo avanzar ligeramente el vehículo–. «Heil Hitler».

«Heil Hitler». –Karl no hizo el gesto de apartarse–. ¿Qué le digo mañana por la mañana a mi relevo?

–Yo de ti no le diría nada. Y tampoco le daría ni un trozo de pastel, al muy glotón. No sabría apreciarlo.

El guardia retrocedió con una sonrisa cómplice. Segundos después se levantó la barrera, y avanzamos por los baches de la carretera eslovaca sin pavimentar.

Guardamos un largo silencio, hasta que Lobo dijo con voz ronca:

–Gracias.

Miré hacia abajo. Lobo me había hincado las uñas hasta hacerme sangrar, pero no me dolía. Sólo sentía ganas de abrazar a aquel desconocido que se había jugado la vida por nosotros sin quejarse. Me pregunté cuántas había salvado.

El conductor volvió a tantear a sus espaldas y sacó otra lata.

–La verdad es que está muy bueno –dijo, dándomela–. Margot sabe mucho de hornos.

15

Llegamos al convento esa misma semana. La paz que me inspiraba era increíble. Habría podido quedarme toda la vida, pero era
consciente de que al cabo de dos días reemprenderíamos el viaje.
Nuestro destino final estaba cerca.

Abrí la puerta destartalada de la torre de la abadía, y subí por la
escalera con la precaución de no pisarme el hábito de monja. Sería
mi último paseo por las antiguas murallas.

Mis zapatillas de novicia pisaron escalones gastados por el
tiempo. Imaginé a miles de monjas subiendo por la misma escalera para ver amanecer sobre el paisaje montañoso del lago Constanza. ¡Al otro lado del lago estaba Suiza! Si llegábamos, allí estaríamos a salvo. Apoyada contra el granito, vi formarse las cimas y
brillar sobre las nieblas matinales, un milagro que me hizo cerrar
los ojos.

El lago, enorme, quedaba oculto por las nubes, pero el valle estaba lleno de pájaros cuyo canto me alegraba los oídos. Debajo, fuera del pequeño claustro, se estaba formando un grupo de monjas
que llegaban por el camino sinuoso de la abadía. También eran pájaros, de canto igual de dulce. Al llegar a la entrada de la iglesia, penetraban en ella silenciosamente una tras otra. Pronto, doscientas
voces entrelazarían sus líneas melódicas para entonar himnos a
Dios.

Era música en toda regla, la primera que oía en varios meses.
¡Qué ganas tuve de sumarme a ellas! Mi pieza favorita era el *kyrie*
de Ockeghem, tan inquietante en su extraño modo de subir paso a
paso por la escala tonal, saltándose una octava sólo para descender
nuevamente en una lastimera sucesión de corcheas. A pesar del
texto, tenía algo alegre, la idea de una vida sin guerra. A menos que
fuera lo que me apetecía oír a mí...

Kyrie eleison. Dios, ten piedad. Pero el Dios de los judíos no era misericordioso. Era Elohim, el iracundo. «Soy el que es.» El dios de Lodz, Varsovia y Auschwitz. Y yo no estaba dispuesta a cantarle.

Cuando sonaron las primeras notas del *kyrie*, bajé presurosa por la escalera, crucé corriendo la vetusta muralla del convento y avancé por la orilla del arroyo que lo rodeaba, salpicándome el hábito de barro. Al llegar a la esquina del establo estuve a punto de chocar con la anciana abadesa.

–Tendrías que estar en los maitines –dijo ella con severidad fingida.

–Estaba arriba, eminencia, en el mirador. Viendo amanecer.

–Te echaremos de menos, hermana Marisa. Si dependiera de la directora del coro, te ataríamos a los bancos de la iglesia.

–Y tendría que convertirme –repuse–. Es la única manera de quedarme. Lo dijo usted.

La abadesa suspiró.

–No sólo convertirte, sino hacerlo con sinceridad y un corazón pletórico de amor a Dios. De lo contrario no nos arriesgaríamos. Si nos descubrieran escondiendo a una judía, a dos judíos, nos matarían.

Negué con la cabeza.

–No puedo amar a Dios. Quiero a Lobo por lo que ha hecho por mí. Con quien tengo que estar es con él.

–Naturalmente. –Me sonrió con cariño–. Tenéis que iros.

–No sé cómo darle las gracias –dije, a punto de llorar–. Habernos concedido estos dos días, y habérselo jugado todo por nosotros durante todo este tiempo…

Ella levantó una mano.

–Las gracias dáselas a Dios, no a mí. –Miró el agua a mis espaldas–. En el lago Constanza hay patrulleras. Tú y Lobo tendréis que estar atentos. El barquero lo sabe, pero es viejo y ya no ve muy bien, sobre todo al anochecer.

Para Lobo, Suiza sólo sería una escala. Proseguiríamos el viaje hacia Saint Gall. Peter nos había dado la dirección de un luchador por la causa. Sería en su casa donde Lobo esperase el momento de ser llevado en secreto a Palestina por su nuevo contacto. Ahí dedicaría sus esfuerzos a que, una vez terminada la guerra, los judíos polacos tuvieran su propia tierra. Claro que ¿en qué ayudaría eso a Jozef, o a mis padres, o a mi tía Esther? Dudé que pudieran acostumbrarse a un nuevo país.

En suma, que yo me quedaría con Lobo, y después de la separación trataría de descubrir si mi familia aún estaba viva. En cuanto a rescatarla... ¿Cómo hacerlo por mis propios medios? Escribirles era imposible. Ni siquiera podía decirles que me encontraba bien, ni dónde estaba. Tal vez lo mejor fuera irme a Nueva York, donde vivían mis tíos; Nueva York, un lugar que me parecía tan remoto e inaccesible como el paraíso... Sin rumbo y sin Lobo a mi lado, sería totalmente vulnerable: una judía alemana de Polonia cuyo único talento, la música, no servía de nada en un mundo desgarrado por la guerra. Me quité el rosario de madera de rosal por la cabeza y se lo tendí a la abadesa.

—Consérvalo tú —dijo ella—. Te dará suerte. Te he traído ropa limpia. Esta noche, cuando os vayáis, las monjas os darán pan y queso. En el paquete habrá un cuchillo bien afilado. Podéis usarlo para cortar rebanadas de pan... o de alemanes. Quédate con Lobo hasta que os llame alguien. Sería demasiado peligroso que se dejara ver antes del anochecer. Despídete de él de mi parte, y deséale buena suerte. Puede que volváis algún día, cuando haya terminado la guerra, y podamos celebrarlo a pleno sol.

Me limité a darle un beso en la mejilla, demasiado emocionada para hablar, y me giré para disimular el llanto. Me había demostrado que en el mundo aún había gracia y bondad, pero ¿era posible que sólo existieran entre paredes? ¿Volvería a encontrarlas yo alguna vez?

Un viejo barquero nos esperaba en su casita de la playa. Lo encontramos zurziendo una red de arrastre y nos miró con nerviosismo. Luego nos llevó al embarcadero, donde tenía su lancha a motor destartalada debajo de una red. Lobo escudriñó la costa. Yo también intenté ver algo, pero el lago estaba oscuro y no se veía el rastro de ninguna embarcación. El barquero nos indicó que subiéramos a bordo y estiró la red para tapar a Lobo. Luego, con un francés sibilante, me pidió que le ayudara a achicar el bote.

Al agacharme, me di cuenta de que intentaba atisbar dentro de mi blusa, y le miré con tanto desprecio que apartó la vista, quizá avergonzado. Cogió una garrafa de vino y procedió a beber con manifiesto placer. Supuse que no era la primera vez que recurría a ella en el transcurso de la tarde. Me pidió que me sentara a su lado y al poco sentí su mano en mi pierna.

Lobo iba tumbado en el fondo, sin darse cuenta de nada. Pensé en llamarlo en polaco, pero me contuve. Pronto no habría ningún Lobo que pudiera acudir en mi rescate. Tendría que aprender a no depender de él. Por otro lado, le conocía lo suficiente para saber que habría sido una imprudencia. A pesar del uso que hacía de la razón y la lógica, ya había demostrado que cualquier amenaza a su virilidad podía desencadenar una explosión. ¿Qué habría hecho? ¿Pegarle gritos al viejo, alertando de nuestra presencia a cualquier barco? ¿Pelearse con él y clavarle el cuchillo que nos habían dado las monjas? Entonces ya no tendríamos a nadie para gobernar la lancha.

Un solo movimiento en falso podría delatarnos a cualquier *vaporetto* de la policía italiana, que nos entregaría diligentemente a los alemanes como sospechosos. La mano del barquero se desplazó hacia la cara interna de mi muslo. Aguanté la respiración.

De repente, Lobo salió de su escondrijo sacudiendo el cuerpo para quitarse la red, y la mano del barquero desapareció. Aliviada, tiré de la falda para bajarla. Estaba en la absurda situación de tener que disimular delante del único hombre que tenía permiso para subirla.

–Mírale los ojos –dijo Lobo en polaco, vigilando inquietamente la parte del lago que cruzábamos–. Seguro que ya se ha bebido la mitad de esa garrafa.

Me incorporé, intentando no caerme.

–Sí. Podríamos darle pan para que no se emborrache. Siéntate a su lado. Ya lo saco yo. ¿Te apetece un chusco?

–¡Qué va! Tengo la barriga como si me la estuviera pisando el ejército alemán. –Sorprendió mi mirada de inquietud–. No es miedo, es que me mareo. Es peor que cuando íbamos en el vapor por el Vístula.

Esa vez, lo que le había mareado había sido el vodka, pero no discutí. Lobo ya había pedido disculpas por su comportamiento, y lo había compensado de muchas maneras. Estaba perdonado.

–¡Mira! –dije–. Se ven las luces de las montañas. ¡Suiza!

–¿Contenta?

–¡Claro!

La expresión de Lobo se entristeció.

–Yo no. Qué raro.

–¡Pero significa que hemos escapado! Suiza es neutral. Podrás esperar tus instrucciones en territorio seguro.

–Sí, pero ya no estaré contigo. –Se giró para mirarme–. El tiempo que hemos pasado juntos ha sido el más feliz de mi vida. Incluso en las peores situaciones, resistiendo juntos... Mia, estoy enamorado de ti y no soporto la idea de perderte.

Una intensa emoción se apoderó de mí. No era amor ni compasión, sino una extraña mezcla de los dos. En ese momento Lobo me pareció tremendamente joven, desorientado e indefenso.

–Tranquila, que no pasa nada por que no me quieras –dijo él–. No, no protestes. Has sido mi mujer por unos días, y yo tu amante. La felicidad de haberte querido la guardaré como un tesoro hasta el día que me muera.

–Siempre había querido que el primero fuera un lobo –repuse con alegría fingida, echándole los brazos al cuello–. Sé que has intentado tratarme con dulzura y con ternura.

–Podrías acompañarme a Palestina. Podríamos empezar una vida juntos. Te cuidaría y te haría olvidar... –Dejó la frase en el aire. Sabía que eran fantasías. No hizo falta que yo dijera nada.

Me acordé de nuestro primer encuentro en la plaza Tres Cruces. Recordé su valentía, su rabia y determinación, su modo de proteger a los demás... Era joven, pero a la vez tan complicado... ¿Se daba cuenta de lo que me había hecho? Era a la vez Dios y el diablo. ¿Cómo me sentaría la separación?

La lancha se acercó a la orilla con un traqueteo del motor. Vi la silueta de un granjero en la ladera, mirándonos con curiosidad, o quizá lasitud. Me agaché instintivamente, pero Lobo me sujetó con firmeza. Debíamos evitar cualquier gesto o actitud que pudiese levantar sospechas o recelos.

La lancha se detuvo bruscamente a varios metros de la orilla. El pescador soltó unas palabrotas y empezó a gritarle instrucciones a Lobo, que se quedó mirándolo. El viejo cogió la palanca del timón y la movió a ambos lados, imprimiendo un vaivén tan pronunciado a la embarcación que nos hizo chocar con el mamparo.

Lobo fue a popa para ver qué pasaba.

–¡La hélice se ha enredado en la vegetación! Voy a intentar soltarla.

Se quitó la camisa y se lanzó al agua con nuestro cuchillo entre los dientes. El agua sólo le llegaba a la cintura. Vi que empezaba a arrancar ramas y juncos por debajo del agua, mientras el pescador le daba al motor.

–¡Apágalo, idiota! –exclamó Lobo–. ¡Que me harás picadillo!

El pescador apagó el motor, pero en ese momento oí acercarse otro mucho más potente e inquietante. Una patrullera. ¡Alemana! En su cubierta iban varios soldados uniformados.

–¡Lobo! –chillé.

Una ráfaga de ametralladora ahogó cualquier otro sonido. El pescador se desplomó junto a mí como si le hubieran cortado las piernas de un tajo. Lobo intentó correr, pero recibió un balazo en la espalda, levantó los brazos y cayó de bruces en el agua. En un segundo de locura, pensando que podía salvarle, me tiré al agua, le cogí por un brazo y le arrastré hacia la orilla, mientras recuperaba el cuchillo. Alrededor de mí, las balas agujereaban el agua. Sentí una punzada en el brazo. Oí una explosión a mi derecha y me noté la cara ensangrentada.

Respirando con dificultad, gateé arrastrando a Lobo por la orilla suiza. Los disparos sólo duraron unos segundos más. ¿Ya estaba a salvo? Intenté llenarme los pulmones, pero me faltaba el aire. Inmóvil, me dejé sumergir por una ola que no era de agua, sino de desmayo.

No estuve mucho tiempo inconsciente. Un ruido me sobresaltó, y me hizo levantar la cabeza. Lobo estaba a mi lado, vivo o muerto. Otra vez el mismo ruido. Se acercaba alguien, haciendo un sonido de succión con los pies por la arena.

–No se mueva –dijo una voz en alemán.

Me quedé quieta. Unas manos me obligaron a girarme bruscamente. Mis ojos encontraron los de un joven soldado, que me apuntaba con cara de haberme visto caer del cielo. Llevaba un uniforme. Un uniforme alemán. ¡Dios mío! ¡Estaba perdida!

–Es usted mi prisionera –dijo con voz temblorosa–. La detengo por espionaje, según la convención de Ginebra.

Tonterías. Mi derecho a estar en un país neutral, como Suiza, era el mismo que el suyo. Por desgracia se notaba que tenía miedo, y cuanto más asustado estuviera, más peligroso sería.

–Déjeme levantarme y le seguiré donde quiera –dije dócilmente–. Me entrego, aunque no haya hecho nada malo.

El soldado gruñó y me indicó con el fusil que me levantara. Al hacerlo casi se me doblaron las piernas.

–¿Quién es? –dijo, refiriéndose a Lobo.

–Mi marido. Estábamos cruzando el lago en ferry y han empezado a dispararnos. No sé si eran alemanes o suizos. Le han dado, y se ha caído por la borda. Yo le he rescatado del agua.

–¿Está vivo?

–No lo sé. –Tampoco quería saberlo. ¿Lobo muerto? Era una idea monstruosa.

El soldado le dio una patada brutal en las costillas. La fuerza del golpe sacudió el cuerpo, que no dio señales de vida.

–Por favor, déjeme comprobarlo –dije.

Quise arrodillarme, pero él me levantó.

–Ya lo hago yo. –Se agachó y palpó la cara de Lobo como si fuera él, no yo, el amante de mi esposo–. Sí, está muerto.

Aquello era demasiado obsceno. Saqué el cuchillo de mi cintura con un grito y lo hundí con todas mis fuerzas en la espalda del alemán, que se giró con los ojos muy abiertos de incredulidad. Di un paso atrás. El alemán cayó de bruces. Hacía gárgaras y le salía sangre por la boca.

Volví a gritar. Cayó sobre el cadáver de Lobo, formando una escultura inmóvil y grotesca de la que no salía ningún sonido. De hecho no se oía nada en toda la playa ni el lago, aparte del graznido de los pájaros.

Paralizada de terror, sola en el mundo, contemplé los dos cadáveres. Tenía una dirección en Saint Gall, otra en Nueva York, un cuchillo, ropa mojada y con manchas de barro y limo, una familia prisionera que podía estar muerta y un camarada muy querido que había perdido la vida. El sueño de Lobo, Palestina, ya no se haría realidad. Estaba sola.

Siempre existía la posibilidad de llegar a Saint Gall, si mis fuerzas me lo permitían. La noche se había enfriado. Caminando entraría en calor.

LIBRO II

16

—Deberías salir más —dijo tía Ceena—. ¡Estás muy pálida! Pareces de alabastro. No es normal que a una chica de tu edad no le interesen los chicos, ni la vida...

Tía Ceena. ¡Qué bien se había portado! Había venido a buscarme al aeropuerto con tío Martin y me habían llevado a su casa de Brooklyn. Gracias a ellos tenía comida, ropa y un trabajo bastante bien pagado como dependienta en su negocio de joyería (bisutería, no como la que me enseñaba mi padre en Lodz). En resumidas cuentas, que me habían acogido y hacían lo posible por tenerme contenta.

El problema es que yo no lo estaba, y que no quería salir. Sólo pensaba en mi familia, a quien había abandonado, y en Lobo, muerto en una playa del lago Constanza.

En Suiza, mi único deseo había sido sobrevivir. Había encontrado la abadía de Saint Gall, donde, aturdida y asustada, me había dejado convencer de que mi permanencia en Europa no beneficiaba a mi familia, probablemente muerta, por lo demás, sino que lo mejor era emprender el viaje a América, donde tenía familia y la oportunidad de empezar una nueva vida. El transporte corrió a cargo de un organismo de ayuda a los judíos. Ya tenía los documentos preparados. Sólo tenía que firmar y sería uno de los afortunados, de los «salvados».

Hice lo que me mandaban. Parecía que estuviera todo organizado de antemano, y que yo no pudiera negarme aunque quisiera. Durante las semanas que tardaron en ponerse en contacto con mis tíos, conseguir un permiso de entrada y reservar un pasaje en el avión, fui como humo a la deriva, como un fantasma sin peso ni sustancia que iba en la dirección que le llevara el viento.

De esa época sólo me quedan recuerdos dispersos. El aeropuerto estaba lleno de gente, pero mi tía me encontró. Era una mujer redonda y de mejillas rojas, cargada de anillos, pendientes, broches y pulseras, que se me echó encima como un águila protectora. El trayecto en coche a mi nueva casa, pasando por toda clase de tiendas, y viendo personas de todos los colores y todas las edades... El calor sofocante de la casa de Ceena –donde llegué a mediados de julio de 1941–, las ventanas luminosas y el revestimiento de madera de mi dormitorio del segundo piso... Las montañas de comida: carne, verdura, naranjas, plátanos disponible a todas horas... Agua potable del grifo, agua corriente para bañarse, el mar para nadar (el mar, al que mi nueva familia me llevó el primer fin de semana)...

Eran tantas experiencias sensoriales –de vista, oído, gusto y olor– que mi cerebro, incapaz de asimilarlas, se cerró aún más. No disfrutaba de nada. Tampoco estaba segura de que la Mia que recibía todos esos regalos tuviera algo que ver con la que había tendido una trampa mortal a un oficial alemán y se había acostado con su asesino, la Mia para quien una sola manzana valía más que todos los diamantes de papá.

Cuando vieron que la alegría de tenerme en la familia no era recíproca, y que la comida, el entusiasmo, las comodidades y el amor –sí, el amor– no podían sacarme de mi desesperación, Martin y Ceena me dejaron sola, y yo se lo agradecí inmensamente. Sabía que podría contar con ellos el día en que optara por cambiar mi viejo mundo por el nuevo, pero aún no estaba preparada, ni segura de poder estarlo. Cada noche, antes de acostarme, veía a Lobo y al soldado alemán abrazados como amantes sin vida.

Había otro problema: el idioma. Yo había aprendido un poco de inglés en el *lycée*, y Ceena y Martin hablaban polaco, evidentemente, pero cuando salía, o cuando venían visitas, casi no entendía nada, por lo deprisa que hablaban y la diferencia entre su pronunciación y la que yo conocía. Por eso insistí en que Ceena y Martin sólo me hablaran en inglés. De hecho, era cuando teníamos más contacto: expresiones básicas, frases a medias, palabras mal empleadas (ella se aguantaba la risa, pero de vez en cuando a él se le escapaba)... Una comunicación tan elemental que ni yo podía expresar mi pena, ni ellos la decepción de verme tan poco generosa y agradecida.

La verdad es que se desvivían por mí, pero en retrospectiva no es fácil comprender en qué medida podía compensarles una chica tan sosa, que nunca sonreía. A mí me sabía mal. Quería demos-

trarles que estaba agradecida, pero eso habría significado reconocer mi existencia, y tenía miedo de admitirla. Mis tíos me aceptaron
como era, al menos de puertas afuera. De hecho, el único indicio de
impaciencia fue que Ceena me incitase a salir.

–¿Salir? –dije–. ¿Adónde?

La posibilidad de que le hiciera caso sorprendió tanto a mi tía
que tardó un poco en contestar.

–Al centro judío Beth Israel de Bensonhurst. No queda lejos. Iremos mañana por la noche. Habrá gente mayor como nosotros, pero
también chicos de tu edad.

Yo ya sabía que mis tíos frecuentaban el centro en cuestión,
Ceena ya lo había mencionado alguna vez, pero no me imaginaba
cómo podía ser. Una sala llena de judíos... La última vez que había
estado en una comunidad judía era entre muros y prisioneros. Se
me pasó por la cabeza que pudieran ametrallarnos a todos.

–Bueno –dije apáticamente.

–¡Martin! –Ceena estaba contentísima–. ¡Mia dice que vendrá
mañana!

El centro judío Beth Israel me recordó la sala de Lodz donde iba papá para sus reuniones. El techo estaba lleno de racimos de globos,
como uvas gigantes, y en las mesas que rodeaban la pista de baile
había manteles de colores, pero la impresión general era gris y ano-
dina: una sala enorme con algunas ventanas polvorientas y grupos
de personas a la expectativa.

Primero sirvieron la cena: pollo kosher, guisantes, patatas y una
sustancia que Ceena llamó «Jell-O», y que me supo a pegamento
dulce. Había una veintena de mesas, cada una para ocho comensales, pero la nuestra no estaba llena. De hecho había algunas vacías.
En cuanto a chicos o chicas «de mi edad», no vi ninguno. Sólo había
gente del estilo de Martin y Ceena, con la diferencia de que nadie
llevaba tantas joyas como mi tía, y nadie se sentaba tan ufano como mi tío.

Retiraron los platos. Cinco chicos subieron a un escenario situado en el frente de la sala: un batería, un pianista, un bajista, un
trompetista y un clarinetista. Gracias a un cartel escrito a mano
que había leído en la entrada de la sala, supe que era el Paulie
Giamvalo Quintet. Lo que no sabía era cuál de los cinco era Paulie,

ni el tipo de música que tocarían; supuse que nada de mi gusto, aunque reconozco que sentí curiosidad. Al menos sería música, algo que no oía en directo desde mi llegada a América, sólo la cacofonía de las radios de Brooklyn.

Volvieron a mi mente los recuerdos de Lodz, y de lo feliz que había sido al empezar las clases de piano. La profesora les había dicho a mis padres que tenía madera de concertista. ¡Cómo estaría mi padre de orgulloso, que me había comprado el mejor piano de Europa, un Bösendorfer! En París, en el *lycée*, mi verdadero amor había sido la música. Me encantaba interpretar a los grandes compositores europeos, como Chopin, Mozart, Schubert y Beethoven. Incluso en Brooklyn, cuando estaba sola en mi habitación, soñaba con tocar en una sala majestuosa de conciertos, con todas las entradas vendidas.

El trompetista se acercó a saludar y recibió aplausos del público. Después de presentarse como Paulie G., recitó los nombres del resto de los miembros del grupo. Yo no me fijé, pero mi tía susurró «católicos» con tono de sorpresa, y mi tío se encogió de hombros. ¿Qué importaba la religión de los músicos mientras supieran tocar?

Paulie anunció el primer tema: *Chattanooga Choo Choo*. Hubo algunos aplausos. A mí el título me sonaba tan poco como si Paulie lo hubiera dicho en griego.

Empezaron a tocar. Incomprensible. Buen ritmo, una melodía a cargo del piano, que me resultó tan ajena como el título, más ruido que coherencia... No estaba mal, pero no era música. Mientras Paulie cantaba el texto, un puro galimatías, algunas personas se levantaron a bailar. Algunos lo hacían bien; la mayoría, torpemente. Yo les observaba con escaso interés.

Al final de la canción, las parejas volvieron a las mesas y Paulie al borde del escenario.

–*Beguin the Beguine* –anunció.

Otro galimatías, aunque Ceena sonrió y se levantó.

–Ésta sí que la podemos bailar –dijo, obligando a levantarse a Martin, que se hacía el remolón.

La melodía brotó del clarinete con potencia, erizándome el vello de los brazos. Era como si acabara de levantarse una brisa fresca. Volvía a estar en París, escuchando a otro clarinetista, Benny Goodman, entregada al exotismo de la música. Aquella noche había conocido a Jean-Phillipe. Era la misma música que nos había unido, aunque yo me hubiera negado a bailar: esa música americana tan rara que parecíamos ser los únicos en entender.

¡Qué buen clarinetista! Le miré, y dejé de respirar.

Era delgado, más alto que yo y aproximadamente de mi edad, o al menos me lo pareció. Estaba erguido, pero al mismo tiempo se cimbreaba al ritmo de su propia música, como si fuera una parte de su ser que se expresaba a través del clarinete. Tenía las facciones afiladas, la nariz larga, la boca fina y el pelo negro. Y ¡qué ojos! Oscuros, como el pelo, pero de un ardor y una intensidad perfectamente apreciables desde mi mesa cerca del escenario. Absorto en su música, se expresaba a través de ella, permitiendo que hablara en su lugar. Sus compañeros tocaban a su alrededor, pero estuve segura de que era un solitario, como yo, y que la música era su única compañera.

¡Entonces me miró! Capté su mirada no sólo con la vista, sino con todos los sentidos. Él se equivocó de nota y tuvo que recuperar el hilo de la melodía. Fue el único lapsus en la pureza de su interpretación. Tocaba sin descanso, mientras el resto de músicos se ajustaba a sus tempos y repeticiones. Nuestras miradas, mientras tanto, no se despegaban. Parecía que yo también estuviera confabulada con la música. Las parejas que bailaban se pararon a escuchar. Algunas sonreían. Otras ponían cara de sorpresa. Fue Paulie quien interrumpió la música con una señal de la mano. Entonces el clarinetista apartó el instrumento y me sonrió.

Al principio mi reacción fue de miedo, pero luego comprendí que lo que me asustaba era la reaparición de la vida, el deseo de estar en una sala sin ningún interés en sí misma, viendo parejas maduras que intentaban bailar, con una conciencia tan aguda y repentina de mi ser que era como si mi existencia acabara de empezar. Fue una sensación completamente nueva. Pasado el miedo, la abracé con tanto ardor que se me saltaron las lágrimas.

La gracia y la pureza de la música, su capacidad de llegar hasta las últimas fronteras de la emoción, habían vuelto a adueñarse de mi alma. No había ninguna razón para disimular, ni para negar que fuera una parte esencial de mí como persona. En esa América maravillosa, si quería cantar podía cantar, y si quería tocar podía tocar, sin que me pasara nada malo por ello. En el gueto sólo existían cantos de lamentación. Incluso en la guardería, los destinatarios de la música no eran las personas, sino Dios. Al margen de su significado, *Beguin the Beguine* había sido escrito para que la gente pudiera bailar. Para que yo pudiera bailar. En ese momento, una sola canción, un *fox-trot* escrito, como más tarde averigüé, por un americano que se llamaba Cole Porter, representó toda la música que había llegado a ser mía en la infancia. Tuve ganas de apartar al pianista del grupo para ocupar su sitio junto al clarinetista.

El grupo atacó otra canción –cuyo nombre se me pasó por alto, tan absorta estaba en mis pensamientos–, otro lance rítmico que puso en movimiento a las parejas, pero que a mí no me dijo gran cosa. Vi que el clarinetista, que intervenía poco en la canción, seguía mirándome con la misma sonrisa. No puedo decir que me enamorase de él a primera vista. Lo que me enamoró fue su música, pero él era su portador, y le quise por ello. Sonreí y levanté las manos para demostrarle que se había establecido un vínculo. En ese momento volvieron mis tíos y me preguntaron qué hacía.

–Nada, estirarme –dije.

Sí, estirar mis brazos hacia el infinito.

Después de tres canciones, Paulie anunció una pausa de veinte minutos.

–Estoy cansado –dijo Martin–. Vámonos a casa.

No era una sugerencia, sino una orden. Ceena se levantó.

–A mí me gustaría quedarme un poco más oyendo música –dije–. No hace falta que me acompañéis. Ya cogeré el autobús.

–No creo que... –empezó Ceena, pero mi tío le dio un ligero codazo y dijo:

–Pues claro. Te sentará bien.

Comprendí que había detectado mi entusiasmo, algo que hasta entonces nunca había expresado.

–Cuidado al volver –me dijo Ceena.

–Tranquila –contesté.

Les vi marcharse cogidos de la mano. Eran lo que quedaba de mi familia.

Fui al servicio de señoras con los nervios de punta, y la esperanza de que en la segunda tanda hubiera algún tema reservado para el clarinetista. Cuando volví a mi asiento –la mayoría de la gente se había quedado a hablar en las mesas–, estaba allí.

Se le veía sudado de tocar, con un mechón pegado a la frente, pero me pareció el chico más guapo del mundo. Tenía la cara más blanca de lo normal, con una piel casi traslúcida. Vi manchas doradas en los iris de sus ojos. Había dejado el clarinete en una silla del escenario. Tenía las manos metidas en los bolsillos, como si temiera no poder controlarlas. De cerca esquivó mi mirada. Su timidez me conmovió.

–Tenía miedo de que no volvieras –dijo–. Creía que te habías ido con los otros.

–Son mis tíos. Vivo en su casa, pero me han dejado quedarme.

No me preguntó por qué había querido quedarme. Tampoco se lo expliqué. Sacó la mano derecha del bolsillo y me la tendió.

–Me llamo Vinnie Sforza.

La estreché.

–Yo Marisa Levy, pero me llaman Mia.

–Mia. –Repitió el nombre como si fuera un poema.

–Me gusta cómo tocas –le dije.

Se sonrojó.

–Me alegro. Quiero ser músico.

–¡Pero si ya lo eres!

–No; quiero decir profesional. Mis padres quieren que vaya a la universidad, aunque de momento no la pueden pagar, pero yo creo que sería una pérdida de tiempo.

–¿Aquí no te pagan por tocar?

Se encogió de hombros.

–Diez dólares. Es lo que nos pagan a todos, menos a Paulie, que cobra veinte.

Había empezado a mirarme a los ojos. Fui yo, esta vez, la que los apartó por timidez.

–En mi opinión sería mejor que fueras a una escuela de música, no a la universidad –dije–. Aunque si quieres que te diga la verdad, dudo que tengas mucho que aprender. –Hice una pausa y farfullé–: Me pareces tan bueno como Benny Goodman.

Él se rió, feliz.

–Bueno, mi favorito es Artie Shaw. Para mí es mejor que Benny Goodman

¿Mejor que Goodman? ¡Qué idea tan emocionante!

–No me suena. Me encantaría oírle.

–Pero ¿has oído a Goodman?

–Sí, en París, y me gustó tanto que fui dos veces.

–¡París! –Silbó–. Tienes acento, pero no parece francés.

–No; es polaco. Nací en Lodz y estudié un año en París. –Borré de mi cabeza la imagen de Jean-Phillipe.

–Y ¿sabes música?

–Sí. Canto y toco el piano. No es que cante muy bien, pero el piano es mi pasión.

–¿En serio? –Le encantó saberlo–. Pues en la segunda parte tocamos *Stardust*.

Me reí.

–No conozco ni el texto ni la música.

–¡Pero si.es la canción más famosa que se ha escrito!

–En mi país no. En Europa la canción más famosa es *Der Lindenbaum*.

Arrugó el entrecejo.

–Suena a algo clásico.

–Sí, es de Franz Schubert, pero es preciosa.

Se animó.

–Tendrás que enseñármela algún día.

–Sólo si tú me enseñas *Stardust*.

Quedé sorprendida por mi atrevimiento. Él también puso cara de sorpresa.

–¿En serio?

Parecía su expresión favorita.

–Pues claro –repuse–. Para mí la música es lo más importante de la vida.

–¡Para mí también!

Estaba tan entusiasmado que se apoyaba en una pierna y luego en otra, como si saltara. Yo también tuve ganas de saltar.

–Sólo nos queda una tanda –dijo–. ¿Quieres que vayamos a tomar un refresco con helado cuando acabe?

–¿Qué quieres decir, que salgamos? –Acababa de aprender la palabra.

–Exacto. –Miró su reloj–. Acabaremos de tocar dentro de tres cuartos de hora, a las once. Luego te acompaño a casa.

–Vivo en Bensonhurst. Está muy lejos.

–Por mí como si vives en Alaska. Mientras me dejes invitarte a un refresco con helado...

¡Qué joven! ¡Y qué dulce!

–Vale, me parece bien. –Nunca había probado un refresco con helado.

Se giró hacia el escenario, al que empezaban a volver sus compañeros.

–Espérame. ¡Ah, y acuérdate de que cuando toque *Stardust* será para ti!

La encargada de Myers Fountain, Ida Cohen, conocía a Vinnie y respondió con un guiño a la petición de preparar «el mejor refresco con helado de chocolate para la señorita Levy». Nos sentamos frente a frente en un reservado y empezamos a hablar. A veces mis rodillas chocaban con las suyas. Era uno de los reservados del fondo, bastante íntimo. Ida le dijo a Vinnie que a ver cómo se portaba con una chica tan guapa. Él se ruborizó un poco y prometió que bien.

Me dijo que acababa de salir del instituto Erasmus Hall, y que estaba trabajando en la tienda de frutas y verduras de su tío Gino, en la avenida Gravesend, debajo del ferrocarril elevado, llevando cajas, amontonando berenjenas y llenando la heladera desde que amanecía hasta que se ponía el sol. Luego, si había algún bolo, una actuación para el grupo, podía tocar el clarinete. Su padre, peón de albañil, se ganaba bastante bien la vida. Gracias a ello Vinnie podía quedarse casi todo lo que cobraba. Por eso había podido comprarse un clarinete tan bueno, y por eso presumió de poder llevarme a un concierto de Artie Shaw.

Tenía cuatro hermanos, dos niños y dos niñas, todos menores que él y en diversos cursos del colegio. Después del tema familiar pasó al deporte, le encantaba el baloncesto, juego que yo conocía muy vagamente, al instituto (le gustaban la lengua y la historia, pero no las matemáticas, las ciencias ni el latín) y a las chicas con las que salía, a ninguna de las cuales daba mucho valor. Aún estaba esperando su primer «gran amor». A juzgar por su mirada, era posible que lo hubiera encontrado en mí.

Hablaba tanto que no me hizo falta decir nada. Mejor, porque no tenía ganas de contar mi historia. Era una asesina, y a veces me sentía viuda. Supuse que Vinnie no llegaría a acumular tanta experiencia como yo en toda su vida, pero me gustaba oírle hablar, y me gustaba que fuera tan intenso. No habría tenido que esmerarse tanto para causar buena impresión, pero me enternecieron sus esfuerzos por parecer sofisticado. Si hubiera sido una persona más refinada, es posible que no hubiera vuelto a verle.

La cuestión es que acepté su ofrecimiento de llevarme a casa, y, aunque mis tíos vivían casi a dos kilómetros, decidimos no coger el autobús, sino ir a pie, porque hacía una noche muy agradable. Mientras caminábamos me di cuenta de que le habría gustado cogerme la mano o pasarme un brazo por el hombro, lo cual me habría parecido perfecto, pero era demasiado tímido para tomar la iniciativa, y yo no hice nada para animarle.

Llegamos a casa más tarde de las doce y media. En la entrada había luz, pero en las ventanas no, señal de que mis tíos no estaban bastante preocupados por mí como para esperarme despiertos. Saqué la llave del bolso, pero no me giré hacia la puerta. Nos miramos sin saber qué hacer.

–¿Podré volver a verte? –se atrevió a decir Vinnie al cabo.

–Esperaba que lo dijeras.

–Pues quedamos en Myers mañana a las ocho. ¿Sabrás encontrarlo?

No tenía ni idea.

–Sí, descuida.

–Muy bien. –Puso cara de alivio, como si acabara de superar una prueba–. Hasta mañana.

Le vi marcharse. Parecía tan joven e inexperto que me pregunté por qué había aceptado salir con él. La respuesta no era difícil. Quizá fuera inocente, y a su manera ingenuo, pero su música tenía madurez. Lo más importante era que estaba protegido y mimado. Que era optimista. Quizá pudiera enseñarme algo de eso.

17

La americanización de Mia. ¡Qué experiencia! Vinnie me hizo empezar por las atracciones de Coney Island, donde el Tornado y el Ciclón me dieron el miedo que tenían que darme, y donde me uní a los gritos del resto de las chicas, mientras sus acompañantes varones se mantenían firmes y valientes. Vinnie me invitó a mi primer perrito caliente, mi primer batido de vainilla y mi primera y única pulsera de la suerte, adornada con caballitos y perritos. También me llevó a Manhattan, esa espléndida ciudad dentro de la ciudad, que me recordó París, aunque no fuera ni la mitad de bonita.

El teatro se convirtió en nuestra pasión. De no haber ido nunca, como era el caso de los dos, pasamos a hacerlo con frecuencia semanal. La entrada sin asiento salía a noventa centavos. Recuerdo haber visto *Life with Father*, *Arsénico por compasión* y *Mi hermana Helena*. La verdad es que no entendía ni la mitad de los chistes, porque mi inglés era el que era, pero me reía de la risa de Vinnie y compartía su alegría. Tanto como el escenario, miraba su cara, de una pureza y serenidad maravillosas. Era una cara que reflejaba con tanta claridad las emociones que me pregunté si podía sentir algo sin que se le notase. Los sentimientos más evidentes eran los que le inspiraba yo. Los expresaba con palabras y miradas. Cada día estaba más enamorado. En cuanto a mí... digamos que aún no estaba enamorada, pero que me gustaba mucho estar con Vinnie, y que mi gran ilusión eran los fines de semana (y alguna que otra noche de día laborable) que pasábamos juntos. Ceena y Martin sabían que «me estaba viendo» con alguien a quien había conocido en el centro judío Beth Israel, pero como aún no le había traído a casa (por la sencilla razón de que nunca volvíamos juntos) sólo podían imaginárselo, y advertirme de que «tuviera cuidado».

Hubo un espectáculo que fue el más importante para los dos. Se llamaba *Pal Joey*, con música de Richard Rodgers, y nos pareció extraordinario. Por fin teníamos música «nueva» que compartir, una música que parecía escrita pensando en nosotros: *Bewitched, Bothered and Bewildered*: ése era Vinnie. *If They Asked Me, I Could Write a Book*: ésa era yo, aunque no le conté el argumento*. De hecho, casi no le había dicho nada sobre mi pasado. Compramos la partitura, y una tarde preciosa de otoño, de pícnic en Prospect Park, Vinnie tocó todas las canciones. Otro día se las canté yo a él, y soñamos en formar una pareja de vodevil.

Aprendí una nueva expresión: «darse el lote». Con Vinnie lo hacíamos constantemente. Al final de nuestra segunda cita en Myers, me dio un beso de buenas noches, pero no tardamos mucho tiempo en aprovechar cualquier rincón para besarnos y tocarnos. Lo hicimos en el coche de un amigo de Vinnie; en el parque, después de oscurecer, escondidos detrás de un árbol o un arbusto; en la calle, besándonos con todo el descaro del mundo y abrazándonos tanto que parecíamos una persona gorda con dos culos. Una vez fuimos a Grand Central Station y nos despedimos con un beso, aunque no se fuera de viaje ninguno de los dos. Supongo que podríamos haber tenido relaciones en su casa o en la mía, pero sus padres, católicos practicantes, no nos habrían dejado, y en cuanto a usar la casa de mis tíos para eso, me parecía injusto.

Me encantaba el sabor de sus labios, su lengua apasionada, la sensación de sus manos en mis pechos, sus dedos dentro de mí y la presión de su pene contra mi pierna (parecía que siempre lo tuviera duro), que sólo podían aliviar mis manos. Lo que no permití fue que hiciéramos el amor, en el sentido de la penetración. Me acordaba de mi primera vez con Lobo, y quería entregarme a Vinnie poniendo mis condiciones. Él se quejaba, a veces con amargura, pero le aseguré que no tendría que esperar mucho. Con eso, y con una paja o *hand job* (¡cómo aprendía inglés!), se quedaba más tranquilo.

---

* Los títulos de estas dos canciones del musical *Pal Joey* reflejan la situación de los protagonistas: Vinnie está «fascinado, nervioso y confuso» por su amor; en cuanto a Mia, «si me lo pidieran, podría escribir un libro» sobre sus experiencias. (N. del T.)

A finales de septiembre empezó la temporada de música clásica. Vi un folleto en Myers que anunciaba una actuación de Benny Goodman tocando el concierto para clarinete de Mozart con la Filarmónica de Nueva York, y ni corta ni perezosa pedí una mañana libre al tío Martin y compré entradas en cuanto abrió la taquilla. Asientos de platea, como se merecía la ocasión.

Hasta entonces no había hablado mucho de música clásica con Vinnie, pero la echaba de menos y quise que él la conociera. Cuando le regalé la entrada no reaccionó con mucho entusiasmo.

–¿Música clásica?

–Música eterna –dije yo.

–No sé si me gustará.

–Yo tampoco, pero será cuestión de comprobarlo. –Muchas cosas dependían de la respuesta–. No te preocupes, que no morderá.

Sonrió.

–Como me muerda, te pego yo un mordisco.

–Y si te gusta, si puedes decir sinceramente y de verdad que te gusta...

–¿Qué?

Dejé la respuesta en el aire.

Fuimos el domingo por la tarde. Ninguno de los dos conocía Carnegie Hall, y nos impresionaron mucho las hileras de butacas de madera tapizadas de rojo, la altura de los techos, el silencio del público y los vestidos negros de las mujeres, elegantísimas.

–Yo aquí no podría tocar –dijo Vinnie–. Es como el campo de béisbol de Ebbets Field pero cubierto.

Sin embargo, vi que estaba impresionado.

El programa, compuesto íntegramente por obras de Mozart, empezó por la *Sinfonía Concertante* K. 364, seguida por el *Concierto para clarinete*. Después del intermedio estaba programada la *Sinfonía Júpiter*. Yo sabía que el director, Bruno Walter, era un especialista en Mozart, porque había oído discos suyos en Lodz. Fue recibido con aplausos educados pero sentidos. Mi intención había sido observar a Vinnie durante el concierto, para evaluar su reacción, pero las notas de Mozart fluyeron por mi cuerpo como un elixir de la memoria, y me vi transportada a la época en que la música había sido mi vida. Fue una extraña sensación estar sentada al lado de un chico tan amable sin oír los secos elogios de mi padre, o el análisis de la estructura melódica en boca de mi profesora de piano.

Era una obra llena de alegría pero me entristeció. Sólo miré a Vinnie al final, con el deseo –fútil, pues ¿cómo podía leer mi corazón?– de que compartiera mis sentimientos. Él miraba fijamente el escenario, del que se estaba yendo Walter, pero no supe adivinar lo que sentía. Entonces me cogió la mano y susurró:

–Muy bonito. Me gusta.

No se podía pedir más.

Walter volvió al escenario, seguido por Goodman, que ocupó su lugar al lado del podio, erguido y serio. Vinnie aplaudió hasta que le dolieron las manos. El resto del público estuvo más contenido. Me acordé de París, donde el célebre clarinetista había recibido una acogida tumultuosa. En Nueva York no hubo gritos ni silbidos. Tampoco pateó nadie. De repente tuve miedo de que sólo supiera tocar jazz y no estuviera hecho para Mozart.

¡Ni mucho menos! La primera intervención del clarinete, tocando el tema principal destinado a erigirse en el protagonista de todo el movimiento, dejó clarísimo que no se podía servir mejor a Mozart. Vinnie se inclinó y cogió con fuerza el respaldo de delante, con los ojos muy abiertos, como un niño viendo fuegos artificiales por primera vez. Ahora Goodman se movía, balanceándose al son de la música como un encantador de serpientes. No me habría extrañado ver alzarse al fantasma de Mozart delante de él. A cada nota crecía el entusiasmo de Vinnie, que también se balanceaba y respiraba al compás de Goodman, y de Mozart. Estaba interpretando con el músico del escenario. Le vi marcar las notas en el respaldo de la butaca.

Al final de la obra, aplaudimos de pie como si acabáramos de oír el frenético *King Porter Stomp*. Los más jóvenes del público gritaban con nosotros, para gran sorpresa de Goodman, que rompió su impasibilidad habitual con una sonrisa y una reverencia dirigida a nuestra zona.

Decidimos que quedarnos para la segunda parte sería estropear la emoción, y salimos a la calle.

–Ya me puedes morder –dijo Vinnie cuando estuvimos fuera.

Yo me había adelantado. Tenía un regalo sorpresa.

–He reservado una habitación de hotel. –Me miró con incredulidad. Le arrastré–. ¿Qué te creías, que lo haría en público?

La primera vez, Vinnie estuvo torpe, vacilante, inseguro y demasiado pendiente de sus propios actos para pensar en mi placer. Aun así, fui más feliz en sus brazos que en los de Lobo. Era más tierno, y también más ardiente. Disfruté con su falta de experiencia, consciente de que era su primera amante y de que podía enseñarle lo que ya sabía.

Estábamos enamorados sin vergüenza ni dudas. Yo le encontraba más guapo que nunca. No había ni un centímetro de su cuerpo que no admirase y adorase. No sé cómo se tomó que yo no fuera virgen. Quizá no lo supo, porque nunca me lo preguntó, y yo no le hablé de Lobo. De hecho sólo le conté lo estrictamente necesario sobre mi pasado.

Un pasado que ya quedaba lejos. Naturalmente que pensaba en Lodz, en mis padres y Jozef, y en los tiempos de Varsovia, y en el asesinato de la playa, pero fui capaz de expulsarlo todo de mi conciencia hasta convertirlo en un vago recuerdo, una especie de colección de fotografías tridimensionales pero remotas. Mi felicidad también hizo felices a Ceena y Martin, que en cuanto se enteraron de que volvía a tener ganas de tocar y cantar compraron un piano de segunda mano.

Cuando les presenté a Vinnie, tuvieron reservas sobre su religión —«no es que vayamos a casarnos», les dije—, pero se los ganó con su carácter abierto y su aspecto enamorado. La llegada de Vinnie hacia las siete, con el clarinete en la mano, se volvió una costumbre, como la de que tocáramos duetos hasta que mis tíos se iban a dormir. Tocábamos piezas de Rodgers, Porter y Kern, pero también de Schumann y Brahms. Aprendimos a interpretar las fantasías de Schumann para clarinete y piano, una música que nos unía tanto como hacer el amor. Nos magreábamos en casa de Martin, en unas sesiones llenas de ardor, pero el amor propiamente dicho estaba reservado a «nuestro» hotel de la calle Cincuenta y seis, al que íbamos las pocas veces en que nos los podíamos permitir.

Todavía recuerdo la primera vez que fuimos al hotel. ¡Qué cohibido estaba Vinnie! Tan nervioso que tuve que ayudarle a abrir la puerta. Cuando entramos en la habitación se limitó a quedarse plantado sin saber qué hacer. Fue el momento en que comprendí cuánto quería a aquel joven guapo y sensible que tenía tantas ganas de vivir el mundo como yo. Comprobé lo tenso que estaba al acariciarle la espalda. Yo también estaba nerviosa, llena de dudas sobre si el paso que daba era correcto.

Cuando se giró hacia mí y le vi sonreír, sentí un gran alivio. Me abrazó y me besó apasionadamente. Sentí sus labios carnosos, y pude disfrutar de su sabor. Luego empezó a desnudarme lentamente. Me pregunté de dónde sacaba la práctica. Yo estaba tan excitada que había empezado a quitarme la ropa, pero me dijo que no, que quería hacerlo él. Al final me quedé desnuda delante de Vinnie, que seguía vestido de pies a cabeza, y me acerqué para quitarle la ropa. Fue una magnífica experiencia que nunca olvidaré. No tenía nada que ver con hacer el amor improvisadamente en cualquier rincón.

Cuando ya estábamos vestidos para irnos, me hizo volver a desnudarme y lo hicimos otra vez. Por alguna razón, a pesar de su juventud, entendía el deseo femenino. Pensé en Lobo, pero me di cuenta de que las condiciones eran muy distintas. En realidad, mi primer amor era Vinnie, que siempre estaría conmigo.

Nos encantaba patinar. Vinnie me había enseñado justo después de conocernos. También nos encantaba ir en metro a las partes más lejanas de Brooklyn y el Bronx, e ir al cine, y enseñarnos mutuamente idiomas, yo era su profesora de francés, idioma que él había estudiado en el instituto, y reírnos de las excentricidades de los transeúntes, y... y... y... No se me ocurre nada que no nos encantase hacer, mientras significara estar juntos.

A finales de octubre, Vinnie llegó a casa con algo más que su entusiasmo de siempre.

–¡Paulie nos ha conseguido un bolo! –exclamó–. ¡Uno de los buenos!

Para entonces yo ya había aprendido lo que era un «bolo».

–¿Dónde?

–En casa de los Schlesinger.

Le miré sin entender.

–Sí, los Schlesinger, los que tienen la casa tan bonita en Sea Gate Point.

Sea Gate Point era una urbanización muy exclusiva al borde del mar.

–Celebran una fiesta –prosiguió Vinnie–. Su hija nos oyó tocar en un baile y le parecimos tan buenos que ha convencido a sus padres para que nos contraten. Cobraremos cien dólares por cabeza en una sola noche.

Bastante para dos noches en nuestro hotel, pensé. Él debió de tener la misma idea, porque me hizo un guiño lascivo.

–Tú también vienes –dijo.

–Pero si no estoy invitada...

–¿Y que? No pueden dejar fuera al clarinetista en el último momento. Les diremos que eres la cantante, pero que tienes laringitis.

¿Por qué no?, pensé. No haría daño a nadie, y así podría oír a Vinnie y su grupo en otro ambiente que las reuniones de los Knights of Columbus o el centro judío Beth Israel. También era una manera de ver cómo vivían los privilegiados.

–No tengo nada que ponerme –dije.

–¿Cómo que no? El vestido azul que llevaste al Carnegie Hall. Sin duda serás la más guapa...

Al menos a Vinnie se lo parecería, que era lo único que me importaba. Me decidí.

Desde la verja, la casa sólo se adivinaba. Un camino de grava en forma de herradura llevaba hasta la puerta principal. Vi setos recortados con forma de animales salvajes, estatuas de hombres y mujeres desnudos y una pista de tenis.

Paulie enseñó su invitación al vigilante, que dijo:

–Vuestra entrada está a la derecha de la cocina, antes de las casetas de baño.

En la puerta de la cocina nos esperaba una chica. Llevaba un vestido largo y muy escotado de color azul claro, que casi llegaba hasta sus pies, calzados con zapatos plateados. También llevaba un colgante con un solitario, un reloj de oro en la muñeca y una tiara de diamantes. ¿Serían de verdad? En ese caso, valían decenas de miles de dólares.

Paulie le dio la mano, muy serio. Ella sonrió al resto del grupo.

–Soy Marilyn Schlesinger –dijo, por si no lo habíamos adivinado–. Me alegro de que podáis tocar para nosotros esta noche. Poneos cómodos. Ya os avisarán cuando llegue el momento de empezar a tocar.

Lo dijo mirando a Vinnie. Se notaba que le gustaba. ¡De eso nada!, pensé en un ramalazo de celos, pero me relajé al ver que Vinnie me miraba como siempre.

Nos llevaron por el ala del servicio, después de cruzar una cocina más grande que la planta baja de la casa de mis tíos, donde diez o más criados preparaban una sucesión interminable de bandejas: pavos, jamones, verdura, quesos, almejas y ostras sobre montañas de hielo...

Ningún miembro del grupo abría la boca. Era la primera vez que veíamos algo así. Hasta Paulie se había quedado estupefacto. Su arrogancia habitual había desaparecido tras una cortina de asombro.

Después de una hora, durante la que supusimos que los invitados se lo comían todo, apareció un mayordomo para llamar al grupo. Los músicos llevaron los instrumentos al salón de baile, iluminado como el parque de atracciones al que Vinnie me había llevado hacía dos semanas. Al fondo había una barra. La parte central estaba rodeada de mesas, como en el centro judío, pero el parecido no iba más allá. Los invitados eran gente impoluta y refinada. Los hombres llevaban esmoquin, y las mujeres unos escotes que habrían satisfecho a Luis XIV, aparte de joyas como para adornar a todas las duquesas de la corte de Catalina la Grande. Olía a perfumes de Coty y Lanvin. Me senté sola en la última mesa de la derecha, con la esperanza de que no me sacaran a bailar. Lo que me preocupaba no eran mis pasos, porque bailo bien, sino tener que hablar.

El grupo empezó por su canción estrella, *Begin the Beguine*, arreglada para el lucimiento de Vinnie, pero esta vez sólo le escuché a medias. La ostentación de riqueza que me rodeaba se tradujo en unas ansias repentinas de dinero, no para mí, sino para las personas a quienes había dejado en Europa. Estaba pensando en los que pasaban hambre, en los que recibían palizas, en las mujeres que llegaban en vagones al Baluty.

Desde los primeros acordes, la sala se llenó de parejas que bailaban con movimientos llenos de gracia y naturalidad, aunque algunos hombres achispados tropezaran con los pies de sus parejas. Vi a Marilyn Schlesinger bailando con una especie de espantapájaros que la hacía girar como una muñeca mecánica. Él le dijo algo al oído y ella se apartó con mala cara. Tuve curiosidad por su relación. ¿Amorosa? No parecía probable, en vista de lo guapa que era ella y de lo feo que era él.

Paulie anunció la siguiente canción: *T'Ain't What You Do*. Busqué a Vinnie, pero había desaparecido. ¡No, estaba inclinado al borde del escenario, sonriendo y hablando con Marilyn Schlesinger! La ola de celos que me inundó fue de tal intensidad que me dejó sin respiración. Justo cuando iba a acercarme, oí una voz masculina a mis espaldas.

–¿Bailamos?

Me giré. Un individuo maduro y distinguido, con una faja roja a juego con el clavel del ojal de su esmoquin, me tendía la mano.

–Soy David Schlesinger –dijo–. Como anfitrión, me parece imperdonable que una chica tan guapa esté sentada sola.

Me fijé en sus ojos, buscando algún matiz irónico, pero me observaba con intensidad, y no tuve más remedio que levantarme.

–Gracias.

Me llevó a la pista de baile.

–¿Es amiga de Marilyn?

Me sonrojé.

–No. Soy Marisa Levy, amiga de uno de los músicos. Me dijo que no pasaba nada si lo acompañaba.

¿Le había sorprendido mi nombre? ¿Eran imaginaciones mías, o había torcido un poco la boca como si notara un regusto no muy agradable?

–¡Pues claro que no! ¿Su amigo es el caballero que está hablando con mi hija?

–Pues... sí, es él.

Fingí no haberles visto hasta entonces.

–Pues la felicito, porque es un músico excelente. Y muy guapo. A Marilyn parece caerle muy bien. –Me hizo un guiño–. Le aconsejo no perderle de vista, Marisa.

No pude vigilarles, porque en ese momento el señor Schlesinger empezó a bailar conmigo con pericia pero sin inspiración, como un pianista que toca las notas sin atender a los matices.

–Sígame –dijo–. Vamos a ver qué se traen entre manos.

Nos acercamos bailando. Vinnie nos miró con unos ojos como platos. Marilyn puso una mano en el brazo de su padre, interrumpiendo nuestro baile.

–Te presento a Vincent Sforza –dijo–. Salúdale. Dice que vendrá a tocar a todos nuestros bailes y fiestas.

¡Vincent! Nunca le había oído llamarse así, ni siquiera el día de conocernos. ¿Por quién se hacía pasar? ¿Por alguien de ese mundo? Tuve ganas de reír, pero la amenaza de Marilyn parecía demasiado seria.

En ese momento terminó la canción.

–Tengo que ir a tocar –dijo Vinnie, claramente aliviado por poder escapar de una situación tensa.

–Claro, claro –dijo el señor Schlesinger–. Marilyn, me debes el siguiente baile. Encantado de conocerla, señorita Levy.

Padre e hija se alejaron. Me quedé delante del escenario, sofocada y con la sensación de estar haciendo el ridículo.

Volví a mi asiento y esperé el intermedio. Vinnie llegó presuroso, pero le di la espalda.

–Ah –dijo–, no te preocupes por Marilyn. En serio, cariño. Ya sabes que mi chica eres tú.

Pues no, no lo sabía. Sólo sabía que me sentía desplazada, rodeada de gente que, si no había destruido a los míos, había dado la espalda ciegamente a nuestros sufrimientos. Con Vinnie nunca había hablado de religión; no tenía ni idea de si le importaba que fuera judía, pero ahora me importaba a mí. Lo miré con una pizca de resentimiento.

–Demuéstralo –le dije–. Vámonos.

Retrocedió un paso.

–No puedo. Tengo que tocar hasta el final. Si no, no me pagan.

–Entonces demuéstralo cuando hayas terminado.

–¿Cómo?

¡A ver si tenía que deletreárselo!

–Usa la imaginación.

Tocaron hasta las dos de la madrugada: una canción tras otra, hasta que se les acabó el repertorio y empezaron de nuevo por el principio. Corrían las copas, los bailarines se desinhibían y la sala se llenó de risas estridentes y exclamaciones. Yo permanecí todo el rato en mi mesa del rincón, con una sensación de abandono. Durante las pausas hablaba con Vinnie, pero sin entusiasmo. Lo único que me alegraba era que Marilyn Schlesinger estuviera ocupada con otros invitados y otras parejas de baile. Yo no pintaba nada. Era una chica de la plaza Tres Cruces de Cracovia que en ese ambiente sólo merecía desprecio y falta de atención. Si mis tíos me habían acogido en su casa, era por deber, no porque fuera su hija. Hasta dudé que me regañaran por pasar la noche fuera.

Finalmente, obedeciendo a una señal de Marilyn, las luces del salón parpadearon, los músicos tocaron *Good Night Ladies* antes de guardar los instrumentos, y los invitados empezaron a marcharse. Vinnie vino presuroso. Dejé de compadecerme.

–Vámonos –dijo con urgencia–. Ya le he dicho a Paulie que no volveremos con ellos.

Antes de que pudiéramos dar un paso apareció el señor Schlesinger y con un brazo rodeó los hombros de Vinnie. Su otro brazo enlazaba la cintura de una mujer aristocrática y canosa, sin duda su mujer.

–Tiene que venir a tocar sólo para nosotros –le dijo a Vinnie–. A la señora Schlesinger y a mí nos gustaría mucho.

Pensé que a Marilyn también, y me pregunté si era la promotora de la invitación.

–Por supuesto que sí –dijo Vinnie, apartándose del señor Schlesinger. Le dio la mano. Luego cogió la mía y sentí su calor–. Pero ahora nos tenemos que ir.

Prescindiendo de la buena educación, me arrastró hacia la puerta de servicio. Pasamos corriendo al lado de las farolas de la entrada y las antorchas casi consumidas, entre la piscina y la pista de tenis, y al llegar al bosquecillo encontramos un espacio bastante grande para hacer el amor. Lo hicimos como si el sexo fuera comida y nosotros estuviéramos famélicos.

A la mañana siguiente, al llegar a casa, encontré a mis tíos esperándome, llorosos. Me dieron una postal con fecha de hacía dos meses, enviada por Peter desde Varsovia. No había noticias de Jozef y papá. Se podía interpretar como que aún estaban vivos. De quien sí las había era de mamá: había muerto en el campo.

El sentimiento de culpa y el arrepentimiento cayeron con toda su fuerza sobre mí. ¡La había traicionado! En vez de intentar salvarla, había usado la red clandestina en mi provecho, egoístamente, para salvar mi propio pellejo. Había saltado desde Suiza a América sin mirar atrás. Y le había dado mi corazón a un encanto de muchacho, en vez de dárselo a la mujer que se lo merecía.

Quizá pudiera compensarlo parcialmente con mi padre y mi hermano. Estaba segura de que seguían vivos, y si había alguna manera de salvarlos la pondría en práctica. En cuanto a Vinnie, podía esperar a que los hubiera encontrado y rescatado.

Así eran las fantasías que rondaban por mi cabeza como retazos de sueños, pero ninguna respondía a la gran pregunta: ¿cómo?

Lloraba y lloraba. Estaba con Vinnie en «nuestro» hotel, pero lo único que hacía era llorar. Al final le conté todo lo de mis padres y mi hermano, del Baluty y del gueto, y de Lobo. Lo único que me guardé fue el asesinato de Egon y el verdadero alcance de mi relación con Lobo. No lo habría entendido. De hecho, no estoy muy segura de que en aquella habitación americana tan bonita, donde estábamos solos, a salvo, cómodos y bien alimentados, lo entendiera yo misma.

—El gueto es algo que no te puedes imaginar —le conté—. Peste, enfermedades, hambre... Hambre a todas horas. Han rebajado a la gente por debajo del nivel de los animales. Hasta por debajo de los *shaygetz*. ¿Sabes lo que quiere decir, Vinnie? ¿No? Piojos.

Él me miraba compasivamente, pero sin entenderlo.

—¿Por qué viven en un sitio así?

—Porque no les dejan salir. Si lo intentaran, los alemanes les matarían, por no decir sus propios compatriotas.

—¿Por qué? ¿Qué han hecho?

—¿Hacer? No han hecho nada. Son judíos. —Escupí la palabra como si se tratara de una maldición, aborreciéndome por ser judía y vivir tan a mis anchas, mientras mi familia, mi familia de verdad... La espita de las lágrimas se abrió de nuevo.

Vinnie me abrazó hasta que dejé de llorar.

—Dame un beso —dije.

Lo hizo con pasión y ternura. Me dejé consolar.

Al otro lado de la noche estaba Polonia.

En el fondo daba igual que Vinnie no pudiera entender la situación de los judíos, ni explicar que sus padres nunca me hubieran invitado a su casa, o que el señor Schlesinger me hubiera mirado con tanto desagrado en la fiesta. Lo importante era que él estaba incondicionalmente de mi lado, que sufría conmigo y que me consolaba por la muerte de mi madre, pero que, si se lo pedía, también sabía dejarme a solas con mi dolor.

Cuando le pregunté si le importaba que fuera judía, dijo:

—No sé qué quiere decir «judía». Sé que eres Mia, y que te quiero.

¡Cómo le quise los días que siguieron! Con todo el corazón y toda el alma, con cada centímetro de mi cuerpo. Gracias a la recomendación de los Schlesinger, el grupo de Paulie cobraba cada vez más, y Vinnie empezó a decir que ahorraría bastante para formar su propio trío, a menos que entrase en alguna *big band* como la de Glenn Miller o Tommy Dorsey, como clarinetista estrella. Me aseguró que en cuanto tuviera el futuro despejado nos casaríamos. Mientras tanto seguiríamos como hasta entonces, con una entrega y un amor absolutos.

Su adoración borró una parte del dolor por la muerte de mi madre. Mamá, papá y Jozef se habían vuelto figuras distantes, figuras muy queridas pero que formaban parte de un pasado lejano y de un país remoto. Al mismo tiempo que sufría pensando en ellos, estaba contenta con mi nueva felicidad. En algunos momentos tenía la sensación de que me volvería loca. Mi amor y mi dolor estaban íntimamente entrelazados.

Un domingo por la tarde, Vinnie vino a buscarme para ir al cine, a la primera sesión, y como llegaba pronto para variar, nos sentamos en el salón con Martin, mientras Ceena iba a la cocina a preparar café. Me acuerdo de la luz de la sala, muy intensa para ser invierno, y del olor del pastel de canela que estaba calentando Ceena para acompañar el café. Mientras Vinnie, que nunca acababa de estar del todo cómodo con mi tío, hablaba de lo que sería 1942 para los Dodgers (que para desespero de sus seguidores acababan de perder las series mundiales contra los odiados Yankees), sonó el teléfono. Lo cogió mi tía. Después de un silencio, oímos un grito en la cocina. Ella salió corriendo con los ojos como platos y la cara muy pálida.

–Era la señora Landman. ¡Dice que los japoneses nos han atacado!

Martin se levantó y le puso un brazo en la espalda temblorosa.

–¿Dónde?

–En Hawai. Un sitio que se llama Pearl algo.

–¿Hawai? ¿Estás segura? ¿No será que han vuelto a ver un submarino alemán?

Encendió la radio y profirió un insulto contra la estática, pero la voz del locutor se oía claramente.

«...Harbor. Repetimos: esto no es ningún simulacro. La Casa Blanca ha informado que siete barcos de la Armada anclados en Pearl Harbor, Hawai, han sido hundidos por la aviación japonesa esta mañana a las seis en punto.»

–¡Dios mío! –dijo Martin–. ¡La guerra!

Ceena soltó un gritito y se giró hacia nosotros.

–Ganaremos –dijo Vinnie–. No se preocupe, señora Levy.

Le miré. Tenía la cara enrojecida, y una actitud de gran resolución.

–No entiendes lo que significa –le dije.

Se volvió hacia mí.

–Pues claro que lo entiendo: que los borraremos del mapa. ¡Hay que ver! ¡Qué desfachatez!

Su ingenuidad me partió el corazón.

–No, Vinnie –dije–. Significa que vuelvo.

18

Yo sabía que Estados Unidos se incorporaría a la lucha en Europa. Sabía que mis oraciones en Polonia, sublimadas más tarde en un amor americano, serían atendidas, y que en ese combate yo tendría que participar. Si el desenlace era victorioso, comportaría la salvación de los judíos, la apertura de los campos y, en el mejor de los casos, la supervivencia de papá y de Jozef.

Martin me permitió abandonar el trabajo en su negocio. Encontré un empleo en el Rockefeller Center, concretamente en la Oficina de Información de Guerra, nombre pomposo de un organismo federal que se ocupaba de la propaganda doméstica y de captar a las personas de ambos sexos que quedaban al margen del reclutamiento. Mi tarea consistía en traducir cartas interceptadas a civiles de lengua no inglesa y analizar fotos para identificar nombres de calles, monumentos e instituciones de la zona de Poznán y Varsovia. Me aburría como una ostra, pero estaba contenta de aportar mi granito de arena, y trabajaba todo lo que me dejaban mis jefes. Era lo máximo que podía hacer para contribuir al esfuerzo de guerra. Por otro lado, albergaba la esperanza de que me sirviera para encontrar una manera de regresar a Polonia.

Trabajaba hasta muy tarde, a veces después de medianoche, y solía llegar a casa demasiado agotada para ver a Vinnie, que en nuestros pocos encuentros me miraba con reproche. No se lo podía echar en cara.

Estaba claro que tarde o temprano le reclutarían. Lo que no sabíamos era cuándo. Tampoco había manera de enterarse. Sabía tocar un instrumento, pero eso no lo eximiría. Glenn Miller estaba a punto de irse al extranjero para levantar la moral de las tropas. Con competidores de ese calibre, ¿qué podía hacer un clarinetista de tres al cuarto? No, seguro que lo reclutarían y lo enviarían al frente. Más carne de cañón.

Teniendo en cuenta lo tensos que estábamos los dos, era inevitable que nos peleáramos: pequeños altercados sobre fines de semana mal aprovechados, falta de atención, lugares adonde ir... Pero también peleas más serias sobre mi frialdad en la cama. Estaba demasiado cansada, y pensaba en demasiadas cosas, para tener ganas de hacer el amor. Lo que habría querido era que el hombre de quien estaba enamorada lo entendiese.

Una noche me llamó a la oficina para decirme que tenía trabajo y que no podríamos vernos hasta el sábado.

–¿Ah sí? ¿Dónde tocas?

Hizo una pausa y contestó:

–En casa de los Schlesinger. Han organizado un baile para recaudar fondos en apoyo de las tropas.

No me preguntó si quería venir.

–¿Estás aquí, Mia? –dijo una voz, haciendo crujir el intercomunicador–. ¿Podrías preparar un poco de café? Ha venido Thornton Wilder a repasar un material.

Café. ¿Ya he dicho que era una de mis tareas? Se me daba bastante mal, pero a nadie parecía importarle mucho.

–Ahora mismo, Bob.

Me levanté, contenta de poder desperezarme.

Cuando entré, Robert Sherwood estaba sentado delante de un hombre y le leía algo. Yo sabía que Sherwood escribía obras de teatro, pero no había visto ninguna. Como muchos de sus colegas, trabajaba a jornada parcial para la Oficina de Información de Guerra. Contribuían con su tiempo y su talento a los artículos que mandábamos a revistas y periódicos de todo el país para dar ánimos a los lectores.

–Escucha, escucha esto –dijo–: «Jeremy Paddington es un niño muy valiente. Mientras su padre está en el mar del Norte, arriesgando la vida en la lucha contra los hunos, Jeremy y su madre lo ponen todo de su parte para contribuir a la victoria aliada. El ciego avance de las botas de clavos jamás podrá aplastar el orgulloso espíritu de lo mejor que tiene Inglaterra: el ciudadano de a pie.» No sé... –Se le apagó la voz–. ¿Qué te parece?

–¿Sinceramente? –preguntó Wilder.

También escribía obras de teatro. Vinnie y yo habíamos visto una, *Nuestra ciudad*, a su paso por Brooklyn.

–Claro.

–Me parece cargar un poco las tintas.

Sherwood resopló.

–Es que es propaganda, Thornton, no Broadway.

–Pero ¿no debería ir dirigido a los americanos, como mínimo?

–Sí, eso ya lo cambiaré, pero he leído tantas chorradas inglesas que me ha parecido más fácil empezar copiándolas, al menos para la primera redacción.

–De acuerdo –dijo tranquilamente Wilder–, déjame una o dos horas para pensar y te digo si puedo mejorarlo.

Encendió un cigarrillo Lucky Strike y aceptó el café que le serví.

Volví a mi escritorio y a mi fajo de cartas. ¡Qué manera de perder el tiempo!, pensé. Me habían prometido que cuando terminase con la montaña de correo me asignarían un trabajo más útil, pero la bandeja de cartas pendientes crecía día a día, y yo me pasaba más de sesenta horas semanales mirando fotos de turistas, tías solteras rechonchas y sospechosos de colaborar con los alemanes. Por lo general eran cartas chismosas o vengativas que no servían de nada. Luego escribía a máquina tarjetas de doce centímetros por dieciocho, con cinco copias al carbón por ficha, y las guardaba en cajas para que pudieran estudiarlas los «expertos en inteligencia». Me dolían tanto los dedos como en el Baluty.

Me preguntaba por qué América no conseguía más voluntarios, si Alemania no perdía ni un segundo en poner a trabajar a los polacos sometidos. ¿Por qué no venía nadie a liberarme del tedio? ¿Por qué no podían asignarme un trabajo interesante, que me diera la oportunidad de volver a mi país?

De todos modos, la moral de los que trabajaban conmigo era muy alta. Yo era la única impaciente y triste. Estábamos luchando contra los japos y los nazis, y el gobierno no pagaba mal. Tampoco teníamos horarios rígidos, ni supervisores respirando en nuestra nuca. Trabajábamos hombro con hombro con propagandistas del calibre de Thornton Wilder y Stephen Vincent Benét. ¿Cómo no iban a estar contentos? Ellos no tenían parientes en los campos.

Pero yo no había coqueteado, suplicado y mentido para conformarme con un trabajo así. ¿A qué venía acribillarme con preguntas sobre la resistencia judía en Varsovia, si luego me metían en un despacho? Me habían hecho tres entrevistas, y les había contado la introducción clandestina de armas en el gueto y el asesinato de Egon Hildebrand como si hubieran sido ideas mías. Cuanto más descabelladas eran mis mentiras, más me animaban a participar en la liberación de Auschwitz, una misión por la que estaba dispuesta a matar. Sin embargo, al final me habían exiliado a aquella madriguera de cubículos grises de la división de propaganda, donde necesitaban una secretaria polaca.

Tenía sobre el escritorio un cartel con una oreja gigantesca y rosada, bajo un signo de interrogación rojo como la sangre: «Shhh. El enemigo escucha.» Sonó el teléfono. Lo cogí con precaución. El enemigo podía oír al señor Sherwood pidiéndome que le trajera otro paquete de Lucky Strike.

–¿Mia? Soy Vinnie.

Me llevé una sorpresa. Casi nunca me llamaba al trabajo.

–¿Pasa algo?

–¿Algo? ¡La repera!

–¿La qué?

–Algo muy bueno. Genial. De hecho no podría ser mejor. Vengo de una entrevista de trabajo, y tengo un notición. ¿Ya has comido?

–No, no suelo salir a comer. Hay demasiado trabajo.

–¿No podrías dejarles que hagan solos la guerra durante una hora?

La verdad es que me apetecía salir a la luz del sol y ver a mi amor.

–Quedamos delante de la estatua de Atlas.

–Vale.

Le dije al señor Sherwood que salía, y saqué la polvera del bolso. La cara del espejo irradiaba alegría.

Me apoyé contra el muro de granito para mirar la enorme estatua de Atlas, con la rodilla en el suelo y el mundo en los hombros. No parecía una carga muy pesada. Su rostro era frío, desprovisto de emoción. Me imaginé con gran dolor de corazón las críticas de Jozef a la estatua. Mi hermano el criticón…

Me lo imaginé prisionero en Auschwitz, demacrado y débil. ¿Le habrían salido canas en el pelo rubio? ¿Tendría las manos nudosas y llenas de callos? A los americanos no les importaba la suerte de los prisioneros, ni siquiera con los partes diarios que llegaban del frente europeo. Sin pesadillas que les refrescaran la memoria, estaban cayendo en la apatía.

No puedo seguir pensando en él, me dije. Saqué del bolso una pequeña biografía de Franz Liszt en francés, regalo de Vinnie por San Valentín. Seguro que si me encontraba leyendo su regalo me miraba con mejores ojos.

Me arreglé la bufanda de lana, y aparté algunos mechones de mi cara. Mi estómago gruñó por la promesa de los dulces que Vinnie solía traerme.

Una sombra cayó sobre las páginas del libro. Miré hacia arriba, fingiéndome molesta y esperando ver a Vinnie, pero era un militar, un capitán alto y delgado cuyos ojos quedaban ocultos por la sombra de la visera.

–Veo que lee en francés. ¿También sabe escribirlo?

Busqué a Vinnie entre la multitud, pero el capitán me tapaba la visión.

–Sí, he estudiado en París. Si me disculpa, he quedado con un amigo.

–Lo siento, señorita Levy, pero tendrá que esperar. Soy el capitán Howard. Bob me ha dicho que la encontraría aquí. Tengo un taxi aguardando. Nos espera el coronel Bickwith.

¿Quiénes eran Howard y Bickwith?

–Lo siento, capitán –dije fríamente–, pero el que tendrá que esperar es usted. He quedado con alguien.

Contestó en voz baja:

–El coronel Bickwith quiere más información sobre sus actividades en Polonia, y lo que vio en Auschwitz. Eso no se puede comentar aquí. Necesitamos personal con sus conocimientos para la sección extranjera, en el centro. Mañana le extenderemos un pase.

¿Eran mis deseos hechos realidad, o un simple traslado para seguir con el papeleo? Probablemente lo segundo, aunque sentí un hormigueo de entusiasmo. ¿Sería la oportunidad de salir del país y empezar a buscar a papá y Jozef? El capitán me ofreció su brazo, pero yo le seguí sin cogerlo. Busqué frenéticamente a Vinnie entre la borrosa sucesión de oficinistas. Aún estaba a tiempo de aparecer y recibir explicaciones.

–No se preocupe –dijo el capitán Howard, abriendo la puerta de un taxi–. Si tiene algo de americano, lo entenderá.

El coronel Bickwith era un hombre moreno y pulcro que no se andaba por las ramas. Explicó que trabajaba para una división del Departamento de Inteligencia, y sus preguntas fueron breves e incisivas. ¿Cuándo había salido de Polonia? ¿Cómo había escapado? ¿Cuál era el verdadero nombre de quien se hacía llamar Lobo? ¿Dónde estaba? «Muerto», contesté, aguantándome las lágrimas. ¿Qué habíamos visto en Auschwitz? ¿Por qué tenía tantas ganas de trabajar en algo relacionado con un lugar tan espantoso? ¿Estaba dispuesta a volver a Polonia en caso de necesidad?

Yo respondí con toda franqueza, sin disimular el ansia que sentía. Bickwith debió de llevarse una buena impresión, porque dijo que me presentara al día siguiente en su despacho, y que ya se encargaría de gestionar mi traslado con Sherwood.

Salí eufórica y lo primero que hice fue buscar un teléfono. Al oír mi voz, el tono de Vinnie se endureció.

–Perdóname, por favor –le supliqué–. No ha sido culpa mía. Llegabas con retraso, y el capitán no ha querido esperar. Tenía órdenes de llevarme al centro. Ya verás cuando te lo cuente, Vinnie...

–¿El capitán? ¿De qué hablas? ¿Adónde has ido?

–A una reunión. Me han encargado una misión especial.

–Y ¿cómo querías que lo supiera? Me has dejado plantado. –Hizo una pausa–. En fin, da igual. Total, ya no nos vemos nunca. Este asco de guerra...

–¿Qué quieres decir, que no quieres verme?

De repente se me enfriaron los brazos.

–Claro que quiero.

–¡Tengo tanto miedo de perderte!

Miedo, sí. ¿Y si me enviaban a Europa? Era mi máximo deseo, pero ¿sería para siempre? ¿Y Vinnie? ¿Estaba dispuesto a esperar?

–Dices que no te han dejado elegir.

–Es verdad, y ahora tengo miedo de que me odies. No podría soportarlo.

–¿Esta noche estás libre?

–Sí. –Podía ser mi última noche libre, pero no se lo diría hasta estar segura.

–Pues quedamos en la avenida Parkside. A las ocho en el Circle.

–Vale –dije, pero sólo podría acudir si Bickwith no me daba otras órdenes. Intenté tranquilizarme, pensando que quizá no me las diera. ¿Qué me tenía reservado?

Encontré a Vinnie esperándome. Me abrazó como si se estuviera ahogando y yo fuera un salvavidas.

–¿Adónde vamos? –pregunté, tras despegar nuestros cuerpos y nuestras bocas.

–Al punto más alto de Brooklyn.

Se refería a Lookout Mountain, en Prospect Park. Era donde habíamos pasado muchas tardes de domingo del último verano, viendo remar a la gente en el lago y oyendo tocar a la Goldman Band. Esta vez seguro que no habría nadie, porque estábamos en marzo.

–Me he olvidado de traer una manta, pero hace calor –dijo él–. He pensado que podríamos sentarnos a hablar en la colina.

En realidad hacía un poco de frío, pero no le di importancia.

–Por mí encantada.

Seguimos los senderos que llevaban a la cumbre en un silencio plácido. Yo nunca había conocido a nadie que estuviera tan cómodo sin decir nada como Vinnie, a pesar de toda su vivacidad y entusiasmo. Tampoco había nadie que respetase tanto mi silencio. Cuando estuvimos sentados, me cogí las rodillas y él me dio un masaje en los hombros. Las luces de Brooklyn titilaban a lo lejos. Me trajeron recuerdos del *lycée*, de conciertos, cafés y amigos de otros tiempos.

–Echas de menos el pasado, ¿eh? –preguntó al darse cuenta de mi estado de ánimo.

–Queda todo tan lejos... Pero es inevitable que me acuerde. Durante una época fue maravilloso. Claro que si me hubiera quedado en París no te conocería, ¿verdad? –Suspiré con melancolía–. ¿Cómo se valoran esas cosas?

Me dio un beso en la nuca.

–Me recuerdas a mí cuando estaba en París –dije.

–¿En qué sentido?

–Quería ser concertista de piano. Era tan ambiciosa como tú.

–¿Y ahora?

–Sigo teniendo ganas de tocar, pero dudo que pueda.

Me puso de frente y me tocó las mejillas, mojadas por las lágrimas.

–¿Qué te pasa? –preguntó.

La tristeza de mi corazón tenía dimensiones oceánicas.

–Somos tan diferentes... Tú tienes una vida segura. No sabes lo que es sufrir. Si necesitas a alguien, tienes a tus padres en casa. Te espera el sol, y a mí las sombras.

Por su manera de mirarme, supe que no lo entendía. Busqué las palabras más indicadas.

–¡Eres... tan americano!

Él rió.

–No es mi culpa.

–¡No, amor mío, si no es ninguna crítica! Me encanta que seas joven, que seas americano, que seas tú...

Nos abrazamos, con mi cabeza en su pecho y mi cuerpo arropado en su calor.

–No me dejes nunca –susurré–. Nunca. Esté donde esté, aunque sea muy lejos, prométeme que seguirás conmigo.

–Pues claro –dijo él dulcemente–. Eres mi amor. Mi vida. Dentro de poco, cuando tenga dinero, nos casaremos.

No le llevé la contraria, aun sabiendo que ese «poco» era demasiado.

–Tengo trabajo –dijo–. En la empresa del señor Schlesinger. Es lo que quería decirte a la hora de comer. Un sueldo fijo. Lo ahorraré todo. ¡Podremos casarnos el año que viene!

–No, el año que viene no. Cuando se acabe la guerra. Cuando vuelva.

Se apartó para mirarme.

–¿Se puede saber adónde vas?

–A Europa. Polonia.

–¿Cuándo?

Más que una pregunta, fue un aullido.

–No estoy segura, pero pronto. Es mi nueva misión. Por eso no hemos podido comer juntos. Lo había pedido, lo había suplicado de rodillas, pero ahora que ha llegado el momento... –Me eché en sus brazos–. ¡Ahora que ha llegado el momento, no sé si podré soportarlo!

Me llevó a un bosquecito con más oscuridad e intimidad. Nos tendimos en la hierba y nos dimos mil besos, mientras yo le acariciaba el pelo y sus manos iniciaban la exploración habitual. No pudimos esperar a desnudarnos. Nos devoramos mutuamente con una pasión ardorosa; y por última vez fuimos un solo ser.

Al día siguiente, el coronel Bickwith me dijo que iría a Inglaterra y después a París. Yo hablaba polaco, alemán, francés e inglés. Eso no tenía precio. Una vez en París, me integraría en un ejército invisible, el de la resistencia. No podía decirle a nadie adónde iba. Por lo que respectaba a mis tíos, el coronel les diría que el gobierno me había asignado una misión especial.

LIBRO III

19

—¡Levántate! ¡Deprisa! —dijo una voz bronca.

La luz de una bombilla desnuda hirió mis ojos desde el techo. Sentí un regusto de bilis. Unas manos brutales me arrancaron la manta, me estiraron el camisón y me despertaron a bofetada limpia.

Protesté en inglés y alemán, mientras trataba de orientarme. Mi último recuerdo era un campo de las Midlands por donde iba al encuentro de mis camaradas Roger y Poincaré, los otros dos miembros de nuestro pelotón de tres. De repente se habían acercado dos soldados con uniforme alemán —a quienes había estado a punto de preguntar si querían cigarrillos— y me habían atacado sin avisar. Mientras uno de los dos me sujetaba, el otro me había tapado la boca con un trapo empapado en éter. Luego se había puesto todo negro. Ahora estaba en una habitación llena de mugre, impotente y prisionera. ¿Quiénes eran los soldados? ¿Cómo habían esquivado a la patrulla inglesa? ¿Cómo me habían encontrado? ¿Cómo sabían que era su enemiga?

Los que me habían despertado eran los mismos.

—Coge el abrigo y no intentes nada raro —dijo el más viejo—. Kurt está tan dispuesto a interrogarte como a rajarte desde el coño al cuello. ¿Me explico?

Asentí con la cabeza y cogí mi abrigo, que alguien, en un exceso de pulcritud, había colgado en el perchero del rincón. Al lado de la cama había una mesa con mi monedero. También lo cogí, temiendo que lo hubieran abierto, y tuve escalofríos al pensar en la moneda de chocolate rellena de cianuro que había dentro.

—¡Muévete! —dijo el más viejo de los dos alemanes—. A ver cuánto tarda Kurt en hacerte cantar.

«Me llamo Odette LeClerc. Padre: Paul, granjero. Madre: Noe Trinkmann, alsaciana. Tengo veintiún años y soy de un pueblo de las afueras de Estrasburgo. Empleada de verdulería. Vine a Inglaterra hace unos meses a buscar trabajo.»

Fue lo único que les conté, a pesar de los gritos del alemán más viejo y las amenazas del más joven. No sabrían que trabajaba para el gobierno británico, ni que mi nombre en clave, elegido por mí misma, era Ruiseñor.

Mi entrenamiento en las Midlands sólo había durado una semana, pero había sido agotador. Sólo éramos cuatro, tres hombres y yo. Al principio me miraban de manera rara. Claro, al verme tan joven y delgada, con tan poca fuerza... Pero luego me habían aceptado lentamente. Antes de la guerra, yo nunca había usado pistolas ni cuchillos. Pensé en lo que habrían pensado mis padres. La primera vez que disparé con pistola tuve la sensación de haberme roto la muñeca. Cuando usé un fusil, el culatazo casi me sacó el hombro. Aprendí rápidamente a usar ambas cosas. En cuanto al cuchillo, era un arma que me traía malos recuerdos, pero bastó acordarme de por qué estaba ahí, jugándome la vida, para aprender deprisa. Era una modalidad de autodefensa tan antigua como excitante, en la que destaqué más que en ninguna otra.

La sala de interrogatorio estaba poco iluminada. Me habían atado las muñecas y los tobillos a una silla de madera con el respaldo recto. Dos focos me iluminaban la cara. El martilleo de mis sienes era tan fuerte que tuve miedo de que me explotara la cabeza. De momento no me habían infligido ningún dolor físico. Cuando lo hicieran se demostraría si tenía aguante. Conocían a Roger y Poincaré. ¿También estaban prisioneros? ¿Me habían delatado? ¿Sería inútil toda mi resistencia?

–Tenemos un experto en interrogatorios –dijo el soldado más viejo–. Voy a buscarle.

Su sonrisa cruel reflejó que le encantaba la idea. Salió y cerró la puerta. Kurt también parecía impaciente por que empezase el siguiente nivel del interrogatorio.

«Piensa en Auschwitz –me dije–. Piensa en el Baluty. No puedes ceder ante los nazis, al menos mientras haya alguna posibilidad de liberar los campos y encontrar a papá y Jozef.»

La puerta chirrió. Giré la cabeza para no ver la cara de mi torturador.

–Magnífico, magnífico –dijo la voz del coronel Will Johnston–. Muy, pero que muy satisfactorio. Ha habido un momento en que he creído que te vendrías abajo y delatarías a Poincaré.

¡Todo era un montaje! ¡Me habían puesto a prueba! En ese momento, si hubiera tenido las manos libres, le habría sacado los ojos a Johnston. Estaba furiosa, sobre todo con mis reclutadores americanos, que me habían entregado a sus homólogos británicos con el argumento de que podía ser más útil en sus operaciones.

–No he delatado a nadie –dije con los labios secos y agrietados.

–En efecto. Lamento haber dudado de ti, pero teníamos que asegurarnos.

–¿Qué lamenta? ¿El éter? ¿Arrancarme la ropa? ¿Pegarme un susto de muerte?

Se encogió de hombros.

–Teníamos que asegurarnos de que no te derrumbarías.

–Y ¿por eso me han drogado y me han hecho secuestrar por soldados nazis?

Kurt hizo una reverencia.

–De nazis poco. Soy Ted Shaw.

–Y yo –dijo el más viejo, que había entrado detrás de Johnston– Maurice Alexander.

Al verles tan contentos de sí mismos, se me pasó la rabia. Pensé que la prueba tenía su razón de ser. A fin de cuentas, cuando acabara mi entrenamiento y tuviéramos que valernos solos en territorio ocupado, necesitarían a una persona con una fortaleza a toda prueba, por si no tenía tiempo de ingerir el cianuro.

Johnston despidió a mis «secuestradores» y me desató.

–De verdad que lo siento –dijo–. Si te consuela, a Roger y Poincaré les hemos hecho la misma jugarreta y también han aguantado el tipo.

Mejor, ya que teníamos que trabajar en equipo…

–Nuestra situación ha empeorado –dijo Johnston, acercando una silla–. Los alemanes han descifrado el código que usábamos en París. Madeleine, la madame de un burdel de la ciudad, es una de nuestras mejores fuentes de información. Tiene entre su clientela a algunos de los oficiales de mayor rango del ejército alemán, pero su «caligrafía» no concuerda con nuestros archivos. Los alemanes llevan varios meses, puede que hasta tres, enviándonos mensajes engañosos a través del transmisor de Madeleine.

Sentí enfriarse mis mejillas. ¿Habría algún agente en manos de la Gestapo por culpa del transmisor de Madeleine?

–¿Está seguro de que robaron sus códigos? –pregunté.

–O los robaron o se los dio alguien. De lo que estoy seguro es de que no fue Madeleine. Si fuera una traidora, sabría que la cogeríamos.

–¿Entonces quién? Y ¿por qué me lo cuenta?

–Porque serás quien nos lo diga. Estamos siendo traicionados por un miembro de la sección francesa. A estas alturas, es posible que conozcan los nombres de la mitad de los agentes de la Operación Esfinge. Nuestra situación es delicada. Mañana por la noche habrá un Lysander esperando en la pista para llevaros a los tres a Francia. No sé dónde, pero cerca de París.

El corazón me dio un vuelco.

–Pero si aún no he aprendido del todo a transmitir…

–El encargado de las transmisiones será Poincaré. Roger hará de coordinador con los demás contactos. Tu misión será obtener información. Si consigues descubrir quién nos ha traicionado, perfecto, pero también necesitamos datos sobre el armamento y el personal alemanes. Estáis autorizados para prescindir de la sección de París. Transmitiréis directamente a Londres.

Poincaré: un hombrecillo empalagoso, con ojos de comadreja y acento irreconocible, que no me merecía la menor confianza. Roger era otro enigma. No sabía si era americano o británico, pero me parecía casi demasiado competente y seguro de sí mismo.

–¿Se fía de ellos? –pregunté.

–Ni más ni menos que de ti. No porque os considere posibles traidores, desde luego. Es que no estoy seguro de que estéis bastante entrenados. Claro que casi no me fío ni de mi perro cuando no lleva correa… Cuando despegue el Lizzie, ya no podré hacer nada. Por eso te pido que pienses en la posibilidad de renunciar. No es demasiado tarde, Odette. Tampoco tiene nada de vergonzoso. Una mujer con tus conocimientos de idiomas puede ser útil a los aliados de muchísimas maneras. Muerta no nos servirás de nada. Piénsalo. Comprendo que todos tenemos nuestras razones para luchar en esta guerra, pero…

–No, no en la guerra, sino contra los nazis. Si supiera lo que nos han hecho a mi familia y a mí, también subiría al avión.

–Lo sé todo –dijo él–, y me doy cuenta de que ir a Francia es otro paso en la búsqueda de tu familia, pero es posible que te pidan cosas que te repugnarán. No es como estar aquí en casa, practicando puntería. Matar es fácil, Odette. La gente se acostumbra. Un cuchillo entre las costillas, una aorta seccionada, un objeto punzante entre la primera vértebra y el cráneo... Crea adicción.

Si las costillas y los cuellos eran nazis, no era una mala adicción.

–¿De qué tiene miedo? ¿De que sea demasiado impresionable? En ese sentido no creo que tenga que preocuparse. –A Egon no podría haberle matado, eso era verdad, pero sólo porque le conocía y me caía bien. En cambio Lobo no había vacilado. Muerto él, me convertiría en su versión femenina–. No pienso cambiar de idea –dije.

–Pues ya está todo dicho.

Johnston me dio una foto grande y de grano grueso. Era de un alemán que miraba la cámara con arrogancia. Podría haber estado apoyado en el capó del Talbot de su padre, esperando a alguna de mis compañeras de clase en el patio del *lycée*. Sus facciones tenían la delicadeza y el afeminamiento propios de la aristocracia, y su boca sonreía despectivamente. En el colegio, los hombres de su tipo ya me habían inspirado antipatía. No tendría ningún reparo en matarle.

–Franz Jozef Behrenson, bautizado así en honor del emperador austríaco –dijo Johnston, que no pensaba precisamente en matarle–. Vas a hacerte muy amiga de él.

–¿En qué sentido? –salté–. ¿Tendré que llevármelo a la cama?

Johnston se encogió de hombros.

–¿Ya han organizado nuestro encuentro?

–No, pero es un hombre, y tú una mujer muy atractiva. Ya se te ocurrirá alguna manera.

–¿Y si no le interesa?

–¿Qué quieres decir, que sea de la otra acera? Te aseguro que no.

–¿Por qué lo han elegido a él? –pregunté.

–Porque necesitamos información, y Behrenson está en París como miembro de la inteligencia militar, asignado al mando del ejército occidental de Von Rundstedt. Podría llevarte hasta el traidor de nuestra sección francesa, pero lo más importante es que necesitamos información sobre una nueva arma que, según Hitler, aniquilará Inglaterra de la noche a la mañana. Tu principal misión será actuar como correo al servicio de la Resistencia, de la que recibirás todas las órdenes. Pero Behrenson... –Hizo una pausa–. Behrenson es nuestro objetivo principal. Tendrás que encontrar tiempo para seducirle.

Estaba hipnotizada por la foto. Pensé que quizá pudiera acostarme con él acordándome de mi familia. Aun así, me daba repelús.

–Pero si no sé nada de armas... Habrá algún ingeniero, digo yo...

Claro que si era una manera de acercarme a mi padre y Jozef, me sentía capaz de todo.

–Lo que buscamos no es información técnica sino geográfica, y todos los nombres y direcciones posibles. Tenemos motivos para creer que algunos componentes del arma en cuestión se están fabricando en Polonia, en una fábrica cerca de Auschwitz.

Entonces mi consentimiento ya no estaba en duda. Y Johnston lo sabía.

–¿Me enviarán a la fábrica?

–Nosotros no, pero los alemanes puede que sí. El propio Behrenson, sin ir más lejos. Eso ya depende de ti. Antes de partir recibirás instrucciones del capitán Czweniakowski. Te explicará la mejor manera de llegar a París, y lo que probablemente encuentres por el camino. Ahora bien, una vez estés en suelo francés, ya no sabremos nada de ti. Tu dossier personal desaparecerá del archivo. Tendrás prohibido escribir, ponerte en contacto con tus amigos... Todo menos ser Odette LeClerc, una chica que simpatiza con los alemanes y a quien le gustan los oficiales con buena planta.

Tuve la impresión de que Johnston se encogía, eludiendo mis ojos, y que miraba nerviosamente la foto del alemán. ¿Qué esperaba? ¿Quedaba algo por decir? Se levantó.

–Es todo.

Tendió su mano. Yo me levanté, hice un saludo militar y se la estreché.

Johnston me estrechó entre sus brazos.

–Cuídate mucho, por favor –dijo, abrazándome con fuerza.

Como si no esperara volver a verme, pensé. Como si me enviara a la muerte.

Esa noche escribí una larga carta a Vinnie, consciente de que no me dejarían enviarla; vaya, que en el fondo me la escribí a mí misma, para recordarme que aún podía querer, y que el amor existía al otro lado del océano. Debía de estar muy dolido por mi desaparición, pero quizá le encontrara esperándome a mi regreso. Eso si no se lo tragaba la guerra, que era lo más probable. Desahogué mis sentimientos, expresando lo más hondo de mi corazón. Las aspiraciones de Vinnie eran propias de un mundo sensato: familia, música y amor. Lo mismo que quería yo, y que durante un tiempo había tenido. Vinnie aún no había visto la cara del mal, ni había sentido en su nuca el fétido aliento de la humillación. No había visto lo que lleva a la gente a suplicar la muerte. Yo sí, y me aferraría a la vida hasta haberle sacado todo el jugo a la venganza.

Acabé la carta con un simple «te quiero». Luego salí y la quemé, sin soltarla hasta que el fuego me rozó los dedos.

Me cerré bien el cuello y bebí el último sorbo de chocolate caliente. Delante, la cabina estaba sembrada de lucecitas amarillas, verdes y rojas. Fuera, donde un aire gélido corría por las alas, todo era negro.

Faltaba poco para que nos lanzaran a los tres a la zona de Brie, donde nos esperaban nuestras respectivas misiones. Nos habían dicho que la visibilidad era inferior a dos kilómetros.

Dejé de buscar con la mirada el triángulo de focos que identificaría al comité de recepción de la Operación Esfinge. Roger, nuestro jefe, que iba sentado a mi lado, me ofreció un cigarrillo. Lo rechacé. Él se encendió uno protegiendo la cerilla con la mano, y tosió.

–Gauloises. ¡Caray! Son como para arrancarte la garganta.

–Pues acostúmbrate –le dije–, que en París no hay Benson and Hedges.

Poincaré, el otro camarada, iba arrodillado en un rincón. Me había caído mal desde el principio. No tenía la sensación de poder fiarme de él en ninguna circunstancia. Parecía una serpiente enroscada y a punto de atacar.

Los motores aminoraron. El Lysander inclinó su morro y se hundió en la capa de nubes. Al ver las luces del fuselaje, todo mi entusiasmo se convirtió en miedo. En los entrenamientos en Inglaterra había sido una paracaidista de primera, pero estábamos en Francia, un territorio sembrado de peligros, como se había ocupado de explicarnos el capitán Czweniakowski.

Aprovechando que era polaco, yo le había preguntado por la zona de campos de Auschwitz, y su respuesta no me había tranquilizado mucho. Czweniakowski conocía la existencia de la fábrica de Buna, donde era posible que estuviera fabricándose la nueva arma. También sabía que había transmisores ocultos, depósitos secretos y movimiento de tropas alemanas entrando y saliendo de la zona. Lo único que desconocía era la situación de los judíos dentro del campo. No había sabido responder a mis preguntas sobre su número y localización. Según él, vivían separados de los demás reclusos y no habían podido organizar ninguna resistencia, pero en el fondo los judíos le eran indiferentes. Lo que quería era salvar a la madre patria.

La puerta se abrió, dejando entrar una ráfaga de aire gélido.

–¡Ya falta poco! –gritó Roger por encima del ruido de las hélices–. Lástima que no se vea un carajo.

Justo cuando iba a contestar, vi que Henri Poincaré se guardaba algo brillante en el bolsillo lateral del mono.

–¡Poincaré tiene algo en el bolsillo! –exclamé.

La reacción de Roger fue inmediata.

–¿Qué coño es?

Poincaré se encogió de hombros.

–Nada especial. Un recuerdo.

Hablaba con unas eses muy sibilantes.

–¡Qué recuerdo ni qué cojones! ¿Qué quieres, que nos maten? Nunca me he fiado de ti, Poincaré, y esto no me hará cambiar de idea. Tienes dos segundos para enseñarlo, o...

Poincaré lo fulminó con la mirada.

–Vete a la mierda.

Roger se abalanzó sobre él. Al segundo siguiente apareció un estilete en la mano de Poincaré. Roger se apartó, con el cuchillo a pocos centímetros de la yugular.

–Tranquilo –dijo Poincaré. Se sacó el objeto brillante del bolsillo: era un cable de antena que formaba un bucle con cuentas blancas–. ¿Ves como no es nada? Un rosario –dijo amargamente–. Tenía miedo, ¿vale? Con algo tenía que consolarme. ¡Y ahora suéltame, joder, y vete preparando para el salto!

Roger miró las cuentas con desconfianza.

–Perdona. Hay que extremar las precauciones. Es mi trabajo. No me guardes rencor.

Le tendió la mano, pero Poincaré no quiso estrechársela.

Yo estaba perpleja por lo ocurrido. Notaba algo raro, pero no tuve tiempo de pensar, porque el piloto ya estaba haciendo las últimas maniobras. Roger se puso en cuclillas al lado de la puerta del fuselaje, que hacía un ruido ensordecedor.

–¡Ahora!

El supervisor le lanzó de cabeza al vacío.

Al ver saltar a Poincaré, supe que era mi turno y el corazón me palpitó. ¿Por qué no se veía ninguna luz? Parecía un bosque demasiado llano. No era el paisaje de Brie que recordaba de una excursión con el *lycée*. Por desgracia ya era demasiado tarde para retroceder. Una mano me empujó por la espalda, ayudándome a obedecer las órdenes de mi cerebro en contra de la última negativa de mis músculos. Fui succionada por un chorro de aire mientras veía subir y desaparecer el avión.

Me revolví en la oscuridad. El suelo se acercaba peligrosamente. ¡Estaba cayendo demasiado deprisa! Al tirar de la anilla del paracaídas, sentí un tirón que me tranquilizó. La lona se abrió entre mi cuerpo y la noche. Al sentirme impulsada hacia arriba, reí como una loca. Finalmente mis pies chocaron contra el suelo y caí rodando. La tierra y el cielo se mezclaron. Noté un sabor de barro. Me levanté de un salto para quitarme el paracaídas.

–*Vous avez vu un cheval gris, mademoiselle?* –preguntó una voz en la noche.

–*Non. Le cheval est noir* –contesté yo.

Silencio.

Monté la pala y empecé a excavar tierra y raíces, mientras buscaba a mis compañeros en la oscuridad. No podían estar muy lejos, pero no se veía ni oía nada. Plegué el paracaídas y lo tiré al hoyo, junto con el mono. Al levantarme sentí una punzada en la pierna derecha pero aplané la tierra removida sin hacerle caso.

Eché un vistazo al terreno brumoso donde había aterrizado. ¡Césped! Vi siluetas de álamos en la distancia. No había caído en el bosque, sino en plena civilización. Distinguí gradualmente la forma de una casa grande. También oí voces.

Asustada, me arrastré hacia unos arbustos. Detrás se oía ruido de agua. Al mojarme la cabeza en el riachuelo, la adrenalina disipó mi confusión. Me lavé manos y cara. Luego fui hacia la casa bordeando un jardín. La persona que había pronunciado la contraseña ya no estaba. Me había quedado sola.

Voces. En francés y en alemán. Al acercarme a una verja, vi varias limusinas negras estacionadas alrededor de un camino de acceso muy grande, en forma de herradura. Por dentro, la casa estaba muy iluminada. Un coche cruzó la verja y se acercó. Me escondí entre los arbustos, aguantando la respiración.

Las puertas del coche se abrieron. Oí la voz de un soldado alemán borracho. Luego bajaron otros dos y caminaron hacia mí. ¿Me habían visto? ¿Moriría o caería prisionera a los pocos minutos del principio de mi misión?

Mis dedos abrieron el cierre de un bolsillo. Busqué la moneda de cianuro, más decepcionada que asustada. Los pasos se interrumpieron. Oí el ruido de un chorro de pipí sobre el borboteo del agua, cerca, en los arbustos.

—¡Por la gloriosa unión francoaria! —gritó un soldado.

—Por el culo de nuestra anfitriona —dijo el otro.

—Cállate, burro —dijo el primero—. ¿Y si nos oyen?

—Pues depende del sexo que sean. O nos las tiramos, o les pegamos un tiro.

Volvieron al coche, que avanzó lentamente hacia la fachada de la casa. Todo volvía a estar en silencio. Me había quedado sola entre la vegetación.

Tonta, me dije. Debería haber aceptado la propuesta de Johnston de quedarme en Inglaterra. Me horrorizaba volver a estar cerca de los nazis. Seguían teniendo el mismo poder. Podían destruirme, como a mi familia. La idea de que hubiera algún modo de luchar contra ellos era una locura.

No tenía ni idea de dónde estaba. ¿Y Roger y Poincaré? ¿Habían aterrizado cerca? ¿Y si los franceses nos habían delatado a la Gestapo? Saber la contraseña no significaba nada. Podía averiguarse con torturas. ¿A qué distancia estaba París? Quizá lo mejor fuera esconderme unos días en el bosque y presentarme en el refugio de emergencia de París. Suponiendo que llegara, claro...

Oí arrancar dos motores seguidos. Lo que estaba ocurriendo dentro de la casa llegaba a su fin. Reconocí el olor de mi propio miedo. Con los nervios al límite, me agazapé entre los arbustos y me arrastré como un animal herido.

—Vinnie —susurré—. Oh, Vinnie...

Sabía que no volvería a verlo. Mia Levy ya no existía.

Había esperado demasiado. Ya despuntaba el sol. Si nos habían delatado, los alemanes me estarían persiguiendo, y seguro que estaban por toda la región.

Respiré hondo, crucé la verja y salí corriendo a una carretera bastante ancha, donde no había nadie. Detrás de la hilera de casas oscuras titilaban varias luces. Era evidente que había aterrizado en una zona suburbana, cuya joya era la mansión.

Seguí caminando, muy atenta a cualquier ruido de procedencia humana. Iba como me había enseñado Lobo, deprisa y con la mirada en el suelo, girando la cabeza para que no se me viera bien la cara. Encontré un poste con letreros en alemán que indicaban media docena de direcciones, pero no tuve tiempo de leerlos porque justo entonces me iluminaron la cara unos focos, como los ojos de un gato, y mi adrenalina se disparó. Un coche frenó y esperó. Me agaché para atarme un zapato, mientras miraba de reojo la carretera por donde había venido. El coche me adelantó.

Aparecieron otras luces. Pasó rugiendo un camión. Dominando el miedo, reanudé mi camino. Mi destino era el refugio de París, donde podría incorporarme a la organización. Pero ¿por dónde se iba a París? Un camión me adelantó y frenó a pocos metros.

–¡Eh, tú! –exclamó el conductor.

No tuve más remedio que pararme.

Era un soldado de la Wehrmacht, pero con cara de buena persona. Otro camión frenó detrás. Luego otro. Era un convoy.

–Vamos a París –dijo él–. ¿Te llevamos?

–Gracias –dije. Disimulando el nerviosismo, me monté al lado del conductor. Los soldados de la parte trasera silbaron y aplaudieron. Al menos en la cabina sólo había uno. Cuando acercó la mano a la palanca de marchas, justo al lado de mi muslo, me sobresalté, pero sólo quería cambiar de marcha. Arrancamos. Me dije que sólo era un sargento. Había vendido cigarrillos a sus camaradas en la plaza Tres Cruces.

–¿Hablas alemán? –preguntó.

–Sólo un poco, monsieur.

–Pues intentaré hablar en francés. Es un idioma muy bonito. Me conviene practicarlo.

Se fijó en mis labios amoratados, y en mi blusa rota, y su expresión adquirió un matiz compasivo, pero sin el componente protector que me había sido tan útil cuando iba de colegiala.

Sonreí, crucé los brazos y me enrosqué el pelo en un dedo con gesto de falsa timidez.

–¿Lleva mucho tiempo en Francia? –pregunté.

–Muy poco. París es una ciudad fantástica, con tanto que hacer y que ver... ¡Mierda! ¿Qué pasa? Otro control. Si es que no te dejan ni respirar. Cada vez que meas tienes que hacerlo por triplicado. No te rías, no, que es verdad. Yo aquí en mi camioneta, con una chica guapa, y... Cuando lleguemos al control, será mejor que te agaches. Escóndete bajo mi chaqueta. Si ven tus moratones tendría problemas.

Me agaché debajo del salpicadero. Noté que el camión frenaba.

–¿Ocurre algo, jefe? –preguntó el sargento por la ventanilla.

–No hablo alemán –dijo el vigilante–. Pero usted entiende el francés, ¿no?

O sea que era un control francés. Tuve la tentación de saltar a la carretera y entregarme al vigilante, pero seguro que era un colaboracionista y que me entregaría a la Gestapo.

–No, no lo entiendo, capullo. Toma, mis documentos. Tengo órdenes de ir al Hôtel de Ville.

–Estamos buscando...

–Me importa una mierda. Tenemos prisa. –Se asomó para girarse y gritarle al siguiente conductor–: Le he dado una copia de nuestras órdenes. Voy a concederle un minuto para que nos deje pasar. Si se pone tonto le hacemos un culo nuevo. Por tentativa de obstrucción a un convoy de la Wehrmacht.

La bravuconada del sargento tuvo su efecto. El vigilante selló los papeles y nos dejó pasar.

–Ya puedes salir –dijo el sargento.

Me incorporé con cuidado y volví a sentarme. Había conseguido saltarme el control, pero ¿qué buscaban, o a quién? ¿A mí? ¿A Roger y Poincaré? ¿Era posible que el alambre que usaba Poincaré como rosario fuera un dispositivo emisor de alguna clase? Me encogí en el asiento, más asustada que nunca.

Empezamos a rodar por adoquines. Me asomé y vi que estábamos en las afueras de una ciudad. Al pasar por varios cruces vi mujeres en bicicleta con alpargatas, faldas pantalón y pañuelos en la cabeza. Avanzábamos por un mar de rostros fugaces y sonrisas neutras, en cuyos ojos no se leía ningún odio a la presencia alemana. Ni siquiera los polacos, con todo su aborrecimiento a los judíos, solían desaprovechar la oportunidad de hacer un comentario impertinente, poner mala cara o hacer gestos de desagrado referentes a los nuevos amos. En cambio, al parecer los franceses eran imperturbables como ovejas.

—¿Dónde te dejo? —preguntó el conductor—. En los próximos días, dudo que vea algo mejor que tú en este camión. Mañana salimos para el este. ¿Sabes lo que quiere decir?

Asentí con la cabeza. Su mirada era de miedo y resignación.

El frente oriental. Me propuse memorizar la insignia del camión cuando bajase, y contar los vehículos del convoy. Serían datos para mi primera transmisión.

—¿Y si quedamos esta noche? —Quiso tocarme el brazo, pero yo me aparté—. Por favor. No te haré daño. Es que estoy solo, y puede ser mi última oportunidad de ver a una mujer en muchos meses. O en lo que me queda de vida. Podría pasar a recogerte en la torre Eiffel. Iríamos a cenar, y luego a un espectáculo. ¿Qué te parece?

¡París! ¿Era posible? Tenía que bajar.

—Lo siento —dije—. Estoy casada. Es muy amable, pero no. —Fingí reconocer el barrio donde estábamos. Tal vez se tratara de Neuilly, o de Courbevoie. París, en todo caso—. Puede dejarme aquí...

El sargento frenó con cara de frustración.

Poco después, al mezclarme con los transeúntes reconocí el olor de una ciudad querida. Anduve hasta una estación de metro y busqué en mis bolsillos uno de los tickets que me habían dado. Crucé el torniquete de la estación, que era un hervidero de gente.

Me sabía de memoria el plano del metro. Porte de Clignancourt, Rivoli, Raspail... Nombres que me traían recuerdos, escenas callejeras y encuentros con Jean-Phillipe. ¿Cómo era posible que entonces me hubiera dado miedo ir sola en metro? ¡Qué largos parecían tres años! Sentí en mi interior los restos de la ingenua de otros tiempos, tan deseosa de que la aceptasen y de parecer sofisticada. Había sido una época de música y felicidad.

El tren pasó por la parada de Lycée LaCourbe-Jasson. ¡Cómo se habrían sorprendido mis compañeras de clase de verme tan cambiada! Celeste, con su orgullo y su cuerpo voluptuoso; Janine, con sus historias de Egipto y Rusia; Nanette, que nos daba clases de técnicas de magreo...

Pero a «Odette» no la habían entrenado en Inglaterra y luego lanzado tras las líneas enemigas para hacerse la chula con sus antiguas compañeras de clase, que a esas alturas probablemente hubieran hecho realidad su principal objetivo: un buen matrimonio.

Seguí en el metro, mientras decidía adónde ir. Aún faltaban dos días para la cita en casa de Juliette, nuestro piso franco, y el contacto con Gilbert, un jefe de la Resistencia. Llegar antes de lo previsto era peligroso para todos. Evidentemente, nuestro avión se había desviado de su ruta y nos había dejado demasiado cerca de París, pero ¿qué había pasado con Roger y Poincaré? ¿Los habían capturado? ¿Los habían obligado a hablar?

Mientras no lo supiera con exactitud, lo mejor parecía no acercarme al refugio.

Mientras tanto habría que esconder en algún sitio los miles de francos que traía para la Resistencia, y los componentes de transmisores que llevaba cosidos en el dobladillo de la falda. ¿Dónde? La respuesta fue muy placentera: ¡en casa de Jean-Phillipe Cadoux! Dada la posición social de su madre, no era probable que los nazis se hubieran atrevido a deportar a su familia.

Me imaginé la cara de Jean-Phillipe al abrir la puerta y verme. Si alguien era capaz de tenerme entretenida unos días, era él. Quizá la Ópera siguiera funcionando. Quizá Jean-Phillipe aún tuviera entradas.

O quizá ya no estuviera en casa. Podía haberse casado. O podían haberle matado.

En todo caso, lo primero era comprarme ropa. Una falda y una blusa rotas no eran lo más adecuado para ir a ver a Jean-Phillipe. Decidí bajar en Palais Royal, buscar una tienda... y comer algo, porque estaba famélica. Después de varias semanas de té asqueroso con melaza, el café francés quizá no pareciera tan malo. Y un panecillo, o un *croissant*, serían un festín.

Me fijé en la chica que iba a mi lado demasiado tarde: su mano abierta cortó el aire e hizo un ruido seco al impactar dolorosamente en mi mandíbula.

–¡Puta! –me espetó–. Te he visto bajar del camión. ¿Qué, sólo te has tirado al chófer, o a los soldados de atrás también?

¿Qué quería, quedarse lisiada? Podría haberle roto un brazo o matarla, pero las dos odiábamos a los alemanes, pese a que ella no entendía mi situación. No hice nada. Los otros pasajeros siguieron impertérritos, igual que sus paisanos de los alrededores de la capital.

París se había vuelto peligrosa. Me convenía pasar inadvertida.

A la salida de la estación me recibió una mañana deslumbrante de sol. En las entradas de los museos, los cafés y los hoteles ondeaban esvásticas y estandartes del Reich. Había indicaciones en alemán por todas partes. Los nazis, en su arrogancia, no habían puesto ni un solo letrero en francés.

Se estaba formando una cola delante de una tienda. Cuando media docena de campanarios empezaron a dar las nueve, se abrió una puerta y los parisinos empezaron a entrar en la tienda en fila india, respetando la cola: criadas con vestidos almidonados, tenderos del barrio, hombres de negocios... Hasta una anciana muy elegante, con pendientes de perlas y una estola de piel apolillada.

El establecimiento era una pastelería, con un rótulo dorado que indicaba el nombre de los propietarios y su lista de especialidades (pasteles y *petits fours*). Un cartel anunciaba: «DÍA ESPECIAL DE PASTELES.» O sea, que había auténticos pasteles en venta. Mi estómago rugió de indignación. Yo, recordando todos los días que había resistido Mia Levy sin pan en el Baluty, le dije que esperara un poco, pero acabó venciendo y me puse en la cola para darme el lujo de una tartaleta de albaricoques que sabía a Francia: la mejor repostería del mundo.

Paseé por las inmediaciones del Louvre en espera de que abriesen las tiendas de ropa de la orilla izquierda, buscando un bar donde matar el tiempo con un café. Ya no olía a achicoria, cruasanes recién hechos y queso maduro, sino a café de bellotas, pero había una *terrasse* en una esquina con un grupo de soldados alemanes tomando auténticos cafés, pan fresco, mantequilla y raciones de carne en conserva.

Me vieron pasar.

–*Bonjour, mademoiselle* –dijo uno de ellos.

Miré de reojo y vi que tenía los dos rayos de las SS en el cuello.

–¿Quiere desayunar con nosotros? Pan de verdad, no del otro, el que parece de serrín. Mantequilla y queso. Y café del bueno.

–No le hagas caso –dijo en alemán otro SS–, que éste lo que busca es un polvo.

–¡Calla, idiota, que entiende el alemán! ¡Mira lo rojos que se le están poniendo los mofletes!

–¡Qué va! Ahora te lo demuestro.

El segundo SS se levantó y me cerró el paso. Yo intenté seguir con la alegre sonrisa de los franceses.

–*Fräulein* –dijo él, haciendo una reverencia con su capa–, quiero demostrarle algo a los ignorantes de mis compañeros. ¡No, un momento! ¡No pase de largo! –Me cogió del brazo y me llevó a la mesa–. ¿Me entiende si le digo lo guapa que debe de estar con las enaguas sueltas, el liguero en los tobillos y el culo desnudo, bailando delante de un espejo?

No tuve dificultad en seguir sonriendo tranquilamente a los alemanes, que se aguantaban la risa.

–¿Sabes qué? Que me gustaría ponerte la boca en el coño mientras pegas brincos al ritmo de una marcha de Suppé. ¿A que suena divertido?

No mucho. Nunca me había gustado Suppé.

–*Bonjour.*

Me aparté con un encogimiento de hombros y, sonriendo al resto de los oficiales, me apresuré a torcer por la primera calle, erguida y orgullosa. Cuando ya no les vi, rompí a sollozar. Volvía a estar en Polonia. Los alemanes tenían el derecho de decir lo que quisieran, humillarme a gusto y tratarme como la última basura.

¡Pues no! Odette LeClerc no lloraría como Mia. Ya no era una inocente sin defensas. Me acordé de mi entrenamiento en las Midlands, y de lo bien que manejaba un cuchillo, un garrote, una piedra o un cinturón. Ésas serían mis armas de mujer, no las lágrimas.

Pensando en aquel SS, me imaginé que el cráneo que machacaba a pedradas era el suyo, y que los ojos que sacaba con una cuchara sopera en el restaurante también eran los suyos. De hecho, al estar delante de él había sido muy consciente del punto de sus costillas que podía partir mediante una fuerte patada, y de la posibilidad de interrumpir con un estilete los latidos de su corazón. Si algún efecto tenía su deseo, era debilitarle, hacerle más vulnerable. De hecho tenía su gracia estar delante de un individuo de su calaña imaginando cien maneras de atacarle, pero sin reflejar ninguna emoción, ni dar señales de que le entendiera.

No necesitaba a Vinnie como protector. Sólo como mi amor. De momento no había nada más allá de la supervivencia y la venganza. Cada dato transmitido, cada resistente salvado, cada puente volado u oficial alemán asesinado contribuiría a que los aliados estuvieran más cerca de liberar Auschwitz. ¿Y Vinnie? ¿Vendría con ellos? Tuve la certeza de que sí.

Así fue como me prometí durar más que los alemanes, relegando al olvido la fragilidad de mi alma, y el cansancio de tantos kilómetros, tantos países ocupados, tantos muertos... París me permitía adquirir una nueva conciencia de mi misión. En Brooklyn me había ablandado. Ahora mi enemigo volvía a tener cara y cuerpo.

Entré rápidamente en una tienda de ropa y compré un vestido y un abrigo, aguantando la respiración mientras la dueña inspeccionaba los números de serie de mis francos, buscando agujeritos alemanes u otras marcas.

Sentía el peso de los transmisores en las piernas, y el roce del cinturón del dinero contra mi piel desnuda. En espera del día de la cita, tendría que dejar ambas cosas en casa de Jean-Phillipe, suponiendo que lo encontrara en su dirección de siempre. La mujer del mostrador me miró y volvió a consultar la lista de billetes falsos. Observé sus gafas bifocales y vi que su mirada se detenía a media lista. Luego osciló entre la hoja de papel y los billetes que le había dado. Al final me entregó el cambio.

–Gracias, madame.

Su sonrisa no me dijo nada. ¿Había visto algo en el billete? En caso afirmativo, ¿cuál sería su siguiente paso? ¿Una llamada a la Gestapo? ¿Una consulta a su marido en la trastienda?

Mi captura costaría a los aliados unos tres millones de francos. Me fijé en las tijeras que había junto a la caja registradora. Nada más fácil que clavarlas en la fina tela de su blusa de algodón, justo debajo del pecho izquierdo. Luego un giro de muñeca, y...

¿Puedo ayudarla en algo más?

–No, gracias, madame.

–Buenos días.

–Buenos días.

Salí a la acera con la nuca y la espalda empapadas de sudor, escandalizada por mis pensamientos y temores. La paranoia llegaba en oleadas, perjudicando mi sentido común y mi capacidad operativa. Con ella, el asesinato parecía algo dulce. ¿Cuánto me había faltado para atacar a la mujer con aquellas tijeras?

Fui a un *pissoir* para ponerme el nuevo vestido y dejar la ropa vieja. Lo único que conservé fue el bolso y mi paranoia. Luego me metí por varias callejuelas y caminé deprisa con la vista en la acera, por miedo a delatarme si levantaba la cabeza. Estaba sola. Todo se estaba precipitando demasiado. Ya nos habían avisado que tendríamos esa sensación, pero que se nos pasaría rápidamente.

En la siguiente esquina, crucé un bulevar y fui hacia el apartamento de Jean-Phillipe, justo al lado de la place de L'Opéra. Sólo hice una pausa para mirar el hotel Steinfeld, donde me había alojado cinco años antes con mamá y papá, antes de entrar en el *lycée*. La puerta estaba tapiada con tablones. Quizá lo reabrieran algún día. Seguro que la máquina exterminadora nazi había destruido a casi toda la población judía de la hermosa ciudad de París. Pero Odette LeClerc no era judía. Antes de ser exterminada, quizá pudiera vengarse un poco.

Sometida a la severa inspección de la portera del edificio de Jean-Phillipe, traté de irradiar una confianza que me habría gustado sentir, pero lo que sentí fue la impaciencia de la vieja bruja, y el desdén que le inspiraban mi vestido barato y la ausencia de guantes y sombrero.

Madame Chanier de Taer, mujer de noble cuna que lo había perdido todo menos el nombre, era una portera estricta y dominante. Cinco años antes, tratándome de refugiada, me había prohibido entrar en el edificio, obligándome a esperar a que llegara Jean-Phillipe en mi rescate. Reviví el miedo de entonces.

–Vengo a ver a monsieur Cadoux *fils*. Me llamo... –Hice una pausa–. Dígale que está aquí una vieja amiga. Marisa.

O no me había reconocido o no quería hacerlo. El caso es que marcó el número del apartamento de Jean-Phillipe y pronunció unas palabras ininteligibles, antes de desbloquear el ascensor.

–El cuarto.

–Gracias –dije y subí al ascensor.

¡Estaba a punto de verle! Mi amigo, mi casi amante, el primer «chico» de mi vida, antes de que llegara otro aún más querido... Los pisos se deslizaban lentamente, haciendo crujir la cabina. Aún me acordaba de los azulejos de los pasillos, de los balcones de forja añadidos durante la moda del *art nouveau*, de las ventanas emplomadas, de las paredes de piedra vista con marcos de granito para las ventanas, del paisaje de tejas rojas y buhardillas de pizarra, y del horizonte de campanarios. Todo remitía a un pasado lejano.

La acumulación de cosas familiares me produjo cierto vértigo. ¡Ahí estaba! Era Jean-Phillipe, viendo subir el ascensor con su impaciencia juvenil de siempre. Me fijé en sus lustradas botas de cuero negro –de las que gustaban a los aviadores aliados–, en sus pantalones Harris de *tweed* con pinzas, en un cinturón de piel, en su camisa blanca y, por último, en su bufanda de seda.

Abrió la puerta del ascensor.

–¡Vaya, vaya! ¡Quién lo diría!

Yo esperaba un abrazo y me preparé para recibirlo, pero lo único que me dio fue un besito en cada mejilla, con formalidad francesa.

–Los últimos cuatro años han estado llenos de sorpresas, pero ésta es la mayor. ¡Qué alegría verte!

Pensé que mentía, y no pude impedir que un zarcillo de miedo se introdujera en mi cerebro.

–¿Qué, has echado de menos a tu hermano mayor? –me preguntó.

–¡Pues claro! Me moría de ganas de verte. En cambio tú seguro que no me has echado de menos.

Me apartó sin soltarme.

–Me despido de una niña, y mira lo que pasa. Gírate. ¡Caray, cómo has cambiado! Ya han pasado cuatro años desde que me escribiste desde un pueblo polaco de veraneantes. Te hacía como mínimo en la luna.

Se le veía nervioso.

–No pareces muy contento de comprobar que aún sigo aquí.

No, Mia, es que la sorpresa de saber que estabas en la portería, cuando ya creía que te había perdido para siempre... ¡También podrías haber llamado!

Abrió la puerta del apartamento.

–Habría quedado un poco forzado –dije, dolida por su frialdad–. Con las ganas que tenía de verte, he decidido darte una sorpresa.

–Pues lo has conseguido. Estoy atónito.

Echó el cerrojo, se marchó un momento y volvió con una bandeja de salchichón y fruta. Me costó no abalanzarme sobre ella.

Jean-Phillipe sorprendió mi mirada.

–Venga, Mia, no seas educada y come. Cuéntame cómo has vuelto a París.

Di un mordisco a una sabrosa manzana y me pareció lo más delicioso que había probado en mi vida.

–Hemos venido en avión –dije, sincerándome.

–¿«Hemos»? ¿Qué quieres decir, que estás con tu familia?

–No. Llevo casi dos años sin noticias de ellos. Ahora mismo, Polonia es una pesadilla.

–Pero has conseguido llegar hasta aquí. Perdona, pero no me cuadra. ¿Quién te ha enviado?

Sus preguntas me molestaron. No estábamos en una comisaría.

–Nadie.

–Entonces ¿a quién te referías cuando has dicho «hemos»?

–Por favor, Jean-Phillipe. No puedo contarte nada más. Sólo serviría para…

–¿Para qué? ¿Para meterme en líos? ¿Cómo esperas que te ayude si no me dices nada? Porque has venido para que te ayude, ¿no?

–Estoy sola, pero necesito alojamiento. Sólo un par de días.

Torció un poco la boca. ¿Por qué? Su expresión se endureció.

–Por favor –dije.

–¿Cuánta gente te ha visto entrar en el edificio? ¿Diez personas? ¿Cincuenta?

–Sólo la portera. –Me di cuenta de que estaba suplicando, pero no tenía más remedio.

–Le habrá sobrado tiempo para fijarse en tu cara. Supongo que no entiendes lo que significa. Acogerte…

–A una judía…

–Exacto, a una judía. Tú lo has dicho. Podrían matar a mi familia, o torturarla. Mi madre es muy mayor.

–¿Cómo está? –pregunté, en un intento estúpido de ganarme a mi antiguo amigo.

–Pues eso, muy mayor. Mi padre está más o menos en arresto domiciliario. Entraron en su apartamento cuando estaba a punto de huir a Estados Unidos. Sus amigos financieros consiguieron que no les metieran en la cárcel, pero están vigilados, y yo también. El desprecio de los alemanes sólo se parece al de la burguesía hacia los artistas y los ricos. Como nos envidian, les inspiramos una mezcla de amor y odio. Tenemos que comprarlo todo a precios de mercado negro. A los alemanes les parece una forma de patriotismo, pero para mí es chantaje: o pagas o te matan. –Me miró a los ojos–. ¿Ya has comido bastante?

Devoré otra manzana sin pensármelo, y un plátano. ¡Qué penoso espectáculo estaría ofreciendo!

–Resumiendo, que me estás pidiendo que me vaya.

Jean-Phillipe se paseó agitadamente por la habitación, meditando la respuesta. Su tono se suavizó.

–No te preocupes, que no te dejaré en la estacada. Ahora tengo que salir. Le diré a la portera que eres la nueva nuera de mi criada Nanette. Nanette se ha ido a pasar el día al campo, a casa de unos parientes, y te ha enviado para limpiar la casa. Esta noche, cuando vuelva, tendrás que irte.

Era tan amable como implacable.

–Jean-Phillipe, estoy desesperada.

–Pues duerme en una pensión. Hay una en la esquina. Si es cuestión de dinero, ya te la pago yo.

–No es por el dinero. ¿Y si vienen a buscarme?

–Pues les dices que eres amiga mía. Conozco a un miembro de la inteligencia alemana que me protege, el coronel Becker. A ti también te protegerá.

–No –dije–, no puedo irme. Es cuestión de vida o muerte.

Se volvió resoplando.

–Tú siempre tan dramática.

Monté en cólera.

–¿Cómo se puede ser tan tonto? Esta noche me han lanzado sobre Francia en paracaídas. Si resulta que los alemanes han pillado a mis compañeros, estará buscándome toda la Gestapo.

Se detuvo en seco. El silencio fue terrible. Jean-Phillipe era una buena persona. Yo le había querido, y él a mí también, pero la expresión con que me miró era de odio.

–¿Has pensado qué me pasaría si te pillaran aquí? –preguntó.

–Pues que te protegería el coronel Becker. ¿No acabas de decirlo? En cambio, las últimas noticias que tengo de mi padre y mi hermano es que estaban en Auschwitz. ¿Te suena de algo? Lo más probable es que ya estén muertos. La que sí ha muerto es mi madre. Dependiendo del viento, puede que sus cenizas cayeran en la place de L'Opéra.

–¡Ya es mala idea venir aquí! –replicó–. ¿No podías quedarte en Polonia hasta que acabara la guerra?

–¿Acabarse? ¿Cómo? –pregunté con sarcasmo.

–¿Tú qué crees? Los alemanes llevan dos años esperando que se rindan los británicos. Ahora están cansados e impacientes. Cualquier día desplegarán un arma que hará que la V-1 parezca un juguete. ¡Y no me mires con esa cara de sorpresa! Aquí los rumores los ha oído todo el mundo, o sea, que seguro que tú también lo sabes. En cuanto se rinda Inglaterra, Estados Unidos y Alemania atacarán Rusia y dejarán a Francia tranquila. Al menos entonces estaremos en paz y nosotros podremos volver a la Ópera.

Quise hacerle más preguntas sobre la nueva arma, pero entonces sonó el interfono. Era la portera.

–Han traído sus trajes de la tintorería –dijo–. ¿Quiere que se los suba, o aún está con esa mujer?

–No, ya se va –dijo Jean-Phillipe–. Bajo con ella y recojo los trajes. –Colgó–. Tienes que irte. Al menos un rato. Vuelve esta tarde. Pongamos a las cuatro y media. Pero llama antes. Puede que para entonces se me haya ocurrido un plan.

Yo ya tenía el mío. Una de las primeras cosas que nos habían enseñado en la instrucción era hacer lo menos esperado. Muy bien. Jean-Phillipe esperaba mi llamada por la tarde. Decidí presentarme un par de horas antes sin avisar. «Llegad muy tarde, muy temprano o no lleguéis», como decía mi instructor. Pronto comprobaría el efecto de su consejo.

Después de que Jean-Phillipe me acompañara a la salida, compré una revista en un quiosco y me senté en una terraza con muy buena vista de su edificio, simulando leer mientras vigilaba la calle. Jean-Phillipe salió. Dos hombres entraron en el edificio y salieron casi enseguida. Jean-Phillipe no tardó más de diez minutos en volver. Llegó precipitadamente por la rue Taitbout como un juguete con demasiada cuerda y entró en el edificio. Me lo imaginé subiendo la escalera en espiral, con el antiguo ascensor en medio, como una exhalación. Siempre subía a pie.

Seguro que había lanzado el abrigo en cualquier sitio y se había sentado para reflexionar sobre mi caso. Decidí concederle un poco más de tiempo para pensar en la respuesta.

Esperé un cuarto de hora más, hasta las dos y media. ¿Por qué estaban tan mudas todas las campanas de París? Mi regreso imprevisto pondría furioso a Jean-Phillipe. Claro que las reglas de la guerra no eran las mismas que las de la buena educación. En todo caso, ahora que él había tenido tiempo de asimilar la situación de su antigua amiga del colegio, seguro que acabaría siendo comprensivo.

Pagué el café y me puse la revista bajo el brazo y me acerqué tranquilamente al edificio. Una vez dentro, me acerqué a la portería e hice sonar la campanilla. Una cara arrugada me miró con sorpresa entre los visillos. Después de comprobar que no había nadie más en el vestíbulo, me cogió por la muñeca y me arrastró al otro lado de la cortina, a la pequeña habitación que era su vivienda.

–¡Dios mío! –dijo–. ¡Es a la que están buscando! Volverán en un minuto. Su amigo acaba de entrar. Acompáñeme. Gaston, tenemos visita.

–Muy bien, muy bien –respondió una voz débil.

Al girarme, vi a un hombre en una cama ancha y alta arrimada a una pared.

–Gaston, te presento a mademoiselle... –La portera no pudo decir mi nombre, porque no lo sabía.

–Mia Levy –dije, aún estupefacta. Preferí no dar mi nombre falso, porque Jean-Phillipe sabía el verdadero.

–Éste es mi tío Gaston –dijo la anciana–. Chevalier de La Toraine-Bressac. Yo soy madame Chanier de Taer.

El hombre de la cama tenía un nombre casi tan largo como el brazo que me tendió.

–Encantado, mademoiselle.

Le di la mano. Él la rozó con los labios.

–Mademoiselle Levy se quedará un poco con nosotros.

Yo no tenía ni idea de lo que quería decir; tampoco sabía el motivo de su ofrecimiento, pero me impresionó su premura, y me pareció que estaba de mi lado. De lo contrario le habría sido muy fácil delatarme.

Gaston sonrió encantado y dio una palmada en la cama.

–Eres incorregible –dijo madame Chanier de Taer–. Se quedará debajo de la cama, no encima.

Vacilé, pero la portera me hizo tumbarme en el suelo.

–Métase debajo. Tiene un fondo falso. ¡Venga, deprisa, que en cualquier momento vendrán a registrarlo todo! Pero debajo de la cama, con este viejo aquí, seguro que no la encontrarán.

Me deslicé debajo de la cama y tanteando con las manos encontré el escondrijo; lo habían hecho retirando los muelles. Al correr un panel, descubrí un hueco parecido a un ataúd largo y estrecho.

–Deprisa, deje el panel donde estaba –dijo ella con su voz gritona de sargento chusquero–. Puedo oler a los *fritzs* a un kilómetro, y ahora están a bastante menos. Bueno, tengo que volver a trabajar. Volveré más tarde con la cena. Y no se preocupe por Gaston, mademoiselle Levy, que se porta muy bien.

–Mmmm –oí refunfuñar al viejo.

Me acurruqué en aquella caja. La cama crujió. El *chevalier* masculló algo y al poco empezó a roncar. Yo también me dormí, sin pensar ni una vez en Jean-Phillipe. El agotamiento y el miedo habían acabado por vencerme.

Una hora después, aproximadamente, me despertó un ruido de botas al otro lado de la puerta, y las órdenes de un comandante alemán furioso.

–Registradlo todo, incluidos los armarios y las cortinas. Todo el bloque de pisos. La encontraremos. El coronel Becker ha dicho que está aquí.

Aguanté la respiración. Los alemanes abrieron la puerta. Gaston murmuró con voz cansada:

–¿Qué quieren? Aquí no hay nadie.

Un hombre se arrodilló al lado de la cama, y como no vio nada volvió a levantarse.

–¡Venga, vamos arriba! –dijo el comandante–. Tiene que estar en algún sitio.

Se lo había dicho el coronel Becker. Por tanto, alguien tenía que habérselo dicho a éste. Ya era más tarde de la hora prevista para mi regreso al apartamento de Jean-Phillipe, que me habría hecho entrar y...

Mi amante imaginario, el compañero melómano de mis días de estudiante, mi querido Jean-Phillipe, me había delatado.

21

Tres días después abandoné de mala gana la seguridad del apartamentito de madame Chanier de Taer, pensando que me había delatado un amigo y que me había salvado una mujer que había tomado por enemiga. También pensé en Vinnie, que antes de delatarme habría dado la vida, como yo por él.

¿Seguro? ¿Se habría sacrificado? ¿Me habría sacrificado yo? Nunca se sabe lo que te hace la guerra.

En todo caso, estaba muy afectada. El miedo es una enfermedad difícil de controlar. Afrontar el peligro, como tendría que hacer cuando empezara mi misión, podía ser una manera de acabar de inmunizarme.

La rue Jean Carrier estaba llena de niños corriendo. Me dirigí al Champ de Mars, cerca de donde estaba el piso franco, esquivando un flujo continuo de bicicletas y peatones. Un adolescente pasó driblando con una raída pelota de fútbol, y me miró a la cara con impertinencia. Cambié de acera. Aparentaba dieciséis o diecisiete años, más o menos mi edad cuando la guerra había llegado a Polonia. Parecía rico, en dinero y en afecto. Y ésa era la gente por cuya salvación me jugaría el cuello... Claro que si los Levy no hubieran sido judíos, yo quizá hubiera sonreído de la misma manera.

El piso franco, un simple apartamento de un edificio pequeño, daba a una avenida muy transitada, un escondrijo de lo más improbable. Me abrió la puerta Poincaré, con su desgaire y su desinterés de siempre, aunque pareció sorprendido de verme viva y no necesariamente para bien.

–Comuniqué a Londres que te habían capturado. –Le dio el tono de un simple comentario–. Como no constabas en ningún centro de detención, te dimos por muerta. Te felicito por sobrevivir.

–¿Y Roger?

–Muerto.

¡No! Mi amigo y jefe, muerto.

–¿Cómo?

–Le rebané la garganta. –El tono de Poincaré era indiferente, pero sus ojos me observaban con atención.

Mi corazón se encogió de miedo. Si había matado a Roger, y lo reconocía, seguro que a mí también me mataba. ¿A qué clase de piso franco acababa de llegar? Tuve ganas de echar a correr, pero me quedé plantada en la puerta con la sensación de que el mundo se había vuelto loco.

–Era mi misión. Órdenes de Johnston. Fue Roger quien delató a Operación Esfinge la última vez que le enviaron aquí. Hizo transmitir información falsa a Londres.

No me lo creí.

–Entonces ¿por qué no lo mataste en Inglaterra?

–En Inglaterra los nazis se habrían enterado de que íbamos por él. Era mejor que atribuyeran su muerte a uno de los suyos en Francia por equivocación. –Se encogió de hombros–. Bueno, la verdad es que no lo maté. Ya me lo encontré muerto. Los árboles me ahorraron la faena.

Vaya, que me había puesto a prueba.

–¿Y si era inocente?

–Pues habrá muerto un inocente. Pero tranquila, que no lo era. –Sonrió–. Ya sé que le tenías cariño. Por eso sospechaste de mí en el avión. Menos mal que no te encaprichaste de él, porque podrías haberle salvado la vida. –Me cogió del brazo y me hizo entrar–. El traidor era Roger. Ven, que te presento a Gilbert.

Le acompañé de mala gana, sin saber a quién creer ni en quién confiar. Tampoco qué pensar. Después de lo de Jean-Phillipe, no estaba preparada para esto.

Un hombre flaco, casi cadavérico, se levantó de un sofá y se acercó para darme la mano. Nuestro enlace con la Resistencia tenía cara alargada, pelo mate y castaño y unos ojos negros que ya habían visto demasiado. No era fácil adivinar su procedencia. En todo caso, ni americano ni alemán. Daba una sensación de frialdad.

–Tenemos un problema, Odette –me dijo–. Conocen tu cara. Tienen tu foto porque se la dio Roger. Lo mejor sería que en Londres siguieran dándote por muerta. Así la información llegará a los alemanes. Lo malo es que ya no nos sirves como correo. No puedes viajar por el país.

Entonces, pensé, mi viaje había sido en balde para todos: los ingleses, la Resistencia y sobre todo yo.

–Te he asignado otra misión –dijo Gilbert–. Ya que has llegado tan lejos, más vale que nos eches una mano. Además, según Poincaré eres una buena luchadora.

Pasé por alto el tibio halago.

–¿Qué misión?

–Una que te permitirá seguir concentrándote en el objetivo de Will Johnston: Franz Jozef Behrenson.

¡Conque Gilbert lo sabía! Tendría que resignarme a la idea de que todos lo sabían todo, y adoptar el silencio como norma básica.

–Como nuestro interés por Behrenson es mucho menor, mientras le buscas también trabajarás para nosotros.

Intrigante. Empecé a animarme.

–¿Dónde trabajaré?

Se le iluminaron los ojos. ¿De qué? ¿De regocijo?

–En un burdel.

–¿Qué? ¡Ni hablar!

Levantó una mano.

–No he dicho que tengas que hacer de puta. La madame del burdel se llama Camille de Sevigny. Te harás pasar por su ahijada. Madame de Sevigny alterna sus servicios a la Resistencia con favores a un colaborador de los nazis, el barón de Tourneau. Parece que De Tourneau estaba tan impresionado por su trabajo, y sabía tan poco del que hacía para nosotros, que le montó un burdel para sus prácticas sádicas.

–¿Y el capitán Behrenson? ¿Participa en las sesiones de sadismo? –Eso del sadismo ya me parecía demasiado. Mi cerebro empezó a buscar alguna manera de salir del paso.

–Lo dudo, pero el burdel se ha vuelto el más exclusivo de París. Las chicas tienen fama en toda la ciudad. Tarde o temprano, el capitán Behrenson se pasará por allí, como todos los oficiales alemanes, y tú le estarás esperando.

Volví a plantearme la posibilidad de negarme, pero Johnston había dicho que Behrenson podía llevarme a la fábrica de los alrededores de Auschwitz. Además, seguro que no tenía que acostarme con él ni con nadie. Iría al burdel, pero no como prostituta sino como espía. ¿Qué opciones me quedaban? ¿Irme de allí y vagar por las calles de París sin amigos ni medios de transporte?

–¿Y bien? –preguntó Gilbert.

Asentí con la cabeza.

–Me alegro. Ten, la dirección.

Me guardé el papel en el bolsillo y me volví.

–Por cierto, ¿no nos traes ningún regalo de parte del coronel Johnston?

Se me había olvidado por completo. Fue un alivio entregar el dinero y el equipo de transmisión.

–Tu primera y última misión de mensajera –dijo Gilbert–. ¿Te has fijado en el nombre del burdel? «La Maison aux Camélias». Me dijeron que te gustaba la música. De ahora en adelante serás la Dama de las Camelias. O la Traviata, como la llamó Giuseppe Verdi.

A La Maison aux Camélias se llegaba cruzando una verja rococó, y un largo camino de acceso circular. La mejor palabra para describir el edificio era «villa», aunque estuviera en plena ciudad. Sus hileras de ventanas con balaustres daban al césped, o bien (como no tardaría en descubrir) a un patio interior rodeado por suntuosos jardines.

Gilbert debía de haber avisado a madame de Sevigny, porque cuando llamé al timbre me abrió ella misma, deparándome una acogida llena de languidez y superioridad. Era una gran dama, rígida y muy pendiente de sí misma. Se notaba que era rica gracias a su propio esfuerzo. Tuve que recordarme que trabajaba para Gilbert.

Mis años en el *lycée* me habían familiarizado con esa clase de mujeres. Muchas de mis compañeras tenían madres así. Mientras fuera servicial y mostrara el debido respeto, se me toleraría. Las mujeres como madame de Sevigny no eran benévolas con la insubordinación.

Debía de tener unos sesenta años. Se teñía el pelo con un tono de henna, detalle que en las mujeres de su edad solía ser una equivocación, pero que en ella producía un efecto magnífico, ni severo ni vulgar. Era baja, y lo que mi madre habría llamado *zaftig*: una hembra rellena y sensual que a pesar de sus años irradiaba todavía una gran sensualidad. No me extrañó que hubiera seducido a De Tourneau.

Me llevó en una breve visita guiada por la planta baja. Las paredes, decoradas al modo medieval, las vidrieras talladas de las ventanas altas y estrechas, y los arcos majestuosos de las puertas parecían concebidos para caballeros o príncipes. El *foyer* estaba alicatado en blanco y negro. Una escalera de mármol blanco formaba dos espirales gemelas. En un lado había una enorme cocina; en el otro, una biblioteca y una sala de reuniones. No vi chicas ni clientes. Quizá estuvieran en el primer piso, o no llegaran hasta última hora de la tarde.

Madame de Sevigny vivía en un gran dormitorio del primer rellano. Me dijo que las chicas tenían sus habitaciones un piso más arriba. A mí me asignó una minúscula antecámara, cerca de sus aposentos. Al ver una campanilla colgando de una cuerda, deduje que en algún momento la había usado la doncella de *madame*. Era una habitación bastante cómoda, pero tuve miedo de que tarde o temprano me enviaran a trabajar al segundo piso. Mientras Madame me enseñaba la Maison, no dejó de estudiarme ni un momento. Sus comentarios parecían indicar que le gustaba lo que veía.

Me presentó a las demás chicas y al servicio, dando a entender en todo momento que era alguien especial. Su simpatía natural acabó por conquistarme. Salimos cogidas de la mano.

–Esto es más que un burdel –dijo–. La Maison es un refugio para hombres, mujeres e incluso niños que necesitan un sitio donde esconderse, pero sólo pueden quedarse unos días; si no, los alemanes podrían sospechar. Nunca se puede bajar la guardia.

Me pregunté de quién era la casa. ¿De Madame?

Lo explicó ella misma en voz baja.

–La Maison era del barón de Tourneau. Fui su amante durante treinta años, hasta que se cansó de mí y descubrió otros placeres. Es un burdel muy bonito, para ricos y gente influyente. Ahora vienen los alemanes a evadirse, y hacer realidad sus fantasías. La Maison es mi casa, aunque de vez en cuando recibimos la visita del barón.

–¿No está arriesgando la vida? –pregunté.

Madame se encogió de hombros, de esa manera tan francesa que yo ya conocía.

–¿Y tú?

En el fondo nunca lo había pensado. Mi misión era recabar toda la información posible y vengar a mi familia si podía, porque empezaba a estar segura de que todos habían muerto. Por eso, si tenía que morir, prefería posponerlo al máximo. Personalmente me daba igual lo que pasara. Los muertos no sufren.

Al verme tan pensativa, Madame me abrazó.

—Mientras estés aquí, considérame tu *maman* —dijo.

Estaba segura de que mi misión en La Maison era una prueba. Gilbert la había presentado como un hecho consumado, pero no le había visto muy convencido de que yo supiera llevarla a buen puerto. Ahora que ya no podía ejercer de mensajera, mi valor estribaba en la calidad de la información que fuera capaz de obtener. ¿Y si no me adaptaba a La Maison? ¿Me enviarían a Londres? Supuse que no, pero no me imaginé qué destino podían tenerme reservado. No me fiaba de Poincaré, y a Gilbert apenas le conocía. Ellos se fiarían del veredicto de Madame. Todo dependía de mi éxito o fracaso en La Maison aux Camélias.

Al volver a entrar en La Maison, Madame me cogió de la mano y descendimos al subsuelo.

—Voy a enseñarte una habitación especial para invitados importantes, hija mía.

Entramos en una sala grande, redonda y con luz tamizada. Cuando se me acostumbró la vista, comprendí perfectamente el uso a que se destinaba. Había látigos, máscaras y una serie de instrumentos que me parecieron más propios de un gimnasio. Pronto aprendería a dominarlos.

Madame dijo:

—Está casi insonorizada. A veces los invitados hacen mucho ruido.

La idea me dejó petrificada.

—Ahora te enseñaré otra sala, pero no se lo cuentes a nadie; es la habitación privada del barón, que la construyó para su uso exclusivo. A veces vuelve y solicita sus placeres especiales.

Se acercó a la pared, y al principio pareció desorientada, hasta que encontró un punto y lo apretó con el dedo. La pared se abrió, dejando a la vista una sala grande, ligeramente perfumada e iluminada con refinamiento. La decoración consistía en espléndidos cuadros colgados en paredes de damasco, muebles revestidos de brocado, sillones de cuero y una mesa de masajes. También había un pequeño escenario, y un piano de cola fabuloso que parecía una gran escultura.

–Es la sala privada del barón. Nunca le digas a nadie que te la he enseñado.

Seguía cogiéndome la mano.

–¿Y el piano?

–El barón es un gran amante de la música. Antes solía tocar aquí solo.

Ya había encontrado mi sitio en La Maison.

–Me gustaría trabajar en la sala redonda, a condición de poder tocar el piano de la sala privada del barón durante mis horas libres.

Madame sonrió.

–Bueno, pero nunca se lo digas al barón. Tendremos que extremar las precauciones para que no se entere.

Así pues, fui asignada a la sala redonda. Comprendí que Gilbert me había mentido, por el simple motivo de que no esperaba poder convencerme con la verdad. Al menos ahora tenía mi evasión. En la sala no pasaban cosas tan terribles como me había imaginado al principio: bastante dominación, mucho sadismo, jueguecitos relativamente rutinarios y algunos aparatos francamente curiosos. Me recordaba un cuadro del Bosco, aunque en el Baluty ya había visto muchas perversiones, y había aprendido por mis propios medios a ofrecer un rostro impenetrable a mis enemigos. Después, en Inglaterra, me habían enseñado a protegerme.

Madame empezó mi aprendizaje con oficiales de baja graduación, demasiado ansiosos para no dejarse controlar fácilmente. Antes de entrar en la sala redonda ya estaban casi fuera de sí. Lejos de casa y de cualquier restricción, eran como niños traviesos con sed de cosas prohibidas, pilluelos que no aguantaban que les ignorasen o les negasen nada. Yo nunca me dejaba tocar. Aquel contacto perverso era tan diferente de mis felices sesiones amorosas con Vinnie que no se me ocurría situarlas en el mismo plano.

Cuanto más brutales eran mis masajes a los clientes de Madame, y más despreciativa mi actitud, más se excitaban ellos. Por otro lado, darles lo que pedían no estaba tan mal: pegarle a Eric en el culo, pasarle a Rutger un cepillo duro por el interior de los muslos mientras se inclinaba con los calzoncillos en los tobillos... Los oficiales de más alto rango y mayor experiencia pedían el cinturón (algunos con hebilla incluida), y en ciertos casos suplicaban cadenas.

Fue un paso que no di hasta que Madame consideró finalizado mi aprendizaje.

Mi odio era tan generoso que nunca les negaba nada a los clientes. No tenía el miedo de hacerles daño que refrenaba a otras chicas. En mi caso era lo que *quería*, hacerles daño, lo cual hizo crecer mi fama como dominatrix. No dudaba en satisfacer a un oficial solo, y cuanto más salvajemente mejor.

La sala especial del barón, con su piano, era mi sanctasanctórum. Cuando no trabajaba, tocaba a solas en el pequeño escenario. Eran los dominios privados del barón, reservados para sus visitas. Me imaginaba tocando en Varsovia para un gran auditorio, y esa fantasía me ayudaba a superar mis pesadillas (bastante habituales). Siempre pensaba en el piano, hasta cuando estaba prestando mis servicios al enemigo. Era como cambiar de mundo y de época.

Una noche entré en los aposentos de Madame y me la encontré tomando coñac con un oficial alemán. Debía de ser alguien importante, porque nunca recibía a nadie en su dormitorio. El oficial se levantó para ofrecerme un asiento. Madame sonrió.

—Tengo entendido que es la ayudante de Madame —dijo él.

No supe muy bien qué contestar. Era alto, muy guapo y parecía tímido.

—Espero que podamos cenar juntos algún día. Pronto —dijo.

No pidió verme en La Maison.

—Mis horas libres las decide Madame —dije yo.

El oficial me estrechó la mano con fuerza. Nos miramos a los ojos. Los suyos eran muy tristes.

—No veo la hora de cenar juntos —dijo—. Espero que nuestra amistad sea muy larga.

Madame le acompañó a la puerta. Me sorprendí mirándole la espalda. Madame se giró hacia mí y me dijo:

—Era el capitán Franz Jozef Behrenson.

Al cabo de un mes de empezar a trabajar en La Maison, fui a dar el parte al piso franco —o mejor dicho al apartamento de Poincaré—, tal como me había indicado por teléfono Gilbert. Llegué demasiado temprano. Justo en ese momento, Poincaré estaba acompañando a la puerta a un oficial alemán, cuya cara de satisfacción aclaraba cualquier duda sobre lo qué habían estado haciendo.

–Era Klaus –me dijo Poincaré–. Yo también me dedico al sector del «cuerpo a cambio de información». Me ha dicho madame de Sevigny que te va muy bien.

Su familiaridad me irritó.

Subimos al apartamento, de una sola habitación. La cama estaba deshecha. Vi sangre y semen en las sábanas. Poincaré me sorprendió mirando.

–No voy a andarme con rodeos, Odette. Disfruto tanto del juego como Klaus. No es que sirva de nada para la Resistencia, pero me quedo más tranquilo. Te agradecería que no se lo contaras a Gilbert.

Pensé que seguramente Gilbert ya lo sabía, y que tenía sus razones para no intervenir, pero no dije nada.

Poincaré encendió un cigarrillo y se sentó en la cama. Yo me senté delante, en una silla.

–Le dijiste a Gilbert que tenías información. ¿De qué se trata?

Vacilé.

–¿Qué pasa? –preguntó él–. ¿No te fías de mí?

–¿Cómo quieres que me fíe, si acaba de salir de tu cama un oficial alemán?

Se rió.

–*Touché*. Ya ves, *chérie*; llegamos a París y buena la montamos. Si los alemanes me soltaron después de atraparme, fue gracias a Klaus. A ti te trajo un convoy alemán. Estamos los dos sucios. Mejor dicho, apestamos desde lejos. Yo nunca me fiaré de ti, y viceversa. Entonces ¿por qué no te marchas por donde has entrado?

Reflexioné.

–No; es verdad que tengo información. Gilbert, de quien sí me fío, me dijo que te la diera a ti. Bueno, pues te la daré, pero tengo que salir de La Maison, y necesito que me ayudes. Prométemelo. Sé que si no te convenzo de que digo la verdad puedo darme por muerta.

Poincaré dio una calada al cigarrillo. Se notaba que se estaba divirtiendo. Sacó el humo por la nariz.

–Empecemos por tu oficial de inteligencia militar. Behrenson.

–Cuando llegó, yo sólo llevaba unas semanas en la casa. Se notaba que Madame le conocía de otras visitas. Nada más vernos me di cuenta de que le interesaba. Me dijo que no me parecía al resto de las chicas. También me dijo que teníamos que cenar juntos. Madame tuvo el detalle de contarle que era su nueva ayudante personal, para que sonase importante.

–Tengo entendido que Franz Jozef Behrenson informa directamente al general Blumentritt, el bufón de la corte del general Von Rundstedt. –Me miró con dureza–. ¿Qué tenía que decir?

–Muy poco. Es probable que Johnston haya sobrevalorado su importancia. Es un soldado solo, nervioso y tímido a quien de vez en cuando es posible que le guste un poco de disciplina.

Poincaré me miró con mala cara y dijo.

–O sea que no tienes información.

–No, de Behrenson no, pero me presentó al comisionado Schmiede, de Berlín. Schmiede pasó por París con el encargo de Albert Speer de preparar el terreno para hacer razias y enviar gente a trabajos forzados en Alemania. Los retrasos en la producción empiezan a ser críticos, pero no pueden recurrir a los judíos porque los están matando. Sólo en las fábricas de munición mueren tres mil judíos por semana. Informa de eso a Londres. Los campos de trabajo son campos de exterminio. Las chimeneas no son de fábricas, sino de crematorios. ¿Entiendes la magnitud de lo que te estoy diciendo?

Yo sí que la entendía. Era la confirmación de que papá y Jozef estaban muertos. Curiosamente, al oír la noticia y darme cuenta de sus implicaciones, no había podido llorar. La insensibilidad que me protegía de lo que pasaba en la sala del barón se me había contagiado a los lacrimales, y al alma. Lo único que me excitaba era la venganza. Dispensar dolor. Nada más.

Poincaré no pareció dar importancia a la noticia.

–¿Qué más has averiguado?

–Que los alemanes de Francia están asustados. Tienen miedo de la Resistencia, sobre todo desde la emboscada contra la guarnición de Clermont. Hasta el oficial de la Gestapo parecía preocupado.

Esta vez la noticia despertó su interés.

–¿Cómo se llama ese oficial?

–No estoy segura. Es rechoncho y tirando a calvo. Un tío asqueroso. Alguien le llamó Hans. Casterdorp o algo así.

–Westerdorp. Tiene que ser Westerdorp. ¿Cuándo le viste?

–El viernes pasado, pero no es la primera vez que viene a La Maison. Estoy segura de que es cliente habitual.

Se incorporó para inclinarse hacia mí.

–Necesito que averigües algo más sobre él. Sus gustos en comida, música, sexo... Dónde come, si toma el café con o sin leche, la marca de cigarrillos que fuma...

–¡Es que tengo que salir de La Maison! –exclamé.

–¿Por qué? –repuso él–. ¿Te ha delatado alguien?

–No, no es eso, es que no lo soporto. Aunque mientras sea la protegida de Madame, y ella la del barón de Tourneau, no corro ningún peligro.

–Por eso es tan importante que te quedes. En el norte, la cosa está que arde. La emboscada de Clermont no será la única. Necesitaremos más que nunca La Maison como refugio de urgencia para noches sueltas. Resistentes que no tienen donde ir, fugitivos judíos...

Pensé que era una locura.

–Es demasiado arriesgado. Madame puede alojar a una o dos personas, pero no más. Las otras chicas no son de confianza.

–Ya encontraremos un sistema para que entren. Las chicas no se enterarán.

–Pero madame de Sevigny no lo permitirá...

–No tiene opción. Y te recuerdo que está de nuestro lado. Además, si se negara... –Poincaré se encogió de hombros y se pasó un dedo por el cuello.

–Bueno, pero a mí no me necesitáis. No sé cuánto podré aguantar. En serio, Poincaré. El panorama de La Maison es cada vez más sórdido. Ahora me encargan lo más duro, cosas que no se pueden ni explicar. Estoy rodeada de prostitutas colaboracionistas y oficiales alemanes, y me está afectando mucho.

–¿Qué te crees, que sería mejor en otro sitio? Lo dudo. Y no me digas que Johnston no te avisó.

–Sí, pero no me dijo que trabajaría en un burdel.

–¿Qué querías, que Behrenson te llevara a su casa?

–¡Claro que no!

–¿Enamorarte de un ario guapo?

–No más que tú de Klaus –repuse indignada–. ¡No soy ninguna puta!

Poincaré suspiró y se apoyó en un codo.

–¿Se te ocurre otra manera de describirlo? En cuanto a Klaus, es un encanto de chaval. Le han trasladado de la cárcel para ser secretario de traducción de uno de los altos cargos de la intendencia.

–¿Qué pensaría Gilbert? ¿O Londres?

–¿Me estás amenazando? Ya saben que soy marica. Es un punto a mi favor. En cuanto a Klaus, el día en que note que me he encariñado demasiado para ser objetivo, me lo quitaré de encima.

–¿Así de fácil? ¿Qué te crees, que puedes acostarte con el enemigo y...?

–Te aconsejo que vayas acostumbrándote a la idea. Hay cosas
peores que acostarse con un alemán. Seguro que la información sobre Schmiede no la conseguiste sin...

–No me acosté con él. Pasamos la noche sin tocarnos con nada
que no fuera una fusta.

Soltó una carcajada.

–¡Qué distinciones más sutiles! En fin, da igual. Lo único que
cuenta es la información, y Gilbert se alegrará de la que me has
traído. Se lo diré esta noche.

–Pues aprovecha y dile que quiero salir. ¡No te imaginas lo que
es, Poincaré! Cada noche fustas, látigos, gritos que te taladran el
cerebro... ¿Qué me sugieres para remediarlo?

No tuvo clemencia.

–Sugiero que aprendas a disfrutar.

–Soy el barón de Tourneau –dijo la voz del interfono de la sala redonda–. He admirado mucho su trabajo. No sé si sería posible que
me recibiera esta noche...

La llamada del barón me pilló sola en la sala, limpiando un látigo especialmente cruel. No sabía que se dedicara a observar las sesiones, pero no me extrañó, y la llamada tampoco.

–Detrás del panel hay una puerta. Para abrirla, presione el di-
bujo de la flor de lis, pero sólo cuando se haya vestido como le indi-
caré.

Me explicó sus preferencias.

Hice lo que me ordenaba. Al barón no se le desobedecía. La
puerta era la de su habitación privada.

Era un hombre alto y de porte majestuoso, de frente ancha, ojos
castaños y hundidos, nariz aguileña y mejillas rosadas, tal vez por
exceso de vino. Parecía agradable. Me saludó con formalidad, a pesar de mi atuendo (el que me había pedido: ligas negras de encaje y
una bata corta de seda sin nada debajo).

–Me ha dicho Camille que toca el piano –dijo.

–Hace mucho tiempo que no practico.

Sonrió, señalando el piano.

–Pues adelante.

–Pero...

–Adelante.

Me senté en la banqueta y levanté la tapa del piano.

–Brahms –señaló él.

Toqué el primer movimiento de la tercera sonata para piano de Brahms, con su melodía de falsa sencillez. La obra, una de las primeras que había aprendido, me devolvió con tanta intensidad la alegría de tocar, el goce de la música, que casi me olvidé de dónde estaba, de mi atuendo y del público. Además de serenarme, le perdí todo el miedo al barón. La música era una fuerza mucho más poderosa.

Es posible que mi calma lo excitara.

–Basta –dijo, haciéndome señas de que me levantara.

–¿Qué me exige mi esclavo? –pregunté, según la vieja tradición de las dominatrix.

–Para la primera vez, nada especial. Antes de pedirte que uses el látigo tengo que acostumbrarme al tacto de tus dedos.

Durante mi interpretación, se había servido una copa. Me ofreció un sorbo. Bebí con avidez y el calor del coñac me reconfortó.

Se desnudó despacio. Para un hombre de su edad tenía muy buen cuerpo, y un pene grueso y largo. Deslizó mi bata por mis hombros con un suspiro de satisfacción y la dejó caer al suelo. Me había hecho ponerme de espaldas para facilitarle la tarea. Luego volvió a girarme y me acarició los pechos, suavemente, con gran delicadeza. Acordándome de las caricias de Vinnie y de su amor, tuve ganas de llorar.

El barón se tumbó en la mesa de masajes, suspirando. Trabajé los músculos de su nuca, le relajé los hombros y deshice las tensiones de su columna vertebral. Al llegar a sus nalgas, le eché unos polvos de una lata que había en la mesa y repartí el talco con movimientos lentos y circulares. Él se puso tenso. Le acaricié la curva de las nalgas con las manos, poniéndole carne de gallina. Luego introduje mis dedos con habilidad, más hondo cada vez, hasta arrancarle un grito de éxtasis y un orgasmo convulso.

–Muy bien, para empezar muy bien –dijo él–. Ya te diré cuándo tienes que volver.

Se levantó de la mesa sin mirarme, cogió la copa de coñac y se la acabó de un trago sin haberse vestido.

Así empezó mi relación con el barón de Tourneau.

22

Soplé la vela de mi habitación y me quedé mirando los rayos de luna que se filtraban por las partes rotas de la persiana. Las imágenes del barón, de Poincaré y Gilbert no tardaron en desvanecerse. Me dormí. Soñé que estaba en Brooklyn, y que hacía el amor con Vinnie en un prado de hierba mullida. Era feliz. ¡Feliz! Sin embargo, a partir de cierto momento me cansé y le pedí que parase. Él siguió como si no me hubiera oído, gozando sádicamente con sus embestidas. La hierba se volvió dura. Estábamos fuera de Auschwitz, rodeados de humo, pero la cara de Vinnie se veía claramente. No gozaba del sexo, sino del dolor que infligía. No le mires a los ojos, me ordené, pero fue más fuerte que yo: tenía que ver el monstruo en que se había convertido. Era Egon, muerto y vengándose. Abrió la boca, llena de dientes afilados como de chacal, y estuve segura de que me arrancaría la cabeza.

Grité. Al segundo grito, me desperté. Estaban llamando a la puerta.

Temblando, me eché una bata por los hombros y fui a abrir. Era una chica pelirroja, descalza y con bata, como yo. Estaba despeinada, con un brillo de preocupación en los ojos.

–Perdona –dijo–; es que te he oído gritar cuando volvía a mi habitación.

Era muy joven.

–Entra, que tienes cara de frío.

–Gracias.

Entró sigilosamente y de puntillas, como si tuviera miedo de lo que pudiera encontrar.

–Era una pesadilla –le dije–. No pasa nada.

–Tenía miedo de que estuvieran haciéndote daño. De que hubiera venido alguno de esos cerdos nazis a repetir.

Se sentó al lado de la cama, en una silla. Era una chica delgada, que al sentarse con las piernas dobladas me recordó la ilustración de uno de los libros que leía de niña: Heidi calentándose delante de la chimenea. Cogí una manta y la arropé. Luego me senté en el borde de la cama para tenerla de cara. Me fijé en que era verdaderamente guapa, con un aspecto más fresco que el de la mayoría de las chicas de La Maison.

–¿Eres nueva? –pregunté–. ¿Nos habíamos visto?

–Sólo llevo dos semanas. Me llamo Sonia.

–¿Rusa?

–No, francesa, pero mi madre leía a Dostoievski.

–Yo soy Odette.

–Si, lo sé, la ahijada de Madame de Sevigny. Las chicas te tienen rabia. Creen que recibes favores especiales, pero yo no veo que sea tan bueno tener que ir a la habitación del barón.

–¿Cómo lo sabes? –dije, sorprendida.

–Te vi salir. Estaba en la sala redonda pero no me viste.

Cierto. En ese momento sólo pensaba en volver a mi habitación.

–O sea, que trabajas en la sala especial.

–Sí, desde el día que llegué. –Hizo una mueca–. Supongo que me acostumbraré.

–Sí. Yo ya me he acostumbrado, pero sólo porque me da gusto pegarles. –Me miró con una cara rara. Quizá no estuviera muy segura de lo que podía decir. La ayudé un poco–. ¿Tú también les odias? Como acabas de llamarles cerdos nazis...

–¡Pues claro que les odio!

–Entonces ¿qué haces aquí? ¿Por qué te acuestas con ellos? Una chica como tú, tan guapa y joven...

–Por cruzarte de brazos no te paga nadie –dijo con amargura.

–No lo decía en ese sentido. ¿Por qué trabajas aquí?

–Porque es la manera más rápida de ganar lo que necesito. Tengo una casita en las Ardenas, una cabaña muy bonita, y estoy ahorrando para convertirla en una posada, un sitio rústico para vacaciones. Cuando se acabe la guerra, vendrá gente a puñados. Tendrán ganas de ir a un lugar tranquilo para olvidarse de todos sus problemas. ¿Me crees?

Me pareció una fantasía, pero no quise ofenderla diciéndoselo a la cara.

–¿Por qué no iba a creerte?

–Ricki se ríe de mí. Dice que soy demasiado romántica para ser una puta.

–Yo también soy romántica –dije, pensando en Vinnie. Me acordé del sueño–. Al menos antes.

Se quedó un rato callada y luego dijo:

–Me caes bien.

Yo me reí.

–Tú a mí también.

–No, en serio. Eres la única de aquí con corazón. –Hizo una pausa–. ¿Crees que podríamos ser amigas?

Las amistades eran peligrosas. Las mías habían desaparecido, estaban muertas o me habían delatado. Aun así, contesté:

–Pues claro.

Sonia se acercó sonriendo. Nos tumbamos en la cama, una al lado de la otra.

–¿Puedo quedarme a dormir? –susurró.

De pronto sentí la misma necesidad de compañía que rezumaba su pregunta. De día sería Odette, la dominatrix. De noche, sin nadie que me diera órdenes, podría ser Mia, aunque sólo fuera por un rato. Y fue Mia quien se tumbó junto a la pobre Sonia y respiró hondo, hasta que nos quedamos dormidas.

23

Sonia gruñó y, cambiando de postura, se acurrucó de lado en la manta.

Para mí había sido una noche muy larga. El calor de su cuerpo pegado al mío me reconfortaba. Un rayo de luz diurna se filtraba por la persiana. En realidad teníamos permiso para dormir todo lo que quisiéramos, porque casi nunca empezábamos a trabajar antes de mediodía, que era la hora de los «rápidos», los oficiales de baja graduación que estaban a punto de ser enviados al frente. La sala redonda nunca se abría antes de las nueve de la noche. Decidí aprovechar el día para conocer mejor a Sonia.

Cuando estuvimos las dos despiertas, se acercó a la ventana y levantó la persiana.

—¡No, no abras! —dije.

—¿Por qué no? Hace una mañana muy bonita.

—Porque lo prohíbe Madame.

—Bah. La bruja esa es demasiado picajosa.

Se oyó un grito en el patio. Yo me senté en la cama, poniéndome la bata. Sonia se apartó de la ventana. Oí el portazo de un coche y un taconeo de botas por los adoquines, como los golpes de bastón de un ciego.

—La Gestapo —dije.

Me latieron las sienes como dos martillos. Corrí al armario y cogí mi monedero para sacar la moneda envenenada y guardarla en mi bolsillo. También hice un rápido repaso de la habitación. ¿Había alguna prueba incriminatoria? No. Me había acostumbrado a entregar mis notas a Poincaré una vez por semana, y desde ayer, el día de nuestro último encuentro, no había sucedido nada.

Sonia, que había vuelto sigilosamente a la ventana, levantó un poquito la persiana, lo justo para mirar el patio.

–¡Apártate! –susurré–. ¡Vuelve enseguida a la cama!

–¡Schutz, Lipsch! –tronó una voz en alemán, justo debajo de nuestra ventana–. Deprisa, antes de que pueda fugarse.

–¡Dios mío! –exclamó Sonia.

–Tranquila. No nos harán nada. Pero si te pillan espiándoles...

–¿A qué han venido?

–No lo sé.

Sí que lo sabía. Buscaban a una refugiada que había llegado la semana anterior. La operación la había organizado Poincaré con el consentimiento de Madame, siguiendo órdenes de Gilbert. Y ahora se había enterado la Gestapo.

Se oyó un grito, un «¡Nooooo!» desesperado en el piso de abajo.

–¡Se lo suplico! ¡Llévenme a mí y háganme lo que quieran, pero sólo es un bebé! Mi pobre bebé...

Oí puertas abriéndose en el piso de arriba, y a lo largo de nuestro pasillo. ¿Serían las chicas, que habían reconocido la voz lastimera de la nueva ayudante del *sous-chef*? Una mujer nerviosa, una hormiguita que respondía al nombre de Natalie y que nunca decía nada, ni siquiera cuando Poincaré se la había confiado con su bebé a madame de Sevigny hasta que pudieran sacarla clandestinamente de París.

Natalie era judía. Tenía los ojos muy juntos, la nariz larga y fina y el pelo muy corto, como de reclusa. Al verla llegar con un aire tan triste, yo la había evitado por instinto. Ahora sabía por qué. Olía a muerte.

Un grito de bebé reverberó por La Maison, seguido por otro lamento de Natalie, silenciado por un golpe.

–¡Mierda! –dijo un alemán–. Bueno, ya no hace falta que nos los llevemos al cuartel. Los dejamos aquí y ya está.

Hubo un momento de silencio, seguido por el sonido de las botas por el patio, otro portazo de coche y el de un motor alejándose.

Sonia y yo nos miramos, aterradas. ¿Qué golpe había sido ése? ¿Una culata de fusil alemán partiéndole el cráneo a Natalie? ¿Había muerto con el bebé en brazos? ¿Y el pequeño? ¿También le habían destrozado la cabeza?

Quizá hubiera una mancha en la escalera inmaculada de granito, y pelos o restos de sangre marcando el lugar de los hechos. ¿A quién le tocaría limpiarlo?

Sonia se acercó llorando en busca de consuelo. Yo la abracé y nos mecimos mutuamente.

–No podías hacer nada –dije.

–Ya, pero el bebé... ¿Tenían que matarle?

–No tenían que matar a ninguno de los dos. Esta incursión no era nada personal contra ellos. Ha sido una advertencia para cualquiera que pretenda usar La Maison para esconder refugiados.

Para mí, pensé, y sentí otra vez el incontenible impulso de la fuga. La Gestapo había vuelto a visitarnos, y yo había vuelto a tener suerte. ¿Cuánto tardarían en atraparme y mandarme a los campos de concentración, que ya habían dado cuenta de mi familia y sus vecinos? Si los informes no mentían, las filas de los internados en los campos se habían visto engrosadas por todos los judíos del Baluty, a pesar del ferviente colaboracionismo del rey Chaim.

¿Qué habría pasado con los negativos de Nate Kolleck, sus centenares de retratos de muertos y agonizantes? Documentos que podrían haberle mostrado al mundo lo que nos estaba pasando a los judíos europeos, esa verdad que, para mi eterna vergüenza, yo ni siquiera había mencionado en Brooklyn. Bueno, Vinnie sí sabía algo, pero sólo mi historia, no la de mi pueblo.

Esa mañana habían perecido dos judíos más, sin que nadie hubiera movido un dedo para protegerles. Nos habíamos quedado como conejos en nuestras madrigueras, temblando en silencio. Por la tarde, nadie comentaría el incidente. Se convertiría en una pesadilla más, incluso para mí.

La incursión había sido rápida. Los alemanes sabían con exactitud dónde buscar. Habían entrado por la puerta lateral, que debía de estar abierta. De repente tuve una idea muy desagradable: la certeza de que Natalie había sido delatada por alguien de La Maison.

Idea que llegó acompañada de una pregunta: ¿cuánto valía para mi nueva amiga Sonia su preciosa posadita en las Ardenas? ¿Era una simple coincidencia que hubieran encontrado a Natalie poco después de la llegada de Sonia? Decidí que Odette no necesitaba ninguna amiga, y que Mia tendría que conformarse.

En su lugar reapareció otro «amigo», en este caso de Odette: Franz Jozef Behrenson. En una de nuestras últimas conversaciones, Poincaré me había regañado por mi primer informe, en el que presentaba al oficial como alguien sin relevancia dentro de la inteligencia alemana. Era lo que quería hacerme creer la Gestapo y el barón, pero en realidad esa postura no hacía más que reflejar la lucha por el poder entre la Gestapo y la inteligencia alemana. Habían entablado un combate casi tan cruel como la propia guerra alemana contra los aliados.

Así pues, mientras mi relación con el barón adquiría tintes más barrocos que en nuestro primer encuentro, hasta el punto de que acabé gozando con sus gritos de dolor y sus ruegos de piedad, empecé a pasar casi todo mi tiempo con Behrenson, y me dieron permiso para abandonar La Maison de su brazo. Le gustaba pasearme por París para presumir de amante, sin importarle que algunos oficiales amigos suyos supieran que también era una puta.

A Poincaré le encantó la novedad. Quizá pudiera sonsacarle algún secreto al oficial a base de follar.

Franz Behrenson me llevó por la cintura hacia el hotel Georges V, que tenía cortado el suministro de electricidad. Yo me arrimé un poco, pero me aparté al ver los faros antiniebla de un Citroën en el pavimento del Boulevard d'Alma.

–¿Subes conmigo a tomar una copita? –preguntó.

Sólo había una respuesta posible.

–Si quieres...

Al vernos entrar en el vestíbulo, dos calaveras de las SS con relámpagos de plata en el cuello se cuadraron. Cerca del mostrador había un oficial de alto rango discutiendo con el recepcionista.

Behrenson me apretó el brazo.

–Perdona –dijo.

Se acercó al oficial para anunciarse con un choque de tacones y hacer el saludo hitleriano con el brazo en alto. Era la segunda vez que le veía actuar con tanta deferencia. La primera había sido con el ayudante de Hitler, el general Jodl.

La cara del oficial me sonaba de algo. La había visto en una foto, quizá con más pelo. Me giré hacia el ascensor.

Behrenson me llamó.

–No seas tímida, Odette. Ven, que quiero presentarte a un hombre muy importante. Herr Doktor Roos, le presento a Odette LeClerc. El doctor Roos, Odette, es una eminencia que investiga la vacuna de la rubeola.

El reconocimiento fue como un fogonazo. ¡El doctor Roos había estado en Lodz, en casa de mi padre! Yo, que entonces tenia siete u ocho años, había interpretado a Bach y Mozart al piano. Le miré a la cara para ver si me reconocía. Como supiera que mi verdadero apellido era Levy, no me quedarían más de veinticuatro horas de vida.

–Su fama le precede –murmuré, tendiendo la mano para que me la besara–. He oído hablar mucho de su trabajo con los niños. Es más, tengo un recuerdo: una vacuna en el trasero.

Roos se inclinó.

–Es el máximo honor que puede hacerme. Les invitó a una copa de champán, y no aceptaré una negativa.

Dejé que me cogiera del brazo, mientras Behrenson nos seguía echando humo.

–¿Era necesario? –dijo Behrenson–. ¿Hacía falta que te desvivieras tanto por Roos?

Le estaba haciendo un masaje en los músculos de los hombros. Como estaba boca abajo en la cama, su voz se oía en sordina.

–¡Cuidado, que me matarás!

–No dramatices –dije yo, apretando un poco menos–. Si no te hago un masaje a fondo, mañana estarás fatal. En cuanto al doctor Roos, ¿cómo querías que rechazara la invitación?

–Tenías ganas de conocerle.

–¡Pero si nos has presentado tú!

Giró la cabeza para mirarme, la cara enrojecida.

–Sí, pero le has llamado la atención adrede.

No me molesté en negarlo.

–No es mi culpa que me haya encontrado atractiva. Haz el favor de relajarte, que si no...

–No tenías que aceptar su invitación.

–No, claro. Tu amante insultando a uno de los científicos más prestigiosos de Alemania. Una jugada maestra para tu carrera. ¿Qué te crees, que me han apasionado sus historias sobre el tifus? ¿Que me fascina oírle contar las enfermedades de los campos?

–Pues te he visto muy atenta. ¡Tú siempre con los berlineses! Generales, comisionados... Te has puesto como meta seducirles a todos. Te ríes de sus chistes malos, les dejas dar la vara sobre sus intrigas con el Führer... ¿Por qué?

Mis dedos dejaron de moverse por sus omóplatos.

–Por pura educación. No tiene nada de malo.

–¿Ah no? –Se giró y me cogió por las muñecas, haciéndome caer en la cama del hotel–. ¿Qué te crees, que no veo que todos te desean?

–Lo que es deseo, a ti tampoco es que te falte.

–Eso no viene a cuento –dijo, claramente complacido–. ¿Verdad que Roos ha intentado tocarte la pierna por debajo de la mesa?

–Sí.

–Y ¿cómo has reaccionado? ¿Abriéndolas?

–Apartándole la mano.

Su rabia se alimentaba sola.

–¿Cómo puedes hacerte la inocente de esta manera? ¡Me vuelves loco! Si Roos se presenta en La Maison con De Tourneau, y yo no estoy, ¿qué harás? ¿Le dejarás follar contigo mientras vas dando latigazos al barón?

Me abrió la blusa de golpe y me mordió los pechos, mientras metía su mano izquierda entre mis piernas. Las cerré involuntariamente.

–¡Ah, ahora te resistes a mí!

Tenía los ojos rojos de rabia. Tuve miedo de haber ido demasiado lejos.

–No hace falta que me violes –dije lo más suavemente que pude–. Me duele la cabeza. Déjame ir a buscar una aspirina y podrás hacerme el amor tanto como quieras.

–No, como quiera yo no. Lo que quiero es que respondas un poco. Quiero más pasión. Sé que la llevas dentro. Te lo he visto en los ojos. He visto tu mirada de éxtasis cuando das latigazos al barón, Odette. Y a Schmiede. ¿Cómo puede ser que al cerdo de Schmiede le des lo que me niegas a mí? –Sacó una fusta de debajo de la almohada y me la dio–. Pégame –gimió–. ¡Que me pegues, te digo!

Levanté la fusta y vi que sus nalgas se tensaban de expectación. Se agachó para coger la parte inferior de la cama. En ese momento me dio pena.

–¿Qué esperas? Te mando que me zurres como a Schmiede y al barón.

Tiré la fusta, asqueada.

–No puedo.

–¿Por qué no? –exclamó él–. ¡Por favor!

Le besé con ternura.

–Porque no te odio bastante.

Cada vez se apretujaban más cuerpos en los bancos de madera, cargando el ambiente de olor a ajo y estómagos digiriendo amargamente sus propios jugos. Me aferré a mi asiento del pasillo, ignorando las miradas de rabia y negándome a ceder el espacio que ocupaba a mi lado el abrigo de pieles. Me sentía observada por miradas hoscas, que se fijaban en mi ropa: vestido limpio, medias de lana, botas de cuero español... Más allá de los confines de París, la gente sufría mucho más de lo que me había imaginado, mientras que yo estaba bien vestida y bien alimentada.

Tiritando, escondí en los pliegues del vestido mis guantes forrados de piel, mientras volvía a mi memoria la asquerosa sopa de verdura del Baluty. ¿No me había ganado comer bien? ¿Tenía alguna razón para sentirme culpable por la ropa y las joyas que me daban mis admiradores alemanes? Ya que no tenía más remedio que venderme, ¿por qué no podía hacérselo pagar con creces? Si la gente de la iglesia hubiera sabido cómo me ganaba mi ropa, ¿la habrían criticado?

Un hombre medio calvo se puso a mi lado.

–Ya era hora –susurré–. Por poco me lapidan por guardarte el sitio.

Poincaré asintió con la cabeza, ensimismado. En ese momento empezó a sonar el órgano procesional, y Poincaré me hizo señas de que me callara, mientras echaba un vistazo a la iglesia. A nuestra izquierda había un hombre muy alto vigilando la puerta. ¿Eran imaginaciones mías, o en cada salida había alguien?

–Ya sabes lo de la incursión en La Maison –dije. No era una pregunta–. Les hemos perdido a los dos. ¿Lo sabe Gilbert?

Poincaré tenía la mano derecha metida en el bolsillo del abrigo. ¿Una pistola escondida? ¿Por qué? Parecía asustado.

–Henri –susurré, ignorando otro gesto explícito de que me callara–, ¿por qué has querido verme aquí? ¿Quién te envía?

Le latía una vena en la frente. No me miró. En ese momento comprendí la verdad, con la nitidez de un cielo de primavera: había venido a matarme.

Los ensalmos del cura resonaban en la nave. Poincaré se arrodilló. Yo hice lo mismo. Al arrimarme a él, sentí que se apartaba. Como yo de Nate Kolleck en el Baluty.

Quizá ya estuviera muerta.

Cuando volví a sentarme, cogí su brazo y no quise soltarle, ni siquiera cuando los fieles se levantaron para irse y los acólitos empezaron a apagar los cirios.

Me fijé en las cortinas detrás del altar. En Inglaterra, uno de mis instructores me había enseñado fotos parecidas. Gracias a ello supe que estaba en un cuartel de la Resistencia, una parroquia de barrio obrero en las afueras de la ciudad donde se repartían libros de claves y se enviaban mensajeros. En alguna de las habitaciones secretas detrás del altar había un transmisor. Poincaré no se habría arriesgado a reunirse conmigo en un lugar así sin estar seguro de que yo no volvería.

Vi salir al último parroquiano por la puerta trasera de la iglesia. Los hombres de la Resistencia seguían apostados en todas las salidas. Quizá esperaran una señal.

—Ya puedes decirles que se vayan —susurré—. No soy tan tonta como para no saber a qué has venido. Ni tan lista como para escaparme.

Le vi sonreír irónicamente, y lo asocié a la idea de rebanar una garganta. Cuando no quedó nadie en los bancos, me hizo señas de ir al fondo de la iglesia y me siguió. Aún llevaba la mano en el bolsillo.

—Al menos me darás una oportunidad, ¿no? —dije.

—¿De qué hablas? —repuso él inexpresivamente.

—Se me acusa de algo, pero no sé de qué, y quiero tener la oportunidad de defenderme.

—Todas las que quieras. Esta noche te vas a Londres en el Lysander.

¿A Londres? El corazón me dio un vuelco, pero estuve segura de que era mentira. Me giré para mirarle.

—¿Para ver a quién?

—No lo sé. Mis únicas órdenes son llevarte al avión.

—Pero ¿qué *he hecho*?

—La madre y el hijo no fueron los únicos delatados. Han pillado a Karnak cruzando la frontera en Chenonceaux. Emile subió a un taxi fuera de La Maison, y desde entonces no sabemos nada de él. La semana pasada cogieron a tres de Operación Esfinge y los mandaron a Dachau. Jabalí, que habría sido el cuarto del grupo, saltó por la ventana del cuartel general de la Gestapo en la avenue de Saussaies.

Estuve a punto de caerme. No me sonaba ninguno de esos nombres, pero eran aliados. La Resistencia.

—Y ¿creéis que he sido yo la delatora?

Poincaré se encogió de hombros.

–O sea, que me mandáis a que me ejecuten, ¿no? ¿Por qué? ¿Por qué no tenéis agallas para hacerlo vosotros?

–¡No seas tan dramática, mujer! Dejarte en París sería peligroso. Yo no sé a quién tengo que creer.

¿Y yo? ¿Me atrevería a creerle a él?

–Mírame, Poincaré. ¿Cómo podía saberlo? Gilbert confiaba bastante en La Maison para mandarme de pupila. Le he estado informando a través de ti, y le he dicho...

Sentí una especie de sacudida eléctrica.

–El traidor es Gilbert. ¿No te das cuenta? Cuando esté muerta, le serviré de chivo expiatorio y podrá seguir como hasta ahora sin obstáculos. Seguro que te ofrecerán a Behrenson, aunque dudo que folles igual de bien. Entonces pasarás a ser tú el que informe a Gilbert, para que vea cuánto sabe Behrenson. Nadie se extrañará de que Gilbert vea personalmente a todos los agentes que llegan, incluida yo, ni de que se reúna con todos los jefes de célula de la Resistencia, aunque Londres le haya aconsejado lo contrario. Es su manera de manipularnos. –La importancia del descubrimiento me dejó ronca–. ¿Por qué me miras así? No te habrán comprado los alemanes con tu noviete, ¿verdad?

–Ojalá pudiera creerte –dijo con suavidad, mientras pasaba junto al último banco y hacía una genuflexión delante de la pila bautismal.

Me aferré a su brazo.

–Voy a darte la oportunidad de confirmarlo. Telegrafía a Londres. Pregúntales si Mia Levy tenía a sus padres y un hermano en Auschwitz. Soy *judía*, Poincaré. Mi madre murió en los campos, y el resto de mi familia puede que también. Tengo más razones que nadie para odiar a los nazis. ¿Entiendes lo que te digo?

Vi que titubeaba.

–Ahora saldré por la puerta –dije–. Si quieres, me pegas un tiro por la espalda, pero no pienso darle al traidor de Gilbert el gusto de matarme en el avión.

Retrocedí con la blusa empapada de sudor. Tenía punzadas en todo un lado del cuerpo, por culpa de mi vieja herida en la cadera. Quizá mis argumentos carecieran de peso. Quizá estuviera todo decidido desde mucho antes de mi llegada a aquella iglesia. ¿El silencio de Poincaré era un silencio de aquiescencia o de resignación?

Al llegar al arco grande de la puerta, esperé un segundo y giré el pomo. Luego miré hacia atrás. Poincaré estaba en el centro del pasillo, sin el menor indicio de conciliación en su sonrisa tensa.

Volví a girarme, esperando el disparo, pero lo que hizo Poincaré fue adelantarme corriendo, mientras me hacía señas de que le siguiera. Crucé la puerta a toda velocidad y le vi correr hacia el seto que rodeaba el jardín del templo. Nos escondimos entre las ramas de los espinos. Siguiendo la dirección de su mano, vi a tres hombres o más corriendo por la zona.

—Nos buscan —susurró Poincaré—. A estas horas ya deberíamos habernos ido, pero no te preocupes, que es puro teatro. Pronto se cansarán y dirán que no nos han visto salir.

—¿Son hombres de Gilbert? —susurré. Interpreté su silencio como un sí—. O sea, que es verdad que quería matarme.

—Sólo está borrando huellas. Londres se ha quejado de que pierde demasiados hombres. Gilbert elige chivos expiatorios y se los entrega a Londres... muertos.

Nuestros perseguidores estaban en el otro lado del jardín. No tuve miedo de seguir haciendo preguntas a Poincaré.

—Pero tú le seguías el juego. ¿Por qué?

—Últimamente, en Londres están muy susceptibles. Querían una demostración de lealtad por mi parte.

—Vaya, que había que elegir entre tú y yo. ¿Qué te ha decidido? Perdona, pero no me parece muy típico de ti arriesgar el cuello.

—*Quiero a Westerdorp.*

Westerdorp. Vi la imagen del oficial de la Gestapo, gordo y calvo, sometiéndose desnudo de cintura para arriba a otra de las chicas (creo que Erika), que le azotaba con una caña de bambú, haciéndole caer sobre la alfombra entre súplicas de que siguiera.

—¿Me has oído, Odette?

Me interné un poco más en los espinos.

—Quiero a Westerdorp. —Hizo una pausa—. Y a Sonia.

—¿A Sonia? ¿Por qué?

—Gilbert necesitaba una cómplice en La Maison. Si no eres tú, sólo puede ser ella.

Yo también había albergado sospechas sobre Sonia.

—¿Qué hago? —pregunté.

—Matarles.

¡No! Era demasiado horrible. No tanto en el caso de Westerdorp, que sólo me inspiraba asco; habría sido como matar a una rata, pero a Sonia... Era lo más parecido a una amiga que había tenido, aunque fuera una falsa amistad; y yo no me había incorporado a la Resistencia como asesina, sino como espía. No podía hacerlo. Se lo dije.

–Pues entonces entrégamelos, al menos a Westerdorp. A Sonia puede que tengas que matarla tú.

Un portazo de coche me impidió contestar. Vi una limusina que se alejaba rápidamente. Varios ciclistas desaparecieron en la noche. Me había quedado a solas con Poincaré, que miraba fijamente mi perfil, pero no como mis admiradores alemanes. Su manera de observarme no tenía ninguna calidez. Sus ojos de acero carecían de interés masculino.

–Para entregártelo tendré que volver a La Maison.

–Exacto.

–¿Y Gilbert? No puedo volver sin que se entere. ¿Qué le impedirá mandar a otra persona a matarme?

–Que le entregaré a una sustituta. Le convenceré de que eres demasiado valiosa para morir, y que si te matáramos se le echaría encima todo Londres.

Me pregunté por qué no se le había ocurrido antes, pero no lo dije en voz alta.

–Es peligroso volver a La Maison –dije–. Aunque Gilbert esté neutralizado, tarde o temprano los alemanes se enterarán de lo que he estado haciendo.

–Todavía tienes tiempo. Sigues bajo la protección del barón, y Behrenson está demasiado enamorado para delatarte.

Me acompañó a su coche, aparcado en la parte trasera del recinto de la iglesia, detrás de una hilera de árboles. Nos fuimos juntos, esperé que fuese a París.

–Tú aguanta –dijo–, que ya llega la liberación.

–Sí, ya lo sé. Behrenson dice que están protegiendo las V-2 que hay al oeste de la ciudad, y en el último comunicado que me enviasteis puse una lista de campos de minas y localizaciones de explosivos. ¿Pudisteis echar un vistazo a las fortificaciones?

–Hasta el último saco de arena y el último búnker. En Londres estaban muy contentos.

–Entonces ¿cómo habéis podido confundirme con una colaboradora de los alemanes?

–Porque Gilbert te metió en la casa.

–Y ahora que sabes que no lo soy, ¿por qué no me sacan de Francia?

–Porque es justo lo que quería Gilbert.

Sí, pero esta vez sería en un Lysander sin el visto bueno de las SS. Un Lysander que no hubiera manipulado Gilbert, para que tuviera alguna posibilidad de cruzar el canal.

–¿Qué prisa tienes? –preguntó Poincaré–. Creía que te gustaba dar cachetes a los alemanes.

–Muy gracioso. Se suponía que era una misión rápida. A estas alturas ya deberían haberme matado dos veces. No me fío de nadie, Poincaré, ni siquiera de ti. Uso a los alemanes para conseguir información, y sé que cuando les convenga a los de la central me ordenarán matarles. Ahora quieres que también mate a Sonia. La respuesta es no.

–Tenemos que asegurarnos de que La Maison sea segura. No podemos arriesgarnos.

–Asumo la responsabilidad. Me cercioraré de que Sonia no sepa que la controláis. Primero veámosla en acción.

–¿Para estar seguros de que trabaja contra nosotros? Bueno, vale, Odette, pero si tengo razón tendrás que matarla.

–¿Y si me descubren?

–Ruiseñor ya desapareció una vez, y podrá volver a hacerlo. He pedido a Washington que nos manden ayuda.

–Washington –repetí con dureza–. ¿Cómo estás tan seguro de que vendrán los americanos?

–Tú tranquila, que vendrán. Con la puntualidad del correo de París... antes de la guerra.

Tenía la cabeza como un bombo. No había un «antes de la guerra», ni habría un después. ¿Cómo podía haberlo, entre los franceses colaboracionistas y las celdas de la Gestapo? La mera existencia de estas últimas era la prueba perfecta del cruel olvido, y el cruel retraso, de Washington.

Tuve la certeza de que la próxima vez que desapareciera Ruiseñor sería en una tumba. No me quedaban ilusiones. Algún día se acabaría la guerra, y no me parecía mal morirme antes, para unirme con mis padres y mi hermano, mis camaradas polacos y mis antepasados en una línea que se remontaba hasta el rey David.

–Quiero enviar una carta a Estados Unidos –dije.

El coche derrapó. Poincaré tuvo que hacer un esfuerzo para dominarlo.

–Pero ¿qué dices?

–Acabas de decir que en otra época el correo de París era fiable. Supongo que ahora el vuestro también, ¿no? Pues quiero que lleven algõ a América. Una carta personal.

–Ni hablar. ¿Te das cuenta del riesgo?

–El riesgo es mío. El nombre del sobre no le sonará a nadie.

–¿Y el mensaje?

–Ya lo he dicho: personal. ¿No te das cuenta? He perdido a toda mi familia. Sólo me queda una persona, que es a quien quiero escribir. Le debo explicaciones sobre la desaparición de Ruiseñor. Así de sencillo.

Poincaré frenó un poco, pensándoselo.

–¿A cambio de Westerdorp?

–Sí.

–¿Y de Sonia?

Me dolió.

–Sí.

–¿Es americano?

Asentí con la cabeza.

–Entonces trato hecho, como dirían allí.

24

Vinnie de mi alma:

Te escribo desde París, pero es lo único que puedo decirte sobre dónde estoy y lo que hago. No esperes nombres de calles, ni una descripción de mi trabajo. De hecho no puedo darte ningún dato; sólo puedo contarte lo que siento, pero me gusta podértelo explicar.

No desaparecí porque ya no te quisiera. Me esfumé, literalmente, y en muchísimos sentidos me alegro. La verdad es que lo único que lamento, cada día más, es haberme separado de ti.

Cariño, te quiero como no se tiene derecho a querer. Te quiero tanto, que es a la vez un sufrimiento y un placer; te quiero con tanta pasión que renunciaría gustosamente a la vida antes que a mi amor. Eres lo que respiro, lo que como, mis sueños y mis fantasías. Cuando me duele el cuerpo –y últimamente me duele bastante–, pienso que es por mis ansias de ti. Si tengo hambre, es de ti. Y nunca duermo sin tenerte a mi lado.

Cuando canto –pocas veces, salvo por dentro–, mi música eres tú.

Ignoro si recibirás esta carta. Puede que estés en el ejército americano que vendrá a liberar Francia, y que me liberes a mí. Pero lo más probable es que no volvamos a vernos, salvo con los ojos del corazón. Yo ya me he resignado. Haberte conocido, haberte querido, haber hecho el amor y haber tocado música contigo es suficiente para toda una vida, más plena que la de cualquier otra persona, aunque durara cien años.

Rezo por que tengas una vida larga y feliz, por que encuentres otro amor –pero no tan profundo, emocionante y pleno como el nuestro– y te acuerdes de mí al quererla.

Por mi parte, te seguiré siendo fiel hasta el final de mis días.

¿Te acuerdas de la sonata de Schumann que tocamos? Entonces te enseñé a que te gustara Schumann. Ahora voy a decirte cómo se llama la canción más bonita que escribió: *Ich grolle nicht.* «No estoy enfadado».

No estés enfadado conmigo por haberte abandonado, tesoro de mi alma. No te he abandonado. Siempre estoy contigo, y siempre lo estaré.

Tu Mia.

—... Osea, que al principio no estaba yo muy fino, todo hay que decirlo —dijo el general Westerdorp—. Siempre viajando, horarios irregulares, nada que ver con lo que conocía... Lo que ocurre es que necesitan mis servicios de ingeniero en todas las zonas en guerra.

—Echará muchísimo de menos Viena —dije, compasiva.

Estábamos sentados en un sofá de la «sala de música» de La Maison, donde madame de Sevigny había instalado un piano.

Los grandes ojos de búho del general parpadearon adormilados al otro lado de sus gruesas gafas.

—¡Pues claro, querida! Es donde tengo mi familia, mis amigos... De pequeño conocí la ciudad en su apogeo. ¡Había que vernos de estudiantes, siguiendo a Francisco José cuando desfilaba por las calles con aquella maravilla de uniforme!

»Nunca ha habido mujeres tan elegantes, ni siquiera en París. Muchas sabían música, como tú. Hasta la chica más sencilla de la calle se sabía las notas de papá Haydn, Mozart y Beethoven. Y de Schubert, por supuesto, que hace que Wagner, el de Leipzig, parezca un organillero. Pero me estoy enrollando como un carcamal. ¿Me tocas un poco de Mozart? Tengo que relajarme antes de que hagamos el amor.

Al ir hacia el piano, sentí su mirada en mis muslos desnudos, mis calcetines de lana y mis zapatos de cordones. El miriñaque de mi faldita se infló al sentarme en el taburete. Luego la tela se asentó a mi alrededor.

A Westerdorp le gustaba que me vistiera y me portara como una colegiala. Cuando estábamos juntos, mi papel consistía en hacerme la ingenua, quedar sobrecogida por sus pobres hazañas sexuales y no cansarme nunca de sus interminables anécdotas sobre la vida y las costumbres de Viena. La docilidad de Westerdorp, junto a sus rígidas maneras de burgués, eran lo que le diferenciaba de los jefes de la Gestapo y los rudos burócratas berlineses que penetraban en el sanctasanctórum del barón de Tourneau para visitarme. La actitud del viejo general no tenía nada de amenazadora. Sus ojos lechosos no encubrían ninguna violencia latente. Sin embargo, yo sabía que era peligroso, y que se había pasado treinta y seis horas seguidas supervisando las torturas de un camarada de Poincaré, que al final se había derrumbado.

Westerdorp era un bebedor morigerado, un hombre puntilloso y de hábitos fijos. Muchas veces, después de oírme tocar, se acordaba en voz alta de su mujer y sus hijos. A veces me invitaba a sentarme en sus rodillas, como su hija, o bailar con ligas, cosa que su hija no hacía. Más tarde pedía el cepillo, y sometía su culo empolvado y tembloroso a los golpes cortos y secos de sus cerdas. Pero nunca en la sala del barón. La única vez que había venido a verme en ella había pedido cambiar enseguida de habitación. «Son animales», decía de los otros oficiales, asqueado –aunque para mí la diferencia entre los deseos de uno y otros era puramente anecdótica–.

Desde que había conseguido ser su chica «favorita», nos veíamos con frecuencia, y la verdad es que acabó cayéndome bastante bien; mucho mejor, en todo caso, que el barón y el egoísta de Behrenson. A veces hasta tenía dudas de que fuera verdad lo de las torturas, pero luego me recordaba que era un oficial del ejército alemán, y que eso le convertía automáticamente en un torturador.

No me importaría verle muerto. Como no tardaría en suceder.

–¿Por qué se fue de Viena? –pregunté, mientras tocaba la sonata *Alla Turca* de Mozart.

–Porque no tuve más remedio –contestó él con tristeza–. Estaba todo organizado. Por otro lado, era un honor ir a Berlín.

Para que te nombrasen interrogador del Reich, pensé. ¡Menudo honor!

–Esta noche estoy cansado –dijo al final de la pieza–. Mañana salgo otra vez al amanecer.

–¿Adónde? –pregunté.

–A Vichy. Perdona que te lo diga, pero el mariscal Pétain es un gusano rodeado de aduladores de la peor especie. En Vichy no puedes dar un paso sin redactar un informe. Encima no tienen ni idea de cómo se le saca información a un prisionero. Nadie gira una tuerca ni abre una válvula sin que le hayan dado permiso. Me he convertido en una especie de fontanero que se dedica a adular o reñir a unos primos franceses del Tercer Reich. En fin, prefiero hablar de lo guapa que estás esta noche. Pon la radio, si eres tan amable, y siéntate a mi lado.

Encendí la consola, me quité los zapatos y me senté en el sofá con las piernas dobladas, dejando subir el miriñaque para que se me vieran los muslos. En cuanto empecé a hacerle un masaje en las sienes y los hombros, noté que se excitaba.

—Hacía mucho tiempo que no venía a verme —dije.

Él asintió con la cabeza, y el gesto enfurruñado de sus gruesos labios se convirtió en una sonrisa.

—Ponga la cabeza en mi regazo y deje que le quite las gafas. Así, muy bien. Relájese.

Me incliné hacia él para que pudiera verme el sujetador, imaginando que tenía delante a un inofensivo profesor de mi *lycée*, un hombre sin fuerza de voluntad, impotente ante la menor demostración de sensualidad femenina.

Le ayudé a desnudarse y fuimos a la mesa del centro de la habitación, donde le hice un masaje.

—Esta noche está muy tenso —le regañé.

—Es que no es fácil trabajar para el Reich. Algunos días lo daría todo por volver a estar en la Universidad de Viena, hablando de algo más noble que la guerra. También echo de menos los parques y los jardines. Mi mujer y mis hijos se han mudado a uno de los apartamentos de lujo que hay justo al lado del Schottenhof, y ven los jardines siempre que quieren. Ya ves, tengo tanto éxito que puedo dárselo todo... menos un marido y un padre.

Endurecí el masaje, luchando contra un arrebato de tristeza. Westerdorp tenía mujer, hijos y los mismos sentimientos que millones de hombres de clase media; y yo, que le había visto sumido en la peor depravación, que había dado crédito a las explicaciones de Poincaré sobre su actividad como torturador, yo, que sabía que Westerdorp era mi máximo enemigo, un miembro de una raza decidida a erradicar a la mía, sentí a pesar de todo...

Cada movimiento de mis dedos le aproximaba a la muerte. Sentí que la rabia de Poincaré se infiltraba en el aire templado de la sala de música, como un veneno. Llevaba una semana fuera de sí, pendiente de los menores detalles. Ahora estaba escondido en un armario, cerca de la mesa de masajes. Veía a Westerdorp, pero éste no le veía a él.

A partir de ese momento, todos mis actos se ajustarían al guión de Poincaré, que era el responsable de todo, hasta de la selección musical, obtenida a través del mercado negro francés y organizada en una secuencia de discos muy meditada. Poincaré no habría tenido ningún reparo en clavarle al general un picahielos en la base del cráneo, pero en ese caso, excepcionalmente, quería una puesta en escena completa. ¿Por qué? No se me había ocurrido preguntarlo. Ya sabía que no me habría contestado.

Resumiendo, que estaba a punto de convertirme en cómplice de un asesinato. La única alternativa era enfrentarme a Poincaré. Matar o morir: lo mismo que habían hecho los nazis con sus prisioneros del Baluty y de Varsovia, convertidos en partícipes de crímenes entre judíos.

«¡Huye! –tuve ganas de gritar–. ¿No ves que la muerte viene a buscarte?» Intenté consolarme pensando que si me negaba Poincaré encontraría otra manera de matarle, algo que no estaría en mi poder evitar. Era la misma excusa que en el caso de Egon, con la diferencia de que Lobo me había utilizado sin mi consentimiento.

Me quité la blusa de seda y el miriñaque, y los dejé caer junto a la mesa. Westerdorp estaba boca abajo, pero yo sabía que el roce de la tela le excitaba. Fui al otro lado de la mesa de masaje, rompí la blusa en cuatro tiras y le até las manos y los pies a las esquinas.

–Esta noche le tengo reservado algo especial –dije.

Suspiró de placer.

Me acerqué al fonógrafo para coger el primer disco: los Niños Cantores de Viena.

–Voy a empolvarle –dije, y empecé a echarle talco por el culo.

Poincaré salió en silencio del armario y esperó a que las voces angélicas hubieran terminado de cantar «O Vaterland, mein Vaterland» para levantar la aguja y poner el disco siguiente: «Un bel dí», de *Madama Butterfly*.

Percibí un movimiento de rechazo en el cuerpo de Westerdorp.

–Odio a Puccini –dijo–. Cambia inmediatamente de disco.

Le di un golpe de cepillo en el trasero, seguido por otro con la intensidad adecuada. Westerdorp tensó sus ataduras.

–Esto no me gusta, Odette. No estoy disfrutando. Suéltame ahora mismo.

–No puedo. Lo siento.

Dejé el cepillo en la mesa y retrocedí hacia la pared del fondo.

–¿Cómo que no? Si pago tus servicios es para que me obedezcas. ¿Es una broma o qué?

–No precisamente –dijo Poincaré. Su voz tranquila se oyó con nitidez sobre el aria de la soprano–. No precisamente.

Me imaginé la cara de susto de Westerdorp, y el miedo que debió de sentir.

–¿Quién es? –dijo con voz entrecortada.

–No parece muy contento –dijo Poincaré–. Quizá prefiera un vals vienés. Aquí hay uno que oía casi cada tarde. Lo tocaban en cada visita de Francisco José. ¿Se acuerda?

¡Conque Poincaré era austríaco! ¡Claro! ¿Cómo no había reconocido su cantinela, y su lentitud al pronunciar las vocales alemanas? Mi miedo dejó paso a una intensa emoción.

–¿Qué quiere? –preguntó Westerdorp–. Si es dinero, no tengo. Tampoco he hecho nada. Soy ingeniero. No tengo valor político como rehén.

–Sí, claro, ingeniero. –Poincaré no podía disimular su tono de victoria–. Un ingeniero austríaco, como yo. Me sorprende que no haya reconocido mi voz. Quizá le refresque la memoria un poco de música de Auschwitz. ¿Le apetecen unas marchas de Suppé?

Cambió de disco.

–¡Odette! –exclamó Westerdorp–. ¡Ayúdame! –Le estaba costando respirar–. ¿Por qué me haces esto? ¿Qué te he hecho? Te juro que no tengo ni idea de quién es este hombre. Ni siquiera he estado en Auschwitz.

–Pero es un criminal de guerra. Mírale, Odette. Mira cómo intenta soltarse. Te aseguro que este hombre ha visto forcejear igual a muchas personas. Y lo de que nunca ha estado en Auschwitz... es verdad. –Miró con odio al alemán, inerme–. Pero ¿por qué no le cuenta a Odette lo de los hornos especiales que diseñó?

Era un tema sobre el que ya habían corrido rumores. Incineración de judíos. ¿Era así como había muerto mi familia?

–Sigue –le dije a Poincaré–, a ver qué nos cuenta.

–Está loco –gimió Westerdorp–. ¿No lo ves? No sé qué te habrá dicho este imbécil, pero son mentiras. No sé nada de hornos. Nunca he estado en Auschwitz. ¡Dios mío! ¡No permitas que mi mujer y mis hijos sufran por culpa de un loco que...!

–¿Loco? –Poincaré tenía una cordura asesina–. Pero ¿es posible que no me reconozca, Westerdorp? Soy Robert Segal, de Buna Werke, antes de que lo convirtieran en la cárcel de mujeres de Birkenau. También la diseñó usted, ¿verdad? Y después de los últimos retoques, cuando me metieron en la cárcel, como a tanta gente, nos mandó torturar con los instrumentos que había diseñado.

Se puso delante de Westerdorp para que pudiera verle.

–Yo tuve suerte –dijo–. Fui acusado de sabotaje y homosexualidad. Ya se imaginará lo que me hicieron sus esbirros, y las torturas que tuve que sufrir. Me enseñaron que al final el dolor pasa. Y que la muerte no es nada, sobre todo cuando tienes que matar por un mendrugo de pan, o cuando un vigilante con metralleta tiene ganas de divertirse y te amenaza con arrancarte los huevos si te niegas. Fue fácil escaparme: unas cuantas nochecitas de sexo anal con un oficial de las SS. Este momento las justifica de sobra. Una noche matamos a una docena de oficiales, les quitamos los uniformes y nos quedamos sus Steyr 220. Entonces sentí que usted no estuviera entre ellos, pero ahora... Ha valido la pena esperar.

–¡Se equivoca! –aulló Westerdorp–. ¿No sabe que intenté disuadirles?

–Sí, claro, pero la diferencia es que yo me negué a trabajar en los hornos, y usted no. Sube el volumen del vals, Odette. Johann Strauss. *Cuentos de los bosques de Viena*. Escúchelo, Westerdorp. Es lo más cerca de Austria que va a estar. Muy bien, Odette. Ahora ponlo al máximo.

Westerdorp no dijo nada hasta el final del vals. Tenía la cara arrasada en lágrimas. Tuve ganas de bebérmelas. Habrían sido más dulces que el champán.

–Yo sólo diseñé lo que me habían pedido. No sabía para qué querían los tubos y la ventilación. Pensaba que los usarían para eliminar residuos.

–¿Con gas Zyklon B?

–Sí. Ya se lo dije entonces.

–Mentiras, como ahora. Vi los planos e intenté sabotearlos. El papel y la basura sólo requieren doscientos grados centígrados. Por encima de esa temperatura... ¿Sabe a qué huele la carne quemada? Se lo voy a enseñar.

Poincaré encendió su mechero y lo aplicó bajo uno de los pies descalzos de Westerdorp el tiempo justo para que se formara una ampolla. Los aullidos de Westerdorp y el recuerdo del hedor de Auschwitz me dieron ganas de vomitar.

–¿Qué, reconoce el olor? –Poincaré se estaba divirtiendo–. Cada día que flotaba sobre la fábrica de Buna, me acordaba de usted.

–Yo no le delaté, Robert. Se lo juro.

–Pero tampoco me salvó.

–¿Salvarle? ¿Cómo, si estaba saboteando los planos? Habría sido como cortarme el cuello. No era un encargo normal. Lo había ordenado personalmente el Führer.

Fue capaz de pronunciarlo con orgullo, a pesar del dolor. La poca compasión que me quedaba se esfumó con ello.

–Entonces podrá morir por el Führer –dijo Poincaré–. Lo que me da rabia es no poderle matar más de una vez. –Encendió un cigarrillo, se lo puso a Westerdorp en la espalda y encendió otro. Al final del largo grito de Westerdorp, Poincaré dijo con toda la tranquilidad del mundo–: ¿Sabe que cuando le conté a Odette que había mandado torturar a un amigo mío no se lo creyó? Ahora seguro que sí, y que también se cree que ordenó torturarme a mí. De todos modos, me gustaría que se lo dijera usted. –Acercó el cigarrillo a la oreja de Westerdorp–. Me estoy impacientando. Dígalo.

–No tenía más remedio. ¿Podía negarme a servir a mi Führer? Yo no quería…

Poincaré cogió una pesada cadena –la favorita del barón– de debajo de la mesa de masajes y la usó para golpearlo en los muslos. Al acordarme de la historia de un judío a quien le habían disparado por la espalda cuando intentaba saltar la valla de Auschwitz, los gritos del alemán se convirtieron en música celestial.

La cadena siguió zahiriendo la espalda de Westerdorp, hasta dejarla convertida en una llaga gigantesca, pero Poincaré había llegado a un punto en que nada le satisfacía, y la emprendió a puñetazo limpio con la cabeza canosa del general.

Cuando hizo una pausa y levantó la vista, se encontró con el cañón de su propia Luger, dotada de silenciador. Yo se la había quitado del cinturón durante los golpes más brutales.

–Apártate –le ordené.

Mi tono no admitía discusión.

Tras una mirada que podía interpretarse como de admiración, Poincaré se acercó a la pared.

–¿Me oye? –pregunté a Westerdorp–. Ya está. No tiene nada que temer. No le haremos más daño.

Rodeé la mesa para tenerle delante, y contemplé sus ojos desorbitados. Su nariz mutilada sangraba.

–Ojalá estuvieran aquí mis padres y mi hermano, para decirme lo que tengo que hacer –dije, levantando la pistola–. De hecho, puede que estén.

Westerdorp cerró los ojos, pero tuve tiempo de ver su expresión de pánico.

–*Yisgadal v'yiskadash sh'may rabah...*

Abrió los ojos.

–Eres judía –dijo con voz ahogada–. Dios mío...

Disparé.

26

Durante el verano de 1944 mi ritmo de trabajo aumentó, lo cual no me impedía tener libre cualquier noche que solicitara Franz Behrenson, es decir, todas las que pasaba el capitán en París, que disminuyeron a medida que peligraba la situación de los alemanes en Francia, y la del propio Reich.

Cuando venía a París, Behrenson se gastaba un dineral en comida y vino del mercado negro. Íbamos a los mejores hoteles y los bares de peor reputación. Era su manera de relajarse. Gracias a que cada vez bebía más, y a que tenía un apetito sexual cada vez más voraz, yo obtenía datos destinados a ayudar al enemigo al que tanto temía.

Una noche cenamos en el Ritz, y él me miró fijamente con una intensidad feroz. Vi latir sus sienes bajo la piel enrojecida.

–Esta noche estás muy callado –dije–. ¿Has probado los espárragos blancos? Están deliciosos, los mejores que…

Hizo un gesto que nos redujo a nada, a mis palabras y a mí.

–¡Camarero! –Dio una palmada imperiosa–. Más champán. ¿Me has entendido? Bueno, pues contéstame en alemán.

Se giró para mirarme.

–¿Qué, te parece que estoy siendo muy bruto? ¿Te parezco el típico paleto alemán? ¿Uno de esos zafios que…?

–Lo que creo es que has bebido demasiado, Franz.

–¡Y lo que pienso beber! ¿Y tú?

–Yo ya he bebido bastante, pero sigue, sigue.

–¿Qué dices? La noche acaba de empezar. No quiero beber solo. ¡Oye, que no has tocado la cena!

–Perdona, es que me duele la cabeza y no tengo mucha hambre.

En ese momento apareció un hombre alto y delgado con charreteras doradas, que me besó la mano.

–Buenas noches, coronel –dije–. Me alegro mucho de volver a verle. Les presento: el capitán Franz Jozef Behrenson, el coronel Blasingame.

–Encantado –masculló Behrenson, pero no hizo ademán de levantarse. Tampoco disimuló su rabia.

–¿Sabes a quién acabas de insultar? –susurré cuando volvimos a estar solos.

–¿A mí qué coño me importa? ¿De qué le conoces?

–De una de las *soirées* de madame de Sevigny.

–Di fiestas de follar. Ya. Y anoche fue la del coronel Bechmann, y antes la del coronel Schneider... Dime una cosa, Odette: ¿hay algún oficial del alto mando alemán con quien no hayas follado?

Su grado de rabia y borrachera empezaba a ser peligroso.

–Ya sabes a qué me dedico –dije–. ¿Por qué te has enfadado tanto de repente?

–¡Idiota! –gritó–. ¿Acaso no lo sabes?

Mi sorpresa fue sincera.

–Pues no.

–¡Porque te quiero, maldita sea! Y porque no me correspondes.

Cuando estuvimos en la habitación, le hice un masaje en los hombros y sentí disminuir lentamente su tensión. Franz parecía viejo y derrotado, como si la confesión amorosa le hubiera robado toda su energía. Me miró como si sopesara sus palabras.

–Odette, de joven yo creía sinceramente en una nueva Alemania. Me encantaba el ejército. Trabajé muy duro para llegar a capitán. Creía que Hitler podría conseguir que Alemania volviera a ser la misma de antes. Tuve varios encuentros personales con él, y le consideraba un Dios. Tenía grandes sueños. Quería formar parte del Nuevo Orden. Disfrutaba a fondo cada una de nuestras victorias. Cuando marchamos por Polonia, Hungría, Bélgica y Francia, no hubo un solo día que no fuera emocionante. ¡Qué importante me sentía! Hasta creía que conquistaríamos Inglaterra. De noche soñaba despierto con la emoción de cruzar Londres con la bandera alemana.

»¿Y ahora? ¿Qué ha pasado? No lo sé. ¿Lo habrá cambiado todo nuestra derrota en Rusia? Tampoco creía que Estados Unidos fuera a entrar en guerra. Siempre he sabido que el éxito de la invasión aliada sería nuestro fin.

Rompió a llorar, pero no me dio pena. Además de ser nazi, se había convertido en una persona mezquina y amargada, siempre al borde de la violencia, y sus debilidades me inspiraban desprecio. Robarle secretos se había vuelto fácil y rutinario. ¡Se fiaba de mí! ¡Santo cielo! ¡Qué clase de hombre había que ser!

Un hombre que daba miedo. Sus brazos ya no me brindaban seguridad. Lo más probable era que no tardase en volverse contra mí, como contra su gobierno. En otros tiempos había creído en el Nuevo Orden y la alianza francoalemana. Ahora se había dado cuenta de que su Führer dejaría París en ruinas, sin pensar en las tropas destinadas en la ciudad.

Al menos esa noche no tendría que hacer el amor con él. El alcohol le estaba haciendo perder los últimos restos de coherencia.

—Relájate —susurré, dejando que apoyara en mis pechos su pelo rubio muy corto—. Estás muy tenso, cariño. Desde que se fue de París el general Von Rundstedt, eres como una Luger con el gatillo a punto.

—No se fue, le llamaron. Gerd von Rundstedt nunca habría huido de París, ni ahora ni hace un año, al darse cuenta de que todo estaba perdido. El gran genio militar de nuestra época, y el Führer va y le releva... ¡Y no una vez, sino dos! Tú espera, espera. Seguro que Hitler volverá a convocarle. Y él acudirá, obediente como un perro de caza. Los demás no son dignos ni de lamerle las botas. Su sustituto, Von Kluge, es un lameculos. ¿Que dice Hitler que quiere una ofensiva? Pues Von Kluge se la da... enviando a la muerte a niños en edad de ir al colegio.

Tenía los ojos inyectados en sangre. Al verle tan angustiado y con una mirada tan fija, me di cuenta de que estaba caminando por la cuerda floja.

—Al menos no está aquí y no puede verlo —dije—. Tampoco pueden acusarle del complot del veinte de julio, con el resto de los generales. Como no está en el frente occidental... Me gustaría saber por qué le hicieron irse de París.

Behrenson estaba furioso.

—Lo dices como si su caída en desgracia no tuviera importancia.

—No la tiene, al menos para mí. Personalmente, daría cualquier cosa por salir de París, aunque sólo fuera un día o una tarde.

—¿Cualquier cosa?

—Sí, para ser libre sí.

¡Qué gran verdad! Mis esperanzas revivieron. Si sabía manejarle, quizá Behrenson me ayudara a escapar.

Hizo una mueca.

–¡Ah, porque ahora lo que quieres es ser libre! Ni caviar, ni champán, ni botas de piel: ser libre. ¿De qué? ¿De mí?

Me sonrojé.

–De todo. Estoy harta del pan de serrín, de los apagones y de tantos hombres. Me tienen todos harta menos tú.

El halago no sirvió de nada.

–Ahora que están a punto de asediar la ciudad, no es el mejor momento para irse de vacaciones. –Me miró con recelo–. A menos que tengas otra idea... Tú *siempre* te guardas algo. ¿Qué escondes esta vez, amor mío?

–Esta noche estás muy desagradable –dije–. Muy cruel, sobre todo desde que te me has declarado. Creo que debería irme.

–Pero te quedarás. Porque buscas algo. Lo veo en tus ojos. Eres un libro abierto. Ahorremos tiempo. ¿Qué pretendes?

–Ya te lo he dicho: libertad. He pensado que si pudiera dar una vuelta en coche por el campo...

–¿Qué te crees, que con la guerra cada vez más cerca mi chófer no tiene nada mejor que hacer que...?

–No me hace falta chófer. Podría conducir Sonia. Le iría bien. Me tiene preocupada. Ya has dicho que la llegada de los aliados es cuestión de semanas. Entonces viviremos como presos.

–Y ¿dónde irías con un coche de la inteligencia militar? ¿Al norte, con los aliados? ¿Qué haríais dos chicas tan guapas al veros rodeadas por nuestras propias tropas, que no han visto una mujer, y menos a dos señoritas de una casa tan distinguida, desde las que violaron en el frente oriental?

–No seas vulgar. Podríamos ir a casa de Sonia, en las Ardenas. Sólo sería un día. ¿No te das cuenta de lo importante que es para mí?

–Sí, sí que me doy cuenta: así podrías estar tranquilamente en las montañas mientras arde París.

–Yo nunca te abandonaría. Hemos pasado juntos demasiados meses. Nunca te dejaría así como así.

–¿Entonces cómo?

–¿Por qué me haces preguntas tan desagradables, Franz? ¿Qué mosca te ha picado?

—Te lo voy a decir: cuando te conocí tenías algo fresco. Me engañaron tus aires de inocencia, y me enamoré de ti.

—¡Y aún me quieres! —exclamé, como si fuera un deseo.

—Más que nunca. Esa Odette inocente ha sido lo único bueno de mi vida, y estoy seguro de que todavía existe, aunque te hayas entregado a tantos hombres; pero cuando te miro a los ojos, buscando inocencia, me parecen ojos mercenarios, ávidos. No sé muy bien de qué. De algo más que de joyas y buen vino. Puede que de hombres. De cualquier hombre. Quieres que te repasen de pies a cabeza, imaginando el gusto de tu coño en sus labios. Les tientas, les provocas, les seduces... Da lo mismo que estemos en Montmartre o tomando el té en el Ritz. No te quedas tranquila hasta que se han fijado todos en ti. Todos, hasta el último.

«Sí, quería que me mirasen los hombres, pero no todos. Sólo oficiales alemanes que pudieran revelar secretos militares.»

—Y ¿por qué me lo dices ahora?

—Porque soy un oficial de alto rango. Al margen de que te quiera, podría hacerte fusilar, mandarte a la cárcel de Fresnes o retirarte mi protección, para ver hasta dónde llegas sin ella. A la Gestapo, por ejemplo, le encantaría hacer cosquillitas a mi amante para averiguar si existe algún eslabón débil en la inteligencia militar. Te conozco, Odette. Conozco hasta el último resquicio y el último gemido de tu cuerpo, y el balance final es que eres una puta como cualquier otra.

Oírle decir tan claramente lo que yo ya sabía fue demasiado fuerte. Intenté abofetearle su cara burlona, pero él paró el golpe y me aplastó los dedos contra el respaldo de la silla.

No me soltó. Al mirarle la cara, vi que le temblaban los labios, curvados por una sonrisa muy desagradable. De repente dio un fuerte puñetazo contra la madera, sin soltar mi mano.

Primero sentí un dolor agudo y luego un hormigueo. Me llevé la mano al pecho y se la enseñé para que viera lo que había hecho, por muy borracho que estuviera. Me había roto el dedo corazón.

—Puede que se te cure —murmuró hoscamente.

—Pero no quedará como antes.

Al ver el dedo torcido los ojos se me llenaron de lágrimas. Toda una vida practicando para nada. Era el gran miedo de los pianistas. La música era mi vida. Behrenson acababa de matarla.

—Ha sido un accidente. Lo has provocado tú.

Se notaba que no se lo creía. Ya estaba bastante más sobrio, y con remordimientos. Sacó unas llaves del bolsillo y me las tendió.

–¿Qué son?

–Llaves de coche. De mi Talbot, mi coche para huir. Lo que pasa es que nunca huiré. No soy un desertor. Ya eres libre de dejarme. No intentaré detenerte. Llévate el Talbot. Contiene algo más precioso que el oro: gasolina. Puede que haya bastante para llegar a las Ardenas, o al Rin. Si tienes suerte, hasta la Francia libre. –Me miró con tanto odio que tuve miedo de que se me incendiara la cara–. Pero la gasolina es cara. Tienes que pagarla.

–¿Cómo?

Se sentó en el sillón, dejando caer las llaves en su regazo.

–Acabas de decir que harías cualquier cosa por ser libre. Una posibilidad es suplicarlo de rodillas.

Obedecí, tragándome la bilis. Él se desabrochó los pantalones y se los bajó.

–Siente mi polla por última vez. Tiene ganas de ti. Mírala.

Cogí su pene, que se puso duro. Era feo, con el capullo de un rojo cada vez más oscuro por debajo del prepucio, que lo tapaba casi por completo.

Miré a Behrenson y le vi entrecerrar los ojos de placer. Era como cualquier oficial del salón del burdel, con una sonrisa grosera de tiburón.

–Chupa –ordenó.

No podía. Se me hizo un nudo en la garganta. Tuve arcadas y ganas de vomitar.

–Chupa –repitió él.

Me cogió la cabeza con la mano. Rindiéndome, descapullé su miembro.

–No me odies –dijo, mientras yo empezaba mi trabajo–. Tenía que acabar así. Hace casi un año que me torturas y me castigas. ¡Ahhh...! Te he dado todo lo que podía darte. Te he ofrecido mi amor, te he rogado que me... Mmm, sí, qué bien... Ya estoy harto de rogar. Ahora... me aceptarás... entero... vas a tenerme entero... Vas... a... tener... me...

Su pene chocaba con el fondo de mi garganta. Sentí una contracción, y un gusto amargo. A través del velo de mis lágrimas, le vi arquear la espalda, mientras forzaba mis labios doloridos. Echó la cabeza atrás con un gruñido y dejó los brazos sueltos, fláccidos.

Retrocedí, muy quieta.

–Perdóname –susurró–. Perdóname. Lo siento. Me da tanta vergüenza... No quería...

Cerró los ojos.

Su pistola estaba en la funda, que había caído al suelo con el resto de los pantalones. La cogí. Cuando abrió los ojos, me vio de rodillas apuntándole a la entrepierna. Moví el cañón por su barriga hasta situarlo entre sus ojos, y lo hice bajar muy despacio hasta su pene arrugado.

Lloriqueó.

¡Qué ganas tuve de pegarle un tiro! Habría sido mi manera de vengarme de todos los que habían matado a mi familia. ¡Qué imagen tan odiosa! Un hombre despreciable y que temblaba de miedo, un hombre que había traicionado a su país una y mil veces. Le conocía a fondo.

Pero no dispararía. Tuve la esperanza de que Franz, tarde o temprano, descubriera lo que le había hecho hacer, lo bajo que le había hecho caer. Entonces quizá usara otra pistola –siempre la suya– para quitarse la vida. La certeza de su humillación me pareció preferible a matarle. Era una victoria más dulce. Si hubiera podido matar a todos los alemanes, también habría matado a Behrenson, pero como no era posible me conformé con eso.

Me levanté, me incliné y se lo escupí todo en la cara. Su única reacción fue encogerse. No dijo nada. El semen resbaló por su cara.

–Tragármelo me habría convertido en uno de los vuestros –dije.

Cogí las llaves y me giré para mirar por última vez al hombre derrumbado en el sillón de orejas. Luego me vestí, guardé la pistola en el bolso y me fui.

27

–¡Dios mío! –grité cogiéndome con fuerza, mientras Sonia adelantaba a un camión de tropas manchado de barro y estaba a punto de empotrar el Talbot en los coches que venían por el otro carril–. ¡Que nos vamos a matar! ¡Para locuras ya tenemos bastante con irnos de excursión mientras París se cae a trozos!

–Estoy harta de tener alemanes delante –dijo Sonia, riéndose–. O encima. O debajo.

Su risa me encantó. Poincaré debía de estar equivocado. ¡Seguro! Claro que habría sido la primera vez... Cambié de actitud. Aquella chica era una traidora.

Nos metimos por la siguiente calle, y al derrapar hacia una alcantarilla estuvimos a punto de chocar con un carro que llevaba una montaña de ropa.

–Pues la casita te la ha pagado un alemán –dije.

–Que te quede muy claro, corazón: la casa la he pagado yo. Y bien cara que me ha salido. Los alemanes nunca dan nada gratis.

Moví un poco el retrovisor para ver a los parisinos huyendo y a los oficiales saqueando la ciudad. Había acertado en mis previsiones. Franz no tenía ninguna intención de hacernos perseguir por la Gestapo. Quizá todavía se sintiera culpable por lo que me había hecho en la mano. Ya habíamos salido de la ciudad. Íbamos despacio por una carretera rural muy empinada.

–¡Oye, ten cuidado! –dije–. Creo que has bebido demasiado en la comida. No estropeemos nuestro único día en el campo.

–No, lo que pasa es que tú has bebido demasiado poco –contestó Sonia, guiñándome el ojo–. Tendrías que verte, Odette: estás hecha un manojo de nervios. No nos sigue nadie. Madame nos ha dado el día libre, y nos vamos a mi casa. –Condujo un rato en silencio. Cuando volvió a hablar, se notó que pensaba en la casa–. Qué gus to pensar que pronto estaré en ella para siempre... Yo solita... ¡Con lo que he tenido que esperar! ¡Con la de soldados asquerosos y banqueros guarros que he tenido que aguantar! Son todos iguales: alemanes, franceses, condes, banqueros... A la hora del sexo, todos los hombres te tratan como un juguete de cama con agujeros. Parecen fontaneros. ¡Y aún se supone que tienes que agradecerles que se corran!

Intenté no acordarme del miembro de Franz en mi cara.

—Puede que no sean todos iguales —dije con hastío.

Vinnie no era así. Lobo tampoco. Me recordé que el sexo podía ser amor, aunque fuera un recuerdo borroso.

—A ti lo que te pasa es que no tienes experiencia —dijo Sonia—. En cuanto te pones a vivir con un hombre, empieza a gritarte que le planches la ropa. Si es francés, te monta por detrás para no tener que mirarte. Si es alemán, lo que tocan son ligas y látigos.

—Pero ¿nunca has estado enamorada?

—Una vez me pareció que sí. Me abandonó a los cinco meses de embarazo.

¡Increíble! La observé. Miraba la carretera sin delatar ninguna emoción.

—¿Y el bebé?

—Murió.

—No pareces muy triste.

Se encogió de hombros.

—Porque no lo estoy.

—¿Te da igual que se muera un bebé?

—Los muertos están muertos.

—¿Y el que murió en La Maison? ¿Al que mataron con su madre?

—Eran judíos. No les conocía.

¡Así que era verdad! Una verdad irrefutable. Poincaré tenía razón. Ninguna duda empañaría mis actos.

A ambos lados del coche, una ráfaga de viento aplanaba los campos de trigo y alfalfa. Al este, detrás de los bosques de la meseta, el curso del Mosela aparecía sembrado de colinas con pinares.

—Ya falta poco —dijo Sonia alegremente—. Siempre noto que nos acercamos por el color de la tierra. ¿Te has dado cuenta del cambio? Estamos entrando en zona de pizarras. Lástima que no hayas visto los pastizales antes de la guerra. Todo el valle era como una alfombra verde. Te lo juro. ¡Mira, el bosque!

Una hora después vimos aparecer la casita entre las copas de los árboles. Estaba lejos, pero la reconocí enseguida. El techo cubierto de musgo, el semicírculo de pinos alrededor... Hasta las sombras del bosque eran como las había descrito Sonia.

–¿Verdad que es ideal para una posada? Pues espera a ver el lago. En verano es un gustazo. Tampoco es que sea precisamente Cannes, pero... Vete tú a saber.

Frenamos en el polvoriento camino de acceso. Sonia bajó y corrió hacia una vieja bomba de mano para darle empecinadamente a la manivela hasta que salió un hilito de agua por el caño. Entonces se mojó la cabeza, riéndose, y dejó correr el agua por su cuello y sus pechos. ¡Qué guapa estaba! ¡Qué *viva*! Recordé vagamente haberme sentido así con Vinnie. También antes, cuando cantaba o tocaba el piano. Al ver mi mano vendada, tuve ganas de llorar.

Sonia volvió al coche y cogió la cesta de pícnic de la parte trasera.

–¿Qué esperas? –dijo, tirándome del brazo–. ¡Venga!

Bajé despacio.

–¡Hay que ver qué día tienes! –Me echó los brazos al cuello y me dio un beso en la boca. Yo respondí forzadamente con una palmadita en uno de sus hombros–. Da igual, te lo perdono todo, esto y tus manías, que por algo has conseguido el coche. Ven, que quiero enseñarte la casa. Es donde siempre he soñado que volvería con mi amante.

Me llevó por la cintura hacia la casa, entusiasmada como un niño, y se puso de puntillas para pegar la cara a los cristales.

–Voy a enseñártela por dentro. Las piedras de la chimenea las puso mi abuelo con sus propias manos.

Dentro había una sala de lo más normal, con muebles sencillos de madera, una escalera para subir al piso de arriba y una cocinita rudimentaria en un lateral.

–Mi primer polvo fue aquí, con un chico de una granja; muy musculoso él, pero con una pilila microscópica.

Me reí.

–¡Qué mala eres!

–Sólo digo la verdad. Además, aunque la tuviera tan pequeña le adoraba. Me daba chocolatinas a cambio de jugar con él. En serio, le adoraba. Voy a enseñarte el piso de arriba.

La seguí por una escalera de pino, imaginando el olor de un fuego de roble, un estofado de conejo y el aire de la montaña. ¿Sería lo mismo que habían sentido los ocupantes polacos de nuestra casa de Lodz? ¿Se habían parado a pensar en la suerte de los cuerpos que habían dormido acurrucados y contentos bajo las mismas mantas que ellos? ¿Sabían que papá y mamá estaban muertos? ¿Y que Jozef también? ¿Sabían que Mia estaba muerta? Esperé que se les atragantara la casa, y que se les viniera abajo en protesta por nuestra expulsión.

–Ya es hora de comer –anunció Sonia.

Salimos a buscar la cesta de pícnic y bajamos por un camino que, después de muchas curvas, llevaba a un riachuelo. Oí el ruido de una pequeña cascada invisible que desaguaba en el lago justo al otro lado del promontorio.

Llegamos a una elevación rocosa con una gruesa alfombra de pinaza iluminada por el sol. Sonia dejó la cesta en el suelo, extendió una manta y se arrodilló encima. Luego se quitó los zapatos y dio unas palmadas en la manta.

Me dio el champán. Mientras lo descorchaba, vi que se abría la blusa y ofrecía los pechos al sol de la tarde. Me fijé en su cara de placer, más guapa sin el rímel, el pintalabios y el colorete exagerado que se ponía en La Maison. Hizo una pose con la espalda arqueada y los labios fruncidos, ahuecando su melena pelirroja. Era la mujer que Poincaré quería que matara: la delatora de refugiados, la traidora a la Resistencia, la malvada a quien le daba lo mismo la muerte de un bebé.

Brindamos, bebimos y rellenamos las copas. Yo me dejé quitar la gorra. Después de acariciarme, Sonia se quitó la blusa. Luego me rozó la nuca con los labios, me abrazó y me empujó, haciéndome caer de espaldas.

–Es el aire de la montaña. Siempre me sienta así. –Se rió, abrazándome–. Además, estoy contenta de estar aquí contigo.

¡Me estaba haciendo el amor! Perfecto. Así me facilitaría la tarea. Cerré los ojos y sentí deslizarse el pelo de Sonia por mi piel desnuda, calentada por el sol.

–¿Te acuerdas de Natalie? –le pregunté.

Negó con la cabeza, sorprendida.

–Sí, Natalie, la del bebé que mató la Gestapo.

En vez de contestar, me acarició los pechos con los dedos, suspirando.

–Natalie. Esa mañana me pareció que hacías una señal. Para los nazis.

Apartó la mano y se me quedó mirando.

—¿De qué hablas?

Lo *sabía* perfectamente. Nadie que hubiera oído los gritos podía haberlos olvidado.

—Da igual. Ven, sigue lo que estabas haciendo, que me daba mucho gusto.

Reanudó su suave presión. Yo le di un beso e introduje mi mano entre sus ingles hasta sentir su humedad. Ella murmuró algo ininteligible y cerró los ojos. La cesta de pícnic estaba al borde de la manta. La cogí con cuidado para no distraerla.

Encontré lo que buscaba: el cuchillo de pan que había tenido la precaución de guardar antes de la excursión. Saqué la mano de las piernas de Sonia, que intentó retenerla. Noté que empezaba a temblarle el vientre.

—Ven, cariño —dijo—, que ya no puedo esperar. ¡Por favor, por favor! Luego te haré lo mismo.

Por espacio de un segundo abrió los ojos de pánico. El cuchillo se había clavado en su cuerpo, haciéndola gritar con la fuerza de la estocada. Saltó tres veces, una por cada cuchillazo. Luego se derrumbó en mis muslos.

—Pagaste demasiado por la casa a los alemanes —dije, sollozando.

Sonia, en su agonía, puso los ojos en blanco y empezó a toser sangre.

—La casa... Pero si fue Madame... fue Madame la que...

Luego tuvo unas convulsiones. Acunada en mi regazo empapado de sangre, miró fijamente el crepúsculo y murió.

¿Cómo que *había sido Madame*? La posibilidad de haber matado a una inocente me colapsó la cabeza. Con movimientos mecánicos, envolví a Sonia en la manta y empecé a buscar un sitio para enterrar su cuerpo en el suelo blando del bosque. Tuve que parar tres veces para girarme y vomitar.

Cuando arrastré el cadáver hacia su sepultura improvisada, una luna mate subía por encima de los árboles. Eché puñados de tierra sobre Sonia hasta que ya no se le vio la cara. Luego recité lo poco que recordaba del Kaddish. ¡Qué raro que no me acordara, con la de veces que lo había recitado para los muertos judíos! Al final recogí los zapatos y la blusa de Sonia y también los puse en la tumba, antes de taparlo todo, la ropa, el cuerpo y el recuerdo, con una capa de tierra y hojas. Lo último que hice fue quitarme la ropa manchada de sangre y abrir el paquete con la muda que había escondido en el maletero del Talbot. Insensible al frío, me metí en el arroyo gélido debajo de la cascada y me limpié la sangre de Sonia.

Sus palabras se repetían en mi cabeza como una macabra melodía en tono menor: «Fue Madame... fue Madame la que...» Tuve la sensación de que mis dedos me quemaban la piel.

Salí del arroyo sin respiración y temblé bajo la brisa nocturna. Luego me puse el jersey y la falda de lana que había traído y enterré la ropa vieja bajo una montaña de pinaza, sin importarme que pudieran descubrirla. ¿Quién y cómo podría seguir su rastro hasta encontrarme?

Después de lavarme los pies, me acuclillé en la orilla y me puse los calcetines y los zapatos. Luego, con la cesta de pícnic colgando del brazo, regresé hacia la casa de Sonia y el coche de Behrenson.

Crucé la verja de La Maison aux Camélias, sufriendo una punzada a cada paso por culpa de la vieja inflamación de la cadera.

El viaje de vuelta desde las Ardenas había sido una odisea. No había tenido más remedio que parar constantemente. Huía tanta gente de París –sobre todo alemanes, por suerte– que en la carretera no quedaba sitio para el Talbot, obligado a avanzar como un caracol con la marea en contra. Al final había dejado el coche y, mientras los alemanes huían hacia el este, había corrido campo a través por sembrados irregulares, durmiendo en un gallinero, un establo y un pajar.

Al llegar a los suburbios había visto una hilera larguísima de carros tirados por caballos y mulas que cruzaban la Porte de Vincennes. Eran los alemanes robando cuadros, espejos, puros, coñac, joyas… Todo lo que pudieran llevarse de valor. Se movían despacio. No tenía nada que ver con lo que me habían contado del éxodo de los judíos de Varsovia al principio del *blitzkrieg*. Estos peregrinos saqueaban los alijos de los ricos, con la clara intención de consumir todos los puros y licores que pudieran caber en sus cuerpos engordados por la ocupación.

Con el avance aliado, la ocupación se hizo más cruel, como la de los arios en Polonia. Asistí a la búsqueda de víctimas, que en esa ocasión no eran judíos, resistentes ni comunistas, sino cualquier chivo expiatorio a quien pudieran echar el guante; inocentes, en suma, que les permitieran desahogar su frustración.

Tenía escondido en el sujetador un pliego con la firma del nuevo comandante de París, Von Choltitz, y el sello de la oficina del comandante militar. Era un regalo extra de Behrenson, que me lo había dejado en la guantera. Con el espacio de los nombres en blanco, tenía un valor incalculable como salvoconducto. Podía protegerme de los alemanes que se batían en retirada, o de que me matasen si tenía que salir huyendo y cruzar las líneas para reunirme con los aliados. También podía significar una muerte instantánea. Desde el 20 de julio había muchos oficiales de baja graduación que prescindían de su lealtad hacia los generales, incluido Von Kluge, el brazo derecho de Hitler. Von Choltitz tenía fama de verdugo y destructor de ciudades. Su llegada significaba la condena a muerte de París, como lo había sido para Rotterdam, Sebastopol y la franja arrasada que había dejado al retirarse de Rusia.

Pensé en la excusa que le daría a Behrenson, no sería fácil explicar la desaparición del coche, ni mi retraso de tres días, pero lo único que se me ocurrió fue que me habían asaltado y robado. A esas alturas, el Talbot, con sus distintivos de la inteligencia militar, podía haber sido encontrado por cualquiera: un vecino curioso, un soldado alemán, un niño... Y en dos o tres días también descubrirían la tumba.

Llegué a la estación de metro de Nation justo después de amanecer. Al bajar por la escalera me encontré con un grupo de soldados alemanes que subían. Aprovecharon para meterme mano como lobos famélicos. Poco después se perdieron en la mañana, dejándome asustada y furiosa, pero sin nada que lamentar. Me recompuse la ropa para borrar sus asquerosas huellas. Control. Tenía que mantener el control.

Fui en metro hasta Kleber y retrocedí por Chaillot, evitando las calles anchas. No podía permitirme un encuentro fortuito con Behrenson sin haber tenido tiempo de pensar qué le diría.

Al entrar con sigilo en La Maison, oí voces en la cocina y me asomé. Varias personas se apiñaban alrededor de una radio escondida en una caja de pan.

—Igual que la última vez —se quejó Pascal, el *sous-chef*—. Hace dos días anunciaron la liberación y no pasó nada. Sonaban todas las campanas, pero los aliados no llegaron.

—Esta vez sí —dijo una mujer a quien no conocía.

—Cállate, tonta. ¿Qué quieres, que nos maten? ¡Acaba de entrar la ahijada de Madame! La puerta está abierta y...

Me miraron fijamente. Estaba sucia de polvo y mugre, con los ojos hundidos y las mejillas chupadas.

–¡Que alguien traiga una silla! –dijo Martine, la *bonne de chambre*–. ¡Pero por Dios! ¿Qué ha pasado?

–Nos fuimos con Sonia en coche al este, al campo, y...

–¿O sea que has visto marcharse a los cerdos? Espero que los aliados les hayan dejado como un queso suizo.

–No había aliados.

–Imposible. Lo están diciendo todo el rato por la BBC. Han liberado París.

–No te lo creas –dije–. La ciudad es un hormiguero de alemanes. Están por todas partes: en la calle, en el metro... He visto huir oficiales, pero no tropas. Hazme caso. En París quedan veinte mil soldados del Reich. Aliados, ni uno.

–¿A quién nos creemos, a la BBC o a la puta de un oficial alemán? –preguntó Pascal.

Me extrañó que estuviera tan furioso, y empecé a sentir pánico.

–Si no os fiáis de mí, fiaos de vuestros ojos y oídos. Los soldados aún hablan alemán.

–Entonces ¿cómo explicas lo de la Jefatura de Policía?

–¿El qué?

–Pero ¿no te has enterado? Hace dos días fue asaltada por el Comité de Liberación, y el prefecto salió huyendo. En Neuilly también han ocupado el ayuntamiento.

Así que era verdad. ¡Venían los aliados!

–Y ¿resisten?

–Se ha declarado un alto el fuego para que los dos bandos puedan ocuparse de sus heridos.

–¿Que Von Choltitz ha aceptado un alto el fuego? Tiene que ser una trampa.

–Pareces decepcionada. –El tono de Pascal era brusco e hiriente–. ¿No será porque te da vergüenza que tus queridos nazis no sean invencibles?

–Una cosa es que me los haya tirado –dije orgullosamente–, y otra que no los odie. Vosotros no tenéis ni idea de lo que es sufrir. Aquí, protegidos por Madame... Pero bueno, pensad un poco: ¿no os dais cuenta de que Hitler ha dejado retirarse a las SD, las Waffen SS y la Gestapo por algo? La razón es que los alemanes han minado media ciudad: todos los puentes, el Palacio de Justicia y el Arco del Triunfo. Cuando los aliados lleguen a París, volarán por los aires.

Me rodearon sin dejarse influir por mis palabras. En alguna caras vi desconfianza, y en otras odio.

–¡Tenéis que creerme! Os digo la verdad.

El círculo se hizo más estrecho. Estaba acorralada.

–A ver, a ver –dije desesperada–: ¿qué os creéis, que cuando los *krauts* desfilaron entre Etoile y la place de la Concorde me emocioné viendo las glorias de Prusia? ¿O con el ruido de las botas por las escaleras de la Tour Eiffel? ¿Os creéis que follaba por gusto con esos cerdos que se hacían llamar oficiales?

–Entonces ¿por qué lo hacías? –preguntó Pascal.

–Porque...

Guardé silencio. No podía traicionar a Poincaré. No podía hablar sobre la Resistencia y mi papel en ella, ni siquiera en las postrimerías de la guerra.

Sus miradas se volvieron más amenazadoras. Martine cogió un cuchillo de carnicero.

Me arrimé a la superficie de la mesa, tanteando con los dedos hasta encontrar el mango de un cuchillo de deshuesar.

–*Maman*... –dijo alguien en el pasillo que llevaba al comedor.

Era la hija de doce años de Martine, Yvonne. Su voz hizo que los criados se apartaran, rompiendo el cerco.

–A Madame le pasa algo –dijo Yvonne–. Vengo de arriba, de peinarla, y parece un fantasma. Tiene una pistola escondida en su camisón. Me ha dado miedo. Dice todo el rato que espera que no le haya pasado nada a Sonia, a quien ha protegido durante toda la guerra. A ella y a todos nosotros. Dice que Sonia era tonta pero buena. Me ha explicado que era inocente, y que lo único que quería era su cabaña, para convertirla en posada.

–¿Qué has dicho? –Casi no me salieron las palabras.

–¿Es usted, mademoiselle Odette? No la había reconocido. Quizá pueda contarle a Madame qué le ha pasado a Sonia.

¡Y yo la había asesinado, a ella y su inocencia! Vi pinaza cayendo en una tumba poco profunda. Reviví la sensación del cuerpo de Sonia rebotando por la fuerza de la cuchillada en la nuca.

Sonia era inocente, y Madame tenía una pistola.

–¿Por qué me miráis así? –grité.

Pascal me cogió del brazo.

–Cálmese, mademoiselle Odette. Nadie le hará nada. Sólo queremos saber qué ha hecho con Sonia.

Había matado a una inocente. Era tan cierto que la había asesinado, como que los alemanes habían matado a mi familia. La había sacrificado por nada, como ellos.

–Perdonad –dije, sintiendo náuseas–. Perdonad. Es que tengo que...

Aparté la mano de Pascal y salí corriendo al pasillo estrecho que llevaba al comedor. Crucé el vestíbulo como una flecha y subí por la escalera de caracol con una mano en la baranda de piedra gastada y la otra en el mango del cuchillo de deshuesar, cortando el aire. Por favor, que llegue a tiempo, pensé. Dios, por favor, haz que no llegue demasiado tarde.

Cuando encontré a madame de Sevigny, su cadáver colgaba de una viga del techo como un móvil dadaísta. La corriente que entraba por la ventana la hacía balancearse como un péndulo. Cada oscilación hacía crecer la rabia de que me hubiera escamoteado la venganza. Reprimí las ansias de clavar el cuchillo en su pecho sin vida. Tenía ganas de darle un tajo por cada muerte que había provocado, sobre todo la de Sonia. Después de mirar un rato el cadáver, lo descolgué cortando la cuerda.

En ese momento, de fuera llegó ruido de batalla: un tableteo de ametralladoras de 88 milímetros. O los aliados estaban atacando la ciudad, o eran los alemanes defendiéndose. En ambos casos, la conclusión era que habían llegado los americanos. Tarde o temprano, Von Choltitz dictaría la condena a muerte de París.

Todo parecía decidirse en un juego cósmico demasiado enrevesado para que lo desentrañase un mortal: quién viviría, quién moriría, quién condenaría a una muerte inmerecida a gente a quien ni siquiera conocía, como Madame, y quiénes serían los elegidos para pagar crímenes ajenos, como Sonia.

Odette LeClerc había sido creada para enfrentarse a los nazis, y a su manera, muy modesta, había desempeñado su papel. Poincaré había recibido información que tal vez hubiera allanado el camino de París a los aliados. Pero Odette también había dado placer a los nazis, a cerdos como el barón, Behrenson y Roos, y su única hazaña consistía en haber matado a un ingeniero de aspecto afable apellidado Westerdorp. También había matado a una chica inocente. Eso no podía compensarse ni estrangulando al mismísimo Hitler.

—¿Mademoiselle Odette?

Era Yvonne, que subía por la escalera hacia el dormitorio de Madame. Cerré la puerta y fui a su encuentro.

–Tiene una llamada –me dijo.

La cogí por la cintura y me la llevé de vuelta a la escalera.

–¿Una llamada?

Increíble. Tomé nota de que la red telefónica seguía en funcionamiento. Pero ¿quién podía llamarme a La Maison? Mis clientes alemanes debían de tener asuntos más importantes entre manos.

–Sí, mademoiselle, un señor. Inglés. Habla muy mal el francés.

¿Johnston? Imposible. ¿Poincaré? Su francés era impecable. No conocía a nadie más.

–¿Ha dicho su nombre?

–No, sólo que era urgente.

–Bueno, pues ya lo cojo abajo.

–Si mademoiselle ya no me necesita, debería ordenar el dormitorio de Madame, porque estaba todo patas arriba, y se enfadará mucho cuando vea que...

No podía dejar que Yvonne viera el cadáver. Todavía no.

–Ni hablar –dije–. Ahora no puedes molestarla.

–Pero ¿y si Madame me necesita? Ya sabe lo furiosa que se pone...

–No te necesitará. Esta mañana no. Te lo aseguro. Tú a lo tuyo, y ya te llamará Madame cuando esté lista.

No se quedó muy convencida, pero se fue por el pasillo hacia el sector de los criados. Sus pantorrillas blancas y sus brazos, que aún no se habían rellenado después del estirón, parecían temblar a cada paso. Pensé que sólo tenía doce años. La futura mujer sólo se adivinaba un poco en sus caderas, y en el volumen incipiente del trasero. No sabía nada de la desolación que le reservaba la vida.

Bajé por la escalera y fui al rincón del teléfono.

–¿Diga?

–¿Mademoiselle LeClerc?

–¿Quién es, por favor?

Estaba segura de que me escuchaban. Podían ser los espías de Madame, los del barón o lo que quedaba de la Gestapo. Hasta el propio Poincaré podía estar espiándome.

–¿Es Odette LeClerc? –insistió la voz.

Oí ruido de botas por la escalera. Eran dos oficiales alemanes rezagados, que se fueron a su limusina haciendo eses por culpa de la resaca.

–Sí, soy Odette LeClerc –susurré.

¿Por qué no lo decía? Mademoiselle, soy Dor...

Un traqueteo al otro lado de la línea me impidió oír el resto.

–Tendrá que hablar más alto, monsieur. Casi no le oigo.

–Disculpe. Son los tanques sobre el pavimento. Hacen un ruido infernal.

–¿Tanques? ¿De quién?

–Nuestros, claro. Americanos.

¡Americanos! ¿Estaban muy cerca?

–¿Desde dónde llama?

–Desde el café Au Vieux Sanglier, al otro lado de la Poste.

–¿En qué ciudad, por favor?

–¿En cuál va a ser? ¡París! Estamos a punto de entrar. Por eso la llamo. Llevo dos horas intentándolo. Tengo un mensaje.

¿Un mensaje?

–Debe de equivocarse –dije, con un germen de esperanza.

No. Era absurdo. Ni pensarlo. Contuve la respiración, atenta a cualquier ruido que pudiera indicar que el teléfono estaba pinchado. Sólo podía ser una trampa. Esos trucos tan burdos me los habían explicado hasta en América.

–Lo siento, pero tengo que colgar.

–¡Un momento, por favor, que me ha costado una barbaridad encontrarla! Me he imaginado que sería de la Resistencia. Sólo podía estar enamorado de una luchadora. Yo soy de inteligencia. Resulta que un chaval que debe de ser muy amigo suyo, doy fe de que está enamoradísimo, me pidió de rodillas que me enterara de si usted estaba en Francia. La verdad es que no sabía ni por dónde empezar, pero nos hemos encontrado a un hombre que dice llamarse Poincaré. No sé de qué nacionalidad es. Supongo que francés. Es el que nos ha indicado la mejor manera de llegar a París. Parece que sabe dónde hay alemanes y dónde no. Total, que le he preguntado por usted, así, por preguntar, por si la conocía, y me ha dicho que sí, pero que no sabía dónde estaba. Me ha aconsejado que llamara a Inglaterra, a un tal coronel Johnston, que me ha explicado dónde la podía encontrar. Su nuevo nombre también me lo ha facilitado Johnston. A otros no les habría hecho el favor, pero al llegar a Francia su amigo me salvó la vida, y me ha parecido que se lo debía. Tendría que haber llamado él personalmente, pero está en la infantería, y ahora mismo avanzan.

Johnston. Fue un nombre mágico. A menos que se tratase de una trampa tan sutil que no le vi sentido.

–¿Cómo se llama el chico?

–Sforza, Vinnie Sforza.

«Dios del cielo, sé un Dios justo.»

–Y ¿cómo es físicamente?

–Alto, mademoiselle. Pelo negro y abundante. No sé qué más decirle. No se me dan muy bien las descripciones, la verdad. Seguro que usted ya lo sabe, sin que se lo tenga que explicar.

Sí, sí que lo sabía; tenía tan clara su imagen en la mente, a pesar de las lágrimas... Entonces afloró en mi corazón un sentimiento que había dormido en mi interior durante muchos meses, un sentimiento tan olvidado que ya ni siquiera sabía que existiese, y lo hizo renacer.

–¿Dice que el soldado está en París?

No sólo me temblaban las manos, sino la voz.

–Sí. Me ha dicho que se ponga guapa, porque va a ir a verla.

Antes de que la sorpresa, la alegría, la vergüenza y la euforia hubieran hecho su efecto, cayó una bomba en La Maison, que explotó a mi alrededor.

30

El nombre «Vinnie» casi se perdió en el fuego de artillería. Salí corriendo en estado de shock, ignorando los gritos que salían del interior destrozado de La Maison.

Era verdad. Habían entrado tanques americanos en la ciudad. Los vi en la avenida. La liberación de París era cuestión de horas. Me pregunté qué esperaban los alemanes. ¿Por qué Von Choltitz no había ordenado la destrucción?

En todo caso, si habían llegado los americanos, podía ser verdad que Vinnie les acompañaba. Quizá mi anónimo interlocutor no hubiera mentido. Mi amante y salvador, la parte perdida de mi corazón, podía estar a punto de reunirse conmigo. «Ten cuidado, amor mío. Que no te pase nada justo ahora. Estoy aquí, esperándote ansiosa. Ten cuidado.»

Dentro de mí despertaba la vida. Casi podía tocar el final de mi sufrimiento. Lo que estaba pasando quizá fuera la visión que había tenido mi padre al empujarme del vagón de ganado con una sola orden: «Vive.» Y había vivido. Ahora quería abrazar a Vinnie sobre unas sábanas bien limpias, y susurrarle mi amor. Iríamos a Polonia. Le había prometido a Nate Kolleck que informaría al mundo del infierno del Baluty, y cumpliría mi promesa, pero con Vinnie a mi lado.

Y con papá, y con Jozef. Si un milagro tan grande era posible, quizá no fuera el único. Quizá (pero no pidas demasiado, me dije; no pidas demasiado) pudieran regresar a Lodz y empezar una nueva vida.

Como no me atrevía a ir a las barricadas sin uniforme, decidí esperar en la cripta de piedra, como Julieta, y despertarme con el beso de mi Romeo. Volví a la casa.

—¡Ya sé lo que eres! —gritaba alguien con *La Marsellesa* de fondo—. ¡Sé lo de Franz Behrenson!

Busqué desesperadamente algún indicio de calor o perdón, pero en la voz sólo había rabia.

—Estás sucia —decía—. Eres una puta.

De repente me vi sola en la colina de Brooklyn donde Vinnie y yo habíamos hecho por última vez el amor. Lo busqué como loca, y cuando lo encontré corrí a abrazarle, pero él me dio la espalda, negándose a mirarme. ¡Tenía que entender la razón de que no pudiera contarle nada sobre el hotel de Varsovia donde me había acariciado Egon Hildebrand, con el resultado de que le habían aplastado el cráneo! ¿Cómo hablarle de la sala del barón, o de Franz Behrenson, o de Sonia, cuyos ojos, en ese mismo instante, me miraban con reproche infinito? ¿De dónde habría sacado las palabras?

Un fuerte impacto me hizo incorporarme. Me levanté medio atontada. ¿Cuánto había dormido? ¿Por qué no había venido Vinnie?

Otra explosión cercana. ¿Dónde estaría más segura? ¿Cuál era el mejor sitio para esperar a Vinnie? No sé por qué, pero fui a la sala del barón. Una de las paredes estaba reventada, y los rayos del sol daban un aspecto patético a aquel escenario de sadismo y placeres. El piano seguía en su sitio. ¡Menos mal! Vi mi cara en el espejo: tenía las cejas depiladas y arqueadas, y las pestañas con restos negros de rímel. Todo en mí, desde mi jersey hecho jirones hasta mi falda, me hacía parecer una puta desechada por su cliente tras el último servicio.

En un compartimento secreto que había en la pared, me quité las joyas y las envolví en un pañuelo: un collar de perlas de Tourneau, unos pendientes y un broche de Franz, un reloj de pulsera de un soldado cuyo nombre se me había olvidado... Incluso una pulsera de Sonia, un recuerdo sencillo y sin valor económico, pero que era el único que me hacía llorar.

La sala del barón empezó a poblarse de gritos, como un coro espectral que hubiera vuelto para condenarme. Era yo, no mis clientes, quien debería haber recibido los latigazos. Madame me había dejado sentarme muchas veces al piano. Recordé la música que había elegido Poincaré para Westerdorp, y decidí tocar. Tocaría a pesar del dedo roto, y Vinnie, al oírme, sabría dónde encontrarme.

Cuando estuve sentada, aporreé un acorde en do mayor para silenciar los gritos de mi cabeza. ¿Qué podía tocar? ¡Ah, sí, el opus 73 de

Schumann para clarinete y piano! Cuando oyera mi parte, Vinnie se uniría a la interpretación y tocaríamos como en los idílicos domingos de otros tiempos. Sin embargo, no logré tocar bien. Tenía el dedo débil. Si pulsaba las teclas con mucha fuerza, me salían las notas muy raras, casi sincopadas. De todos modos, como era para Vinnie, toqué de todo corazón. «Oye la música, Vinnie. ¡Óyela y recuerda, por favor!»

Llamaron a la puerta.

–¿Quién está ahí dentro?

¿Vinnie? No, era una voz desconocida. Fui hacia la puerta, pero me detuve a medio camino. *¡Los látigos!* Fuera quien fuera, no podía ver los látigos. Los tiré al mismo rincón que el resto de los escombros. La sala estaba llena de pruebas contra mí: metal brillante y cuero manchado de sudor, manchas de sangre en las alfombras persas...

Mientras intentaba controlar mi mano derecha, que estaba muy dolorida, se abrió un resquicio en la puerta.

–¡Un momento –dije–, que estoy...!

Cuando se abrió del todo, apareció un sargento americano en compañía de un francés con los ojos enrojecidos y un viejo fusil en las manos.

–¿Dónde está Vincent? –pregunté.

–Mademoiselle –dijo el francés–, el pueblo de París la acusa de prostituirse a los alemanes. Acompáñenos.

El susto provocó un calambre en mis manos. Hice una mueca de dolor.

–Pero ¡qué tontería! ¡Si soy de los aliados!

Me miraron fijamente.

–¿Nos acompaña o no? –preguntó el sargento.

–Pero ¿y Vincent? ¿No lo entienden? Espero a alguien que está a punto de venir. Lo sé porque acabo de recibir una llamada del ejército americano.

–Venga –dijo el francés, tirándome del brazo.

Yvonne nos miraba desde la puerta.

–¡Cuéntales lo de la llamada! –imploré–. ¡Tú me has visto recibirla!

Me escupió en la cara.

Retrocedí, y del bolsillo se me cayó el pañuelo con el broche.

–¿Lo ve? –exclamó el francés, triunfal–. Un regalo de los nazis. La prueba del delito. –Acercó tanto su cara a la mía que sentí la rabia de su aliento–. ¿Y tú? ¿Tú qué les diste a cambio? Seguro que no sólo tu cuerpo. Quizá el nombre de los franceses libres que han desaparecido. ¡Dios mío! ¡Eres peor que los *boches*!

–Muévase –ordenó el sargento.

Me quedé donde estaba. Me abofeteó en la cara.

–¡Que se mueva!

Avancé tropezando, y tan encorvada que temía chocar con los escalones. Cada paso despertaba una fuerte punzada en mi cadera.

Me pasearon por delante del servicio de La Maison, pero esta vez no hubo reverencias respetuosas ni palabras educadas.

–Ayudadme –balbuceé–. ¡Por favor! ¿Nadie va a decirles que soy inocente?

Todos empezaron a pegarme, sin excepción. Me daban patadas, insultándome y tirándome del pelo enredado.

–¡Sonia! –grité–. ¡Que alguien traiga a Sonia!

Sonia estaba muerta. Casi se me había olvidado. Apreté los puños, hincándome las uñas en las palmas para borrar el recuerdo. «¿No veis que era una informadora? No podría haber matado a una inocente.»

Se oyeron aplausos fuera de la casa.

–¿Ya hay gente? –preguntó el sargento.

–Treinta o cuarenta en el patio, pero Charles dice que deberíamos llevárnosla a…

–Charles es un gilipollas –dijo el francés–. Quiere que entreguemos a los colaboradores a De Gaulle, pero no nos robará este momento. Mientras él hacía discursos al otro lado del frente aliado, nosotros poníamos en marcha la liberación. Esto lo hemos pagado con la sangre de nuestros camaradas, la sangre de los maquis y los comunistas. Las putas colaboracionistas son nuestras por derecho.

El sargento se encogió de hombros.

–De todos modos, ya se han escapado. Todos los nombres de la lista menos ésta de aquí. Los otros son patriotas. Están arriba, bebiendo champán.

–Bueno, al menos tenemos una. Habrá que conformarse.

Me arrastraron fuera. El sol de mediodía me cegó. Oí gritos, burlas, insultos, abucheos… Después de un rato contemplando el mar de bocas airadas y brazos en movimiento, reconocí algunas caras: Bouvier, el panadero, y la bruja del bistrot de la esquina, envuelta en viejas cortinas de damasco rosa.

–*Vive la France!* –gritaba, como todos los demás–. *Vive la France!*

Los que me sujetaban me soltaron, dejándome caer en los escalones. La multitud se me echó encima en un segundo. Se lanzaron sobre mí con las facciones retorcidas por el odio y el hambre, como una lava furibunda, y empezaron a escupirme mientras me daban patadas y me arrancaban la ropa.

El líder del grupo me cogió en sus fuertes brazos con una ternura exagerada y me llevó a una plataforma improvisada. Yo me agarré con fuerza a su cuello, ignorando las punzadas de la cadera, y apreté mis pechos contra su torso. «Tú me salvarás.» Abrí la boca y le rocé la nuca con los dedos de la mano izquierda, mientras él se inclinaba para depositarme en la plataforma.

Su mirada recorrió todo mi cuerpo. Le miré con los brazos tendidos. «Sí, desea este cuerpo y esta boca. Te los daré. Podrás hacer conmigo lo que quieras. Te daré placer. Te haré morir de gusto, y pedir más a gritos. Pero sólo si luego me dejas libre.»

Él miró los rostros de la multitud, se giró lentamente y me escupió en la cara.

El francés de ojos enrojecidos se acercó y me tiró un papel al pecho.

–Odette LeClerc, se te acusa de traidora y de colaborar con los alemanes. Esta carta contiene los detalles de tu relación con el barón de Tourneau, Franz Behrenson y una docena de nazis menos importantes que te dieron joyas, un coche y más regalos de los que se podrían contar. También se te acusa de delatar a camaradas, refugiados y miembros de la Resistencia. Las acusaciones son irrefutables. Las pruebas, del todo concluyentes. –Levantó las manos por encima de la cabeza y se inclinó ante el hombre que me había llevado hasta la plataforma–. Monsieur Bir, aquí se la dejo.

–*Vive la France!* –exclamó una voz detrás de mí.

El cúmulo de gente que me rodeaba repitió:

–*Vive la France!*

Las manos de gigante de Bir me desgarraron la camisa y me la quitaron por los hombros. Otro hombre me cogió del pelo y lo estiró, mientras una mujer con tijeras lo cortaba a trasquilones. Cerré los ojos y recé por que llegara la muerte.

«Colaboracionista. Traidora. Espía.» A esas alturas, ya daba igual que me llamaran de una manera u otra. Era todas esas cosas a la vez, y algo peor: la puta más sucia, la peor de las rameras, una alimaña que envilecía su ciudad y sus vidas.

Se oyó un disparo y un grito. La gente se apartó. Se estaba acercando un soldado americano. ¿Vinnie? No estuve segura. Fuera quien fuera, no debía de tener muy buena opinión de mí, porque me agarró por los hombros sin contemplaciones y, cuando estuve levantada, me empujó hacia la gente. ¿Adónde íbamos? Yo sólo sabía que se me clavaba la gravilla en los pies descalzos. El francés de ojos enrojecidos se interpuso con los brazos en alto.

–¡Para, que es nuestra! –gritó.

–Lo siento –dijo el soldado que no era Vinnie, sino un desconocido de cara pálida y ojos tristes–. Nuestras órdenes son llevar al cuartel a todos los colaboracionistas que puedan suministrar información valiosa. Si la dejo aquí, la mataréis.

–¿Qué información quieres que os dé una zorra? –gruñó el francés.

Sin embargo, se apartó para dejarnos pasar.

Yo me derrumbé contra el soldado, abrazándole como lo que era: mi salvador. Medio a rastras, medio en volandas, me llevó al otro lado de la muchedumbre, a una calle relativamente vacía donde nos esperaba un coche.

–¿Conoce a un soldado que se llama Vincent Sforza? –le pregunté.

Él pensó un poco.

–En la 101 de aviación había uno que se llamaba así –dijo–. Entró con nosotros en París y nos ayudó a tomar la ciudad. Me lo encontré una vez. Parecía majo, con muchísimas ganas de llegar a París, pero creo que le han matado esta mañana. Al menos eso me han dicho. En todo caso, ahora no está por aquí.

Ninguna esperanza. Nada ni nadie por lo que vivir. Había dejado a mi familia en un vagón que les llevaba hacia la muerte. Envidié su sacrificio, y el de Vinnie. El soldado me ayudó a subir al *jeep*. Arrancamos, dijo que hacia el cuartel general, pero ¿no eran iguales todos los cuarteles generales? Bien mirado, ¿no habían ganado las bestias? ¿Qué diferencia había entre aquel soldado y los alemanes, los hombres con los que había follado para nada?

Vinnie estaba muerto. Mia estaba muerta. Que hicieran con Odette lo que quisieran.

–*Vive la France!* –gritó detrás la multitud.

31

Mi mano izquierda cogía con fuerza una bolsa de malla muy llena. La derecha se aferraba a la baranda de la escalera de salida de la estación de Lodz. Me dolía mucho la cadera izquierda. La vieja herida me incordiaba más que nunca.

A mis pies, la gente iba y venía de los andenes, bebía café en tazas, se daba palmadas en la espalda y se saludaba desde lejos. Apreté un poco más el pañuelo que tapaba mi pelo muy corto y bajé con disimulo, haciendo una mueca cada vez que oía una voz. Tenía miedo de que me reconociera alguien.

A la salida de la estación había una señal para la cola del taxi. Lo que no había eran taxis. La guerra se había notado menos en París que en Lodz, por cuyas avenidas asoladas por los bombardeos apenas circulaban coches.

Por la calle, las caras eran tristes, demacradas. Había pocos niños, y menos hombres. La mugre y la decrepitud se habían apoderado de todo. Flotaba un polvo de ladrillos, los de los edificios destruidos. Una capa de minúsculos trocitos de vidrio hacía brillar las calles.

«Mi casa», musité, para comprobar el efecto de la palabra en aquella ciudad fea y desolada.

Después de un somero interrogatorio, y de averiguar mi identidad mediante una llamada al coronel Johnston, la inteligencia militar americana me había dejado en libertad. En recompensa a mi trabajo, nada; ni un privilegio, ni un simple gesto de gratitud. Era una persona menos de la que preocuparse. Así de sencillo. Cuanto antes saliera de sus oficinas, más contentos estarían.

Como no tenía dónde ir, me fui a casa.

Mis pasos cansados me llevaron por calles conocidas. El café donde Jozef y yo oíamos conciertos de cuarteto de cuerda se había convertido en una montaña de escombros. La pequeña panadería de la que habíamos sido clientes habituales era literalmente un agujero en el suelo. Al menos habían quitado los letreros alemanes y habían vuelto a poner los de siempre, en polaco.

Caminaba con pasos furtivos, atenazada por el miedo de que me identificaran con una colaboracionista o una judía –a pesar del pañuelo que tapaba mi cabeza, y de que en Lodz ya no quedaban judíos–. Crucé la plaza Walnosci y subí por Nowomiejska hacia el Baluty. Antiguamente había sido un barrio de médicos, abogados, tenderos, amas de casa... ¿Qué sería de toda ese gente?

Recordé el ruido de los carros de caballos, y a los judíos yendo de su casa al gueto, con paquetes a la espalda... Ahora en la calle ya no había cadáveres tapados con periódicos, ni carros de excrementos, ni niños sentados en el barro, metiéndoselo en la boca con un hambre de lobos.

Lo único que había era silencio. Las nubes del cielo ponían reflejos violáceos en las ventanas de las casas deshabitadas.

Era una ciudad de muertos, poblada por mis recuerdos. Vi el lugar donde se había oído durante tanto tiempo el incansable reclamo del vendedor de sartenes. Un poco más allá, el sitio donde había visto llorar a un hombre por primera vez. Me acordé de una anécdota de Nate Kolleck, sobre una pareja que vivía en el apartamento de encima y escandalizaba a las demás familias porque hacía el amor con las cortinas descorridas. Quizá hubieran sobrevivido. Quizá Nate también.

Una serie de escalones en estado muy precario me llevó al piso vacío donde me había enseñado sus fotos. El fuego no había dejado nada: ni un fregadero ni una plancha de madera aprovechable. Ni un simple trozo de cristal. Sin embargo, un rayo de sol hizo brillar algo en un rincón. Al lado de la puerta había un montón perfectamente ordenado de latas de película. Contenían celuloide quemado. Las llamas habían devorado todas las imágenes y todos los recuerdos por cuya conservación Nate se había jugado la vida.

¡Y pensar que yo, con mi cabeza rapada, había tenido miedo de que me confundieran con una judía ortodoxa! ¿Qué pensarían los actuales habitantes de Lodz de una judía? ¿Qué representaría para ellos? En Polonia ya no quedaban judíos. Estaba *judenrein*, como había prometido el Führer. Purificada por el fuego. En el Baluty, el rey Chaim había perdido su apuesta por la santidad.

Me arrodillé en los adoquines esperando el regreso de los viejos fantasmas, o el saludo de una voz cualquiera. Esperando una razón para moverme. El viento del anochecer empezó a levantarse y me llenó la cara de polvo. Era un viento árido y glacial, tan reseco como mi vacío interior. No me quedaban lágrimas. Tampoco emociones.

Oí cantar a una mujer. Las notas lejanas de su canto subían y bajaban como el aleteo de un pájaro. Logré reconocer la melodía, una de las canciones del gueto que yo le había cantado en otros tiempos a mi padre:

> *Se quema, hermanos, se quema.*
> *Nuestra casita se ha incendiado,*
> *Y vosotros cruzados de brazos,*
> *Viéndola quemarse.*

La voz se hizo más fuerte y estridente. Al verme de rodillas en la acera, la mujer había empezado a acercarse. Era una bruja deforme y amenazadora que me llamaba con su dedo nudoso y retorcido.

> *Se quema, hermanos, se quema.*

Grité, me levanté y eché a correr. Tenía que ver qué le había pasado a nuestra casa.

Llegué a la verja, mientras veía encenderse luces en toda la manzana. Al menos había vida. En esa calle vivía gente, aunque seguro que no les conocía.

Vi a una niña de unos siete u ocho años que me miraba desafiante desde el patio, con los brazos en jarras y unos ojos muy azules y orgullosos.

–¿Quién eres? –preguntó–. ¿Por qué estás tan sucia?

Abrí la verja y me acerqué a la casa por el sendero de pizarra.

–Me llamo Marisa, y estoy sucia porque vengo de muy lejos y no he tenido tiempo de lavarme. ¿Tú cómo te llamas?

–Junka Kowalska. Vivo aquí con mis padres.

¿Era la misma familia que se había instalado después de nuestro exilio al gueto? No podía saberlo.

–¿Está tu madre?

–Sí.

–¿Crees que me dejaría ver la casa?

–No.

Me quedé donde estaba, indecisa.

–Es viernes por la noche, ¿no?

–¡Pues claro que es viernes por la noche! ¿Por qué?

Sacudí la cabeza y busqué el brillo de las velas del *sabbath* en la ventana del salón, o la expresión siempre ceñuda de mamá diciéndome día tras día que entrara antes de que se pusiera el sol. Estaba a punto de empezar el *sabbath*, con sus oraciones, y la bendición ritual del pan y el vino. Qué lástima no poder volver a tener la edad de aquella niña... Entonces me habrían dado mosto.

Siempre pasábamos el *sabbath* los cuatro juntos. Después de la cena, yo me sentaba al Bösendorfer y tocaba y cantaba con Jozef, que se ponía a mi lado, de pie. Con las velas del salón encendidas, nos embriagábamos de música mientras mamá y papá escuchaban sentados en el confidente, al otro lado del atril. Papá fumaba en pipa. Mamá prestaba esa atención que a Jozef y a mí nunca nos había faltado.

–¡Junkaaaa! –dijo alguien por una puerta lateral–. ¡Junkaaa Kowalskaaaa!

–¡Estoy aquí, tata! –gritó la niña.

–Pues entra ahora mismo. ¿Con quién hablas?

–Con nadie.

La niña entró corriendo en casa.

Nadie.

Esperé un poco y me acerqué a espiar el interior por unas cortinas. Había un hombre, una mujer y una adolescente (los padres y la hermana de Junka, supuse), bebiendo jerez cada uno en un sillón. Parecían cómodos y confiados, como si formaran parte de la casa. La casa de los Levy. Sí, porque los Levy estaban muertos, y yo –nadie– era invisible.

Cruzando unos setos de alheña, me levanté un poco para ver el salón. Una alfombra china azul claro, un armario esquinero de teca un poco raro, sillas vienesas modernas, una mesa de ébano... Nada de lo nuestro. La fría elegancia de la sala formó un nudo en mi garganta, y el pecho me dolió tanto que me asusté. Creía que no me quedaba bastante corazón para romperse.

Vi que la familia pasaba al comedor y se distribuía por las sillas. Una mujer con delantal, la cocinera, sirvió un magnífico estofado. El padre bajó un momento la cabeza, levantó la mano e hizo la señal de la cruz. La madre y sus dos hijas le imitaron. Eran una familia bien parecida, digna y acomodada. Tan inamovible como lo habían sido en otros tiempos el doctor Benjamin Levy y su familia.

Con las uñas hincadas en las palmas, traté de borrar la imagen de mi memoria. Luego cerré los ojos y tuve ganas de gritar tan fuerte que mis gritos habrían destruido el salón, el comedor y todo lo que contenía, gente y mobiliario por igual.

¿Qué podía hacer? ¿Llamar a la puerta y darme a conocer? Tenía el impermeable sucio, los calcetines grises de mugre y un viejo saco de malla en las manos enrojecidas. La doncella ni siquiera me habría dejado entrar. ¡Por mi puerta, la puerta de mi familia! Una puerta cerrada para siempre a los judíos.

Tuve ganas de ir a la prefectura de policía y volver con un grupo de agentes que me ayudaran a recuperar mi casa. Haría expulsar a Junka y su familia, como nos habían expulsado a nosotros. Era lo justo. El Bösendorfer, los cuadros, la cubertería de plata... Todo lo que nos habían robado.

De repente la casa y todo Lodz, me agobió. No podía quedarme. Tendría que huir, una vez más.

—¿Adónde quiere ir, señorita?

—A otro sitio.

—Sí, claro, pero ¿a qué estación?

—Donde sea. Da igual.

—Entonces ¿por qué no se va a casa? Es medianoche, y el próximo tren no sale hasta la mañana.

—¿Para dónde?

—Para Budapest.

—Pues entonces a Budapest.

—Oiga, señorita... ¿Cómo se llama?

Nadie.

—Mire mi tarjeta de viaje. ¿Qué pone?

—Pone... —El jefe de estación hizo una pausa, mientras sus dedos palpaban el sello en relieve que habían puesto en París los del departamento de desplazados—. Mia Levy.

–Ah, pues no puede ser. Mia Levy está muerta. Murió con toda su familia en Auschwitz. Yo me llamo Odette LeClerc y quiero ir a Budapest.

Me dio el billete. Se lo pagué.

–¿Dónde paso la noche? –pregunté.

–Puede quedarse en la estación, pero es peligroso. ¿Por qué no se va a casa de algún amigo o un pariente?

–¿Amigo? ¿Pariente? ¡Qué gracioso! Son fantasmas. Yo tenía un amigo; bueno, muchos, pero eso era antes de... Me he portado mal. He sido malísima. Por eso me raparon la cabeza. Mire, se lo voy a enseñar.

Me quité el pañuelo y le enseñé mi cuero cabelludo infectado.

–¿Lo ve?

Se estremeció involuntariamente.

–Debería hacérselo mirar –dijo–. Hay una clínica, pero no creo que esté abierta.

–No puedo ir a ninguna clínica. Salgo a primera hora para Budapest.

El hombre empezaba a impacientarse.

–Aquí, a la vuelta de la esquina, hay un hotel. ¿Tiene dinero? Podría pedir una habitación.

–¿Dinero? –Metí la mano en el bolsillo–. Soy rica. Mire.

No saqué un zloty, sino un rollo de celuloide ennegrecido. Después de mirarlo un segundo, grité y lo tiré al suelo dando un salto hacia atrás.

–Señorita...

Me desmayé.

Mi cabeza se convirtió en un estallido de voces, sirenas, gritos y ráfagas de metralleta. Vi a Jozef, que me miraba enfadado desde el techo de la estación. Estaba con mamá, que también me miraba, aunque los ojos se le habían vuelto de cristal. Y papá... Papá estaba a mi lado, empujándome del banco donde me había tumbado. ¿Por qué quería hacerme daño? ¿No sabía cuánto les quería a todos?

–Hice todo lo que pude –le dije–. Me crees, ¿verdad? Luché contra los nazis en París. Luché a base de follármelos. –Mi rabia era infinita–. Me convertí en una puta. Aguanté todo lo que pude por ti.

Por ti y por Jozef y mamá, pero me faltó fuerza. No pude salvaros. Estáis muertos. Ya lo sé, pero tenía que intentarlo. Ni siquiera tuve la oportunidad de despedirme, y ahora me vuelves a empujar. ¡Jozef, por favor, no estés enfadado! No fue culpa mía. Además, casi lo conseguí. ¿Dónde está Mia? Abajo, en la sala de música. ¿Oyes lo bien que toca y canta? Sí, papá, igualito que un ruiseñor.

¡Con qué claridad vi a esa joven pianista! ¡Con qué intensidad y qué concentración tocaba! Y era guapa, intacta y pura tras la protección del ventanal de la casa de sus padres. Un día sería una gran concertista y una gran dama.

Levanté la mano hacia los cuatro: mamá, papá, Jozef y Mia. Ahora también estaba Vinnie, que era el más alto. Tenía los brazos tan grandes que podía rodear a toda mi familia. Me sonrieron con adoración, diciéndome que estuviera tranquila, y el sonido de mi voz fue cristalino, radiante, lleno de esperanza...

Me desperté tumbada en un banco. Alguien me había tapado con una lona por la que se filtraban rayos de sol. ¿Cuánto había dormido? ¿Varios días? Me sentía tan repuesta... Aunque tardé un poco en saber dónde estaba.

Un altavoz destrozó la canción con su estridencia.

«Expreso de las seis y media para Budapest, vía tres.»

Cansada, con todos los huesos doloridos, pero cuerda y consciente de quién era y adónde iba, me dirigí al tren.

EPÍLOGO

1975

A los cincuenta y dos años, el espejo es un cruel compañero. Yo sólo lo usaba para lo esencial: limpiarme la cara, peinarme, cepillarme los dientes y vestirme de manera presentable. Por lo demás, siempre que podía lo evitaba. Un cadáver vivo se desintegra más despacio que un cadáver muerto, pero no deja de descomponerse, y yo no tenía ganas de valorar los daños.

Hasta esa mañana.

Esa mañana me miré largamente, como un pintor mirando su retrato. El pelo. ¿Qué era mejor, dejar que cayera naturalmente sobre los hombros, o hacerme una coleta? Aún era negro y, pese a haber perdido el lustre de la juventud, seguía siendo mi atributo más llamativo. Pues entonces suelto. La cara. ¿Cómo remediar el bronceado excesivo, y las arrugas –auténticas grietas– que se marcaban como los caminos de un mapa tridimensional? Un poco de crema limpiadora y unos toquecitos de colorete. Era lo único que tenía. Vestido, el que me había comprado por capricho hacía dos años, porque el guardarropa de cualquier mujer tiene que contener algo más que *shorts* y camisas de trabajo, aunque sólo sea para ir a las asambleas. ¿Cómo podía disimular su poca gracia? Con el cinturón, que le daba un toque de estilo. Si me lo ceñía bien, me alisaba la barriga, más lisa que en mi juventud, a causa del trabajo en el campo, y me marcaba los pechos. Buenos pechos, todavía. Al acordarme de su mano en ellos, me ruboricé.

Debí de pasarme una hora delante del espejo. Los arreglos, bastante limitados se hacían enseguida. Durante el resto del tiempo, pensé en Brooklyn y en Vinnie, y escuché la música –dulce y ligera, rítmica, tranquila, al estilo del jazz– que sonaba en mi cabeza.

Estaba tan ensimismada que cuando llamaron a la puerta tardé un poco en comprender que, como la casa más próxima estaba casi a un kilómetro, tenía que ser un visitante que viniera a verme expresamente.

–¡Vinnie! –exclamé, y me levanté con un salto tan torpe que tiré la silla al suelo.

Bajé corriendo los pocos escalones que había entre el salón y la entrada. Jadeaba como si hubiera corrido mucho más. Esperé un poco, respiré hondo un par de veces y abrí la puerta.

¡Qué guapo! Ni todas mis imaginaciones, ni todos mis anhelos, habían sabido reflejar la firmeza de su mandíbula, la perfección de sus pómulos, su pelo negro (más corto, pero incólume), su cuerpo atlético y la fuerza que irradiaba incluso sin moverse. Un Vinnie maduro, pero tan Vinnie como siempre: una versión afinada de su juventud. Al principio no me atreví a mirar sus ojos penetrantes, era demasiado peligroso, pero al cabo de un rato, estremecida, vencí el miedo y los miré.

Me sonreían. Vinnie sonreía. Yo también sonreí, un gesto casi olvidado.

–Mia… –dijo con dulzura, tendiéndome las manos.

Aún era pronto para tocarle.

–Pasa.

Cogió la maleta que había dejado en el suelo y me siguió. *¿Tendría intenciones de quedarse?* Empecé a temblar.

–No he oído ningún coche –le dije.

–Porque he aparcado en el campo. Quería caminar un poco antes de verte, para serenarme.

¡Así que también estaba nervioso! La idea me tranquilizó. Estábamos en igualdad de condiciones.

–¿Quieres café? ¿Té?

–Café, por favor.

Estábamos los dos de pie. Me di cuenta de la desnudez de la sala, con sus sencillos muebles de madera a los que se sumaban el toque de color de unos cojines, una estantería, un televisor, un piano de segunda mano y las lámparas.

–Siéntate, que te lo preparo en un minuto.

Dejó la maleta en el suelo.

–Prefiero acompañarte.

Teníamos tanto que contarnos que ninguno de los dos sabía por dónde empezar. Puse café molido en la cafetera, la llené de agua y encendí el fuego, sintiéndome observada. ¿Qué estaría viendo Vinnie? ¿Se habría llevado una decepción? ¿Tan mal había envejecido yo, a diferencia de él, que seguía tan joven? ¿Me estaría encontrando a la altura de sus fantasías, como yo? (Bueno, las mías las había superado la realidad.) ¿Sabría ver dentro de mí tan rápidamente, descubriendo que se me había encogido el alma y secado el corazón? Puse la cafetera en el fuego y la contemplé para no tener que dar la cara.

Sentí su mano en el hombro.

–Estás tan guapa como te recordaba –dijo–. Pienso cada día en ti. Vives en mis sueños.

Me giré y, con un grito sofocado, me pegué a su cuerpo. Vinnie me acarició la cabeza. Levanté la cara y nos dimos un beso.

Era la primera vez en treinta años que mis labios tocaban otros labios.

Estaba casado. Me lo dijo en cuanto nos sentamos, bebiendo café en el salón. Su mujer era Marilyn Schlesinger, el objeto de mis celos aquel día infausto en que él había tocado para su familia elegante. Tenían una hija que se llamaba Elizabeth y entraría el curso siguiente en Wellesley College. Al licenciarse del ejército había estudiado en la universidad gracias a una beca especial para soldados. Después el señor Schlesinger le había conseguido un trabajo en una agencia de corredores de bolsa, Jones & Thompson, donde se ocupaba de fusiones y adquisiciones. Era un trabajo que le gustaba, a pesar de las tensiones y el cansancio, y gracias al cual se había hecho rico. Ahora tenía un piso en Nueva York y una segunda residencia en Connecticut. Con Elizabeth viviendo fuera de casa, esperaba poder viajar más. A su mujer le había dicho que iba a Israel por negocios. Pensaba aprovechar la estancia para llamar a un socio de Jerusalén y proponerle una colaboración, pero esa parte del proyecto aún no era firme. Dependía del tiempo que estuviera dispuesta a tenerle yo en mi casa. Dependía de mí que se quedara más tiempo o se fuera esa misma noche. En todo caso, volvería a Estados Unidos en tres días.

Yo lo oí todo sin emoción. Ni me apené ni me alegré por él. De hecho no esperaba nada más. La única que no había sabido vivir era yo. Disfrutaba con el paisaje, con los cambios del cielo, con una copa de vino, con las verduras de mi huerto y con el pan recién hecho del *kibbutz*. Me gustaba el calor del sol, y el aire fresco de la noche. Incluso podía dormir sin soñar. Pero a los veintidós años ya lo había vivido todo, y no tenía ganas de más. Vinnie formaba parte de lo mejor de mi experiencia vital. Había oído mi canción.

Pero seguro que se había difuminado en su memoria, o que había sido reemplazada por otra música. El matrimonio, una hija, un buen trabajo, comodidades a la americana... De hecho, yo nunca había tenido la esperanza de vivir con él. Sólo de volver a verle, y ya estaba cumplida. Nos habíamos dado un beso y me había llamado guapa. Con eso me daba por satisfecha.

En cuanto a que se quedase a dormir... No supe qué contestar.

–¿Sabes –dije– que cuando llegaron los americanos a París estuvimos en un tris de encontrarnos?

Se puso muy serio.

–Sí, es verdad. ¡Qué ganas tenía de encontrarte! Los británicos me dijeron que vivías en un sitio que se llamaba La Maison, o algo así...

–Aux Camélias.

–Exacto. Un nombre muy bonito. El caso es que cuando llegué (no te cuento con qué prisa, ni lo que costaba dar un paso), lo único que vi fue un edificio bombardeado y gente furiosa, no sé por qué. También vi que se estaba yendo un *jeep* del ejército americano, y que en el asiento del pasajero iba una mujer, pero no podías ser tú.

Le miré atentamente, tratando de averiguar si la afirmación escondía una pregunta.

–¿Por qué no?

–Porque tenía el pelo corto, y el tuyo... –Sonriendo, se refirió a mí con un gesto.

Estuve a punto de llorar. ¡Qué cerca habíamos estado!

–No, no era yo –musité–. No era tu Mia.

Nos habíamos sentado el uno al lado del otro. Se inclinó para besarme la mejilla.

–He dicho algo que te ha puesto triste.

–Sí.

–Perdona.

Me levanté.

–Sólo pensaba en lo que podía haber pasado, pero no sirve de nada. Ven, que te enseñaré mi finca, con las manzanas y el huerto. Es lo que cenaremos esta noche.

Puso cara de alegría.

–Así pues, ¿puedo quedarme un poco?

–Claro que sí.

Salimos de la casa. No había ni una sola nube en el cielo. Desde lejos, los cedros eran todo un espectáculo.

–¡Qué bonito! –dijo.

–A mí me gusta.

–¿Eres feliz?

¿Feliz? En otros tiempos, los de Vinnie, quizá hubiera conocido el sentido de la palabra. No contesté.

–¿Te sientes sola?

La gente sola siente su soledad.

–No.

–Me alegro.

Nos paseamos cogidos de la mano por mi preciosa media hectárea, y aproveché para enseñarle todos los sitios especiales: la piedra donde leía algunas tardes, un árbol que por la mañana daba sombra, un promontorio con vistas al Líbano, el huerto, los manzanos... Me había convertido en una guía muy locuaz, inspirada por su público; una guía que lo veía todo con los ojos despiertos. Él no hablaba mucho, pero me miraba constantemente, haciéndome sentir su mirada, su aliento y el calor de su cuerpo.

–¿Te gustan los espárragos?

Sonrió, sorprendido.

–Sí, claro.

–Pues cogeré unos cuantos para la cena. Son los mejores del mundo.

–Mmm...

–Cenaremos patatas y una ensalada. Te advierto que no como carne.

–¡Pero si te encantaba!

Carne equivalía a sangre.

–Ahora ya no. ¿Te importa?

–No seas tonta.

Volvimos a la casa.

–Cuéntamelo –dijo él al llegar a la puerta.

Tuve un escalofrío. De aprensión.

–¿El qué?

–Tu vida. Sobreviviste a la guerra. ¿Qué pasó?

Se me quebró la voz.

–Que tuve suerte.

–Pues cuéntamelo.

Estaba muy cerca, con una expresión muy seria y apremiante. Fue como sentir el contacto de una llave en la cerradura de mi corazón, y que esa llave empezaba a girar.

–Puede que más tarde.

Ya habíamos cenado. Ya estaban fregados los platos. Compartíamos la segunda botella de vino en el sofá. Vinnie había mantenido el contacto con mis tíos Ceena y Martin, enviando postales navideñas y con alguna llamada telefónica, pero no sabían nada de los Levy. Por eso me lo había preguntado a mí, aunque le había costado un poco. Yo le dije que no había vuelto a saber nada de mis tíos. Intentaba olvidar el pasado.

–Toda mi familia murió en Auschwitz –dije–. La primera fue mi madre. ¿Te acuerdas de que me enteré antes de irme de Nueva York? A papá le mantuvieron con vida porque era médico, pero murió de tifus. Me contaron que cultivó el virus del tifus en el campo de concentración, y que se contagiaron muchos prisioneros. Le pareció una muerte más digna que las cámaras de gas. También rezaba a diario por que la aviación aliada bombardeara los campos de concentración, pero en eso no le hicieron caso. A los vigilantes también se les contagió el tifus. Al final mi padre murió de lo mismo. Lo irónico del caso es que él intentaba encontrar una vacuna para esa enfermedad. En cuanto a Jozef... Intentó escaparse, pero le pegaron un tiro antes de llegar a la alambrada.

No me angustió contárselo. Sus muertes –y la de Lobo, y la de Sonia– no habían hecho más que acrecentar mi insensibilidad. Las noticias sobre Jozef y papá, recibidas a través de la agencia judía, no me habían afectado ni más ni menos que cualquier parte de bajas de la guerra de los Seis Días: tragedias lejanas, en uno y otro caso. Al llegar a Israel, donde me envió la resistencia sionista de Budapest hacia finales de 1944, ya no albergaba ninguna esperanza de encontrarles vivos, y la confirmación años después de sus fallecimientos no había supuesto ningún drama. Para entonces mi luto ya había terminado.

Vinnie calibró mi estado de ánimo, y adoptó la actitud solemne y compasiva que cuadraba con él. No dijo «pobre Mia», ni «qué horror»; sólo «lo siento», estrechándome la mano. Poco después reanudamos nuestra conversación de la cena, y volvimos a un tema más seguro, pero también potencialmente más peligroso: el de Mia y Vinnie en Brooklyn.

Los mecanismos de la memoria son muy especiales. Vinnie comentó anécdotas que se me habían olvidado (obras de teatro, viajes juntos, secretos...). En cambio, los recuerdos que para mí eran sagrados no le hicieron vibrar.

–Ah, sí –dijo al oír la historia de un algodón de azúcar, el primero de mi vida, durante los inicios de nuestra relación–. Te sentó mal, ¿no?

Pues no, lo que me había sentado mal era un pastel de queso en Junior's, varias semanas después. El algodón nos lo habíamos limpiado mutuamente de la cara a lengüetazos, como preludio a un beso tan apasionado que había temido que se me doblaran las rodillas. Un beso que para él no formaba parte de nuestra historia. Otros sí.

Empezaba a ser tarde. Ya hacía varias horas que se había puesto el sol. Los breves intervalos de silencio en nuestra conversación tenían por único telón de fondo los ruidos del campo. (Esa noche no tocaban juegos de guerra árabes.) Sentí una agradable languidez. Estábamos aislados en la casita, fuera del tiempo, en Brooklyn y en Israel a la vez: jóvenes y viejos, íntimos y lejanos. Vinnie se levantó y fue por la maleta. Aún no habíamos dicho nada de cómo dormiríamos. Tuve miedo de que saliera el tema antes de haber tomado una decisión, pero no fue así.

–Te he traído algo –dijo–. No estaba seguro de que te gustara, pero me pareció lo más adecuado.

–¿Qué es?

–Ya lo verás.

Sacó una caja alargada de la maleta y la abrió. La luz de las lámparas hizo brillar su contenido.

–¡Un clarinete! –susurré.

–Ni más ni menos.

Ensambló las piezas mirándome con una expresión de... ¿de qué? ¿De esperanza? ¿De expectación?

Mi corazón palpitaba con un temblor extraño, el despertar de un antiguo entusiasmo.

–¿Vas a tocar algo?

Se rió.

—Ni hablar. O tocamos juntos, o no toco.

¿Juntos?

—Es que no tengo partituras...

—Pero tienes un piano. Es lo primero que he visto al entrar. Las partituras ya las traigo yo.

Se inclinó hacia la maleta y sacó una. Me levanté y la miré, poniéndole una mano en el hombro.

—Schumann.

—¿Qué querías que fuera? –preguntó él–. Las *Fantasías*.

Guardaba de ellas un recuerdo tan nítido que me vi de nuevo en el salón de Ceena y Martin, que nos oían tocar; la fusión de mis manos y su aliento revivían la magia de los sonidos de un maestro.

—Hace muchos años que no toco –dije–. ¿Tú crees que...?

Me miró arqueando una ceja. Cogí la partitura de sus manos, la puse en el piano, me senté con él a la derecha y levanté las manos.

—Ahora –dijo él.

Empezamos.

A pesar de su nombre, la primera de las tres *Fantasías* es una canción apasionada, de larga melodía y escritura igual de atenta a los dos instrumentos, que navegan juntos como dos barcos por un mar agitado. Mi piano estaba un poco desafinado, y la acústica, al ser la casa de madera, no era buena (el clarinete destacaba demasiado), pero no importó. La voz de la música sonaba en mis oídos como la de todo lo bello que contiene el mundo. Con su calor me llenaba la cabeza, la sangre y el corazón. Era demasiado. Demasiado. Una sensación como de zambullirse de cabeza en lo más profundo de aquel mar. Costaba respirar.

Todo lo que me gustaba de la música volvió de golpe. Después de tanto tiempo inactivos, mis dedos aún eran flexibles. Mis pies se movían en los pedales a las órdenes de Schumann como si el propio compositor estuviera con nosotros en la sala, diciéndonos cuál era la presión indicada y el matiz más adecuado para la expresión.

De vez en cuando miraba a Vinnie de reojo. Tocaba con los ojos cerrados, dejándose envolver por la música y formando parte del mismo mar. Fruncía el entrecejo con concentración, pero su cuerpo nadaba con la música, y en su interpretación había una profundidad desconocida. Volvíamos a estar hermanados: una pareja madura, como habíamos sido una pareja joven. Yo era consciente de que la pieza de Schumann se acabaría, pero me abrió los oídos y dejó volar mi alma en libertad.

La composición acaba con un melancólico *pianissimo*. Acometí la pieza siguiente sin darme tiempo para pensar en lo que ocurría en mi interior. Era una persecución llena de alegría en que el piano se daba a la fuga, perseguido por el clarinete a la velocidad justa para sonar al alimón. La tocamos a un ritmo furibundo, luciéndonos el uno para el otro, mientras la música reía por nosotros. Cuando acabamos, alcé las manos al cielo.

–¡Basta! –dijo–. Si seguimos, creo que me moriré.

Dejó el clarinete encima del piano, me cogió la mano y me hizo levantarme.

–No, eso no.

Me cogió por la cintura. Yo hice lo mismo. Unidos por la música, y por algo más profundo que el amor, fuimos al dormitorio.

No teníamos prisa. Cuando estuvimos desnudos en la cama, nos dedicamos exclusivamente a darnos besos, dejando que la unión de nuestras bocas anticipara la de nuestros cuerpos. Finalmente llegó el momento en que sus manos, refinadas por la práctica, me tocaron. Primero lo hicieron suavemente –pechos, muslos, entrepierna y después con más pasión, al crecer su deseo.

–No vayas demasiado deprisa –dije–, que para mí esto es nuevo.

Se moderó. Estuvimos unos minutos sin hacer nada. Luego nos dimos otro beso, mientras yo buscaba mi deseo.

Pero no lo encontraba. Traté de evocar las mismas imágenes que evocaba cuando pegaba a mis clientes en París o me dejaba follar por ellos, imágenes de Vinnie y yo en la cama, pero lo único que percibía era el sonido de su aliento, y las maniobras demasiado expertas de su lengua. Me senté en la cama.

–¿Qué pasa?

La luz de la luna, que entraba por la ventana abierta, tembló en sus ojos nerviosos.

–Podría ser tu mujer o cualquier otra. Una mujer cualquiera.

–No. Eres Mia.

La timidez de su queja me enfureció. Lloré.

–Antes no era así. Lo recuerdo de otra manera.

–Sí, lo sé –dijo él.

Él también se sentó y me hizo girarme hacia la ventana, para que la luna iluminase mi cara.

–Esto siempre lo hacía en el hotel –dijo–. Hacía que te diera la luz para poder adorarte.

Después de un largo rato, se levantó y se puso de rodillas al lado de la cama.

–Túmbate de espaldas y pon las piernas en mis hombros.

En un recoveco de mi corazón, tan escondido y profundo que sólo Vinnie podía destaparlo, sentí nacer un ritmo nuevo... y viejo. Obedecí sonriendo.

–Esto también lo hacías en el hotel.

–Sólo contigo. Es algo nuestro.

Besó mis pantorrillas, haciendo que sintiera sus labios, su lengua y su aliento. Luego metió la cabeza entre mis piernas, con su negro pelo, y obstruyó la luz de la luna. Yo quise tocarle, pero estaba demasiado lejos. El ritmo se aceleró. Vinnie tiró de mí, para acercarse más con sus besos. Se me endurecieron los pezones. Cerré los ojos y me entregué al torrente de sensaciones.

La boca de Vinnie encontró lo que buscaba.

–¡Oh! –grité.

Me separó los labios con las manos y empezó a explorarme con su lengua. Mis piernas se separaron más, abriéndose del todo a él. Esto es el placer, pensé. Esto es el gozo. Sensaciones olvidadas que se fundieron en la boca de Vinnie. Mi cuerpo tembló con tanta fuerza que erguí la cabeza

–Ven –le dije.

Vinnie subió a la cama y me besó en la boca. Reconociendo mi sabor en su lengua, quise corresponderle, pero ya me había penetrado. Entonces me tumbé, rodeé su cintura con las piernas y me entregué de lleno a su ardor. El deseo le había vuelto muy fogoso. Sus ansias encendieron las mías, alimentando un fuego imposible de apagar. Grité de éxtasis, encadenando un orgasmo tras otro, pero Vinnie no me soltaba. Tuve la sensación de que ya no podía más, pero me llevó aún más lejos, haciéndome entender que mi capacidad no tenía límites, y que mi potencial era infinito.

Sus embestidas se hicieron todavía más fuertes. Me tensé alrededor de su cuerpo.

–¡Sí! –grité.

Y él gritó:

–¡Mia!

Nos derrumbamos juntos, satisfechos. Luego volvimos al mundo y nos dormimos.

Por la mañana me desperté temprano. Volvía a sentirme como una colegiala. Por la ventana de la cocina entraba el sol. Parecía que el mundo hubiera cambiado. Cuando Vinnie entró en la cocina, ya estaba hecho el café, con pan judío fresco, del que preparaban en el *kibbutz*. La mañana era tan calurosa que Vinnie iba sin camisa. Me dio un beso en la nuca, pero yo le sorprendí y, girándome, me abracé a su cuerpo. Lo sentía tan fuerte...

Decidí enseñarle el *kibbutz*, explicándole que era como un pueblo muy pequeño donde la gente vivía y trabajaba. Al presentarle a algunos vecinos, fui consciente de estar alimentando las murmuraciones, porque era la primera vez que me visitaba un hombre, pero todos estuvieron muy amables, y le invitaron a tanto vino que pensé que se emborracharía.

La única persona que preguntó de dónde era fue mi amiga Sara, una sionista que había llegado hacía veinticinco años para vivir y trabajar en el *kibbutz*, y cuando Vinnie dijo que de Brooklyn se le iluminó la cara.

–Yo también soy de Brooklyn.

Estuvieron hablando toda una hora de los sitios de Brooklyn que conocían.

Yo nunca le había dicho a nadie que había vivido en Nueva York. Mi figura era un misterio para la gran mayoría de los habitantes del *kibbutz*.

Cambiando de tema, Sara le contó a Vinnie que yo tocaba el piano muy de vez en cuando, para algún amigo, y que lo hacía muy bien. Vinnie se limitó a sonreír.

Al final, cuando volvimos a casa, dijo:

–Vamos a cenar a Tel Aviv. Puede que encontremos algún sitio donde toquen música.

Yo estaba tan entusiasmada... Llamé a mis amigos más jóvenes, que me indicaron un sitio pequeño pero buenísimo donde servían comida oriental, prácticamente vegetariana.

Por la noche fuimos en coche a Tel Aviv. Hacía muchos años que yo no cenaba en un restaurante.

Hacia el final de la cena apareció un grupito de música klezmer. Le expliqué a Vinnie que eran grupos que tocaban al estilo oriental, y le dije que a su clarinetista preferido, Benny Goodman, le encantaba la música klezmer. Después de escucharlos, él dijo:

—El clarinetista es muy bueno, Mia.

Se levantó y se acercó al líder del grupo para hablar con él unos minutos. Le dio unos billetes que parecían dólares.

Volvió a la mesa sonriendo. El grupo empezó a tocar *Begin the Beguine*.

—Vamos a bailar nuestra canción —dijo Vinnie.

—Es que hace muchos años que no bailo... Ya no sé...

Me cogió la mano.

—Tú sígueme.

Me pareció increíble recordarlo con tanta facilidad. Tenía la sensación de estar en otro mundo.

Al final de la canción, Vinnie hizo un gesto al director del grupo, que empezó otra vez con *Begin the Beguine*.

Esta vez, al final de la interpretación, ni siquiera me di cuenta de que ya no tocaban. Estábamos en medio de la pista, como si no hubiera nadie más alrededor.

Cuando volvimos a la mesa, Vinnie dijo:

—¿Quieres algo de postre?

Yo le cogí la mano y dije:

—Vámonos, y lo tomamos en mi casa.

Nada más llegar, subí por la escalera.

—¿Y el postre? —preguntó Vinnie.

Sonreí y le llevé arriba, donde nos esperaba el postre.

Durante un minuto, lo único que hicimos fue mirarnos. Él empezó a desnudarme muy despacio. Decidí ayudarle, pero dijo:

—Quiero desnudarte yo solo.

Sonreí.

—Me acuerdo de que la primera vez, en nuestro hotel de Nueva York, me desnudaste de la misma manera.

Él me miró y dijo:

—Contigo tengo la sensación de volver a tener dieciocho años. Sé que eso nunca cambiará.

Esa noche hicimos el amor durante horas. No nos hartábamos el uno del otro. Era como si intentáramos llegar a lo más hondo del otro y ser una sola persona.

Al final Vinnie dijo:

—Estoy exhausto. Déjame descansar un rato.

Y se durmió sobre mi pecho.

Cuando nos despertamos abrazados, el día estaba nublado. Empecé a levantarme para preparar el desayuno, pero Vinnie dijo:

—No, no te vayas, quédate conmigo.

—¡Eres insaciable! —bromeé—. Me acuerdo de que en la habitación de nuestro hotel tampoco querías irte hasta el último segundo. Te advierto de que aún nos queda un día.

Le di un beso en la cabeza. Él se levantó y me abrazó.

Decidimos pasar el día en casa, y preparar la cena juntos. Se respiraba una paz tan grande...

Por la tarde, mientras escuchábamos algunos de mis discos, Vinnie dijo:

—No me has contado qué hiciste durante la guerra.

Yo quería que su Mia fuera la chica a quien había querido en Brooklyn y la mujer con quien había hecho el amor en Israel. Eso quería ser para él. No la Odette de la guerra.

—Nada dramático —le dije—. Trabajé para la OSS, más que nada traduciendo e interpretando informes. No trabajábamos en Nueva York, sino en París, en La Maison, pero no se diferenciaba mucho de lo que había hecho para Robert Sherwood.

Él no dijo nada. No estuve muy segura de lo que pensaba.

Mientras escuchábamos música, me estrechó entre sus brazos y dijo:

—Te quiero. Si hubiera sabido que estabas viva, no me habría casado. ¿Por qué no te pusiste en contacto conmigo? Al menos podrías haberles dicho a tus tíos dónde estabas...

Él no sabía que sí se lo había dicho a mis tíos, pero que no quería que lo supiera nadie más.

—No podía verte, porque la guerra casi me destruyó del todo. No me sentía viva —me sinceré—. Ahora ya no me quieres como en Brooklyn, pero aún queda mucho de ese amor. Lo sé por nuestras últimas dos noches. ¡Y yo te quiero tanto! ¡No sabes lo feliz que me hace podértelo decir!

Por la noche, después de cenar, estuvimos un buen rato abrazados, y Vinnie me susurró:

–Un día volveré a buscarte. No sé cuándo ni cómo, pero sé que tenemos que estar juntos. Esto no puede ser el final.

–Sé que no lo es –dije.

A la mañana siguiente, mientras le preparaba la maleta, se acercó por detrás y dijo:

–Tengo un regalo para ti.

Era la partitura que habíamos tocado juntos tantas veces.

–La guardaré como un tesoro hasta que me muera.

Fuimos hacia el coche, despacio y cogidos de la mano. Él subió y bajó la ventanilla. Cuando incliné la cabeza para darle un beso, se giró.

–¿Qué pasa? –dije.

Se volvió hacia mí y vi lágrimas en sus mejillas. Se las besé. Después fui yo quien se volvió.

Me llamó por mi nombre, pero no lo miré.

Oí alejarse el coche, y no me moví hasta que el ruido se apagó en la distancia.

Un pájaro cantaba. El paisaje brillaba de promesas.